Une mystérieuse identité

Un cruel dilemme

CARLA CASSIDY

Une mystérieuse identité

BLACK *ROSE*

éditions HARLEQUIN

Collection : BLACK ROSE

Titre original : PREGNESIA

Traduction française de LISA BELLONGUES

HARLEQUIN®
est une marque déposée par le Groupe Harlequin

BLACK ROSE®
est une marque déposée par Harlequin S.A.

ÉDITIONS HARLEQUIN

83-85, boulevard Vincent Auriol, 75646 PARIS CEDEX 13.

Service Lectrices — Tél. : 01 45 82 47 47
www.harlequin.fr

ISBN 978-2-2803-0813-7 — ISSN 1950-2753

1

La maison, située dans un quartier résidentiel de Kansas City, était plongée dans le noir et dans le silence. Manifestement, ses occupants dormaient. Posté sur le trottoir d'en face, Lucas Washington avait pourtant conscience qu'il abordait la phase la plus risquée de sa mission.

Il s'apprêtait en effet à rentrer en possession de la Buick garée dans l'allée, sans savoir si un fou furieux armé d'un fusil et embusqué derrière l'une des fenêtres obscures n'allait pas tenter de l'en empêcher.

Il ne croyait pas aux faveurs, qu'elles soient reçues ou accordées ; néanmoins, c'était bien pour retourner un service rendu qu'il se trouvait dans la rue à 2 heures du matin en plein mois de novembre. Les saisies étaient généralement effectuées au milieu de la nuit, moment auquel les mauvais payeurs étaient censés dormir : cela permettait d'éviter une confrontation.

En tant qu'associé de Recovery Inc., il n'était pas rare que Lucas soit chargé de récupérer des véhicules impayés. Cependant, il s'agissait d'ordinaire de pièces coûteuses, telles que des hors-bord ou des avions ; bien souvent, ses deux partenaires et lui devaient s'aventurer en terrain dangereux pour procéder au recouvrement. Ils n'avaient pas pour habitude de s'occuper de Buick vieilles de deux ans.

Mais lorsque le propriétaire de Big Bob, une concession automobile de voitures d'occasion, avait téléphoné pour demander à Lucas de récupérer l'un de ses véhicules, celui-ci n'avait eu d'autre choix que d'accepter.

Bob avait en effet cédé une voiture à très bon prix à la sœur de Lucas, tout en fermant les yeux sur l'état peu brillant de son compte en banque.

De plus, les affaires avaient tourné au ralenti dernièrement, et Lucas était de mauvaise humeur. Celle-ci n'était peut-être pas sans rapport avec le fait qu'au cours des derniers mois, ses associés avaient rencontré l'amour et menaient à présent une existence à laquelle il n'avait plus de part.

Maussade, il releva le col de sa veste pour se protéger du froid, puis plongea la main dans sa poche et saisit la clé que lui avait confiée Bob. Tout ce qu'il souhaitait, c'était ramener cette voiture au garage automobile, et rentrer chez lui.

D'après Bob, le client qui avait acheté la Buick n'avait pas effectué un seul versement depuis quatre mois. Les tentatives de Bob pour le joindre et lui proposer des solutions étant demeurées vaines, le concessionnaire avait fait appel à Recovery Inc.

« Pas de cadeau pour les mauvais payeurs », murmura Lucas. Il espérait qu'il n'y aurait pas d'incident, que l'individu se réveillerait le lendemain matin en se demandant où diable était passée sa voiture.

Il s'avança prudemment et, après s'être assuré une dernière fois qu'il n'y avait personne aux fenêtres, traversa la rue. Une fois de l'autre côté, il s'accroupit derrière le pare-chocs arrière et écouta. Aucun bruit suspect.

Tirant la clé de sa poche, il s'approcha de la portière

du conducteur et tira sur la poignée. Elle n'était pas verrouillée. Parfait. Le mauvais payeur lui avait remarquablement facilité la tâche.

Il se glissa sur le siège et poussa un soupir de soulagement. Puis il introduisit la clé dans le contact, mit le moteur en marche et laissa échapper un cri de surprise : une main venait de se poser sur son épaule.

Il fit volte-face, s'attendant à découvrir le fusil du propriétaire de la maison pointé sur lui. Au lieu de quoi il se retrouva plongé dans les yeux les plus bleus qu'il lui ait jamais été donné de voir. Des yeux de femme. De jeune femme blonde ayant l'air d'avoir tout juste été passée à tabac.

Une vilaine entaille ornait un côté de son front ; du sang avait coulé sur son visage et sur le devant de son chemisier blanc.

— Je vous en prie, si vous avez l'intention de voler cette voiture, laissez-moi descendre !

Sa voix n'était qu'un mince filet, et elle était blanche comme un linge.

— Je ne la vole pas, je la confisque, nuance. Que faites-vous sur la banquette arrière ? demanda-t-il en reculant dans l'allée.

Hors de question qu'il reste là à discuter avec une fichue bonne femme alors que le mauvais payeur risquait de sortir à tout moment de chez lui.

Sa manœuvre effectuée, il prit la direction du garage et jeta un coup d'œil dans le rétroviseur. La fille était affalée dans un coin, ses jolis traits empreints de perplexité.

— Que faites-vous dans cette voiture ? Est-ce la vôtre ? Et qu'est-il arrivé à votre tête ? Quelqu'un vous a frappée ? mitrailla-t-il.

Il n'aimait pas les surprises ; or, trouver une femme

esquintée sur le siège arrière d'un véhicule qu'il récupérait était assurément une surprise.

Le fait qu'elle ne dise pas un mot, qu'elle ne lui explique pas ce qu'elle faisait là ne lui plaisait pas davantage. Les sourcils froncés, il regarda de nouveau dans le rétroviseur. Peut-être était-elle gravement blessée.

— Faut-il que je vous conduise à l'hôpital ? demanda-t-il plus doucement.

— Non !

La réponse avait fusé.

— Non, je vous en prie ! reprit-elle, les larmes aux yeux. Contentez-vous de me déposer quelque part. Je vais bien.

Problèmes conjugaux ? s'interrogea-t-il. Peut-être craignait-elle en se rendant à l'hôpital que l'individu qui l'avait molestée ne la retrouve. Il crispa les mains sur le volant. Rien ne lui inspirait davantage de mépris que les hommes qui levaient la main sur les femmes.

— Ecoutez, si votre mari ou votre petit ami vous a frappée, vous devriez aller trouver la police.

— S'il vous plaît… Je n'ai pas besoin d'aller à la police ou à l'hôpital. Peu importe votre destination, je descendrai là où vous irez. Tout ira bien.

— Comment vous appelez-vous ?

N'obtenant pas de réponse, il lui lança un nouveau coup d'œil dans le rétroviseur. La jeune femme croisa son regard, puis s'empressa de détourner les yeux vers la fenêtre.

— Mon nom n'a aucune importance, dit-elle enfin.

— Est-ce votre voiture ? Celle de votre mari ?

— Non, j'ignore à qui elle appartient. C'était la seule du pâté de maisons qui n'était pas fermée à clé, et j'avais froid. Je voulais seulement m'y reposer un petit instant et me réchauffer avant de repartir.

Décidément, quelque chose sonnait faux dans ses explications, songea Lucas. Elle ne lui avait dit ni son nom, ni ce qui lui était arrivé. Il allait commencer par déposer la voiture au garage ; ensuite, il déciderait de la conduite à tenir concernant l'inconnue.

Il aurait évidemment préféré la conduire directement au poste de police ou à l'hôpital, mais il avait perçu la panique dans sa voix à la seule mention de ces mots.

Ce qui était censé n'être au départ qu'un petit service rendu à Bob était en train de prendre un tour beaucoup trop compliqué à son goût.

Il poussa un soupir de soulagement en apercevant la concession automobile. Après tout, cette histoire ne le concernait pas, se dit-il.

D'un autre côté, il ne pouvait pas abandonner la jeune femme ici, il le savait. De toute évidence, elle avait des ennuis. Il se devait d'examiner de plus près l'entaille qu'elle avait au front pour savoir s'il lui fallait ou non des soins médicaux.

Il tourna dans le parking et franchit une barrière donnant sur une zone sécurisée. Après avoir garé la voiture, il déposerait la clé dans un coffre et refermerait la barrière, de façon à ce que le mauvais payeur ne puisse reprendre le véhicule à l'aide du double de clé toujours en sa possession.

Il jeta un coup d'œil à l'inconnue. Ses yeux étaient clos, son visage aussi blême que la lune hivernale. Il coupa le moteur. Alors seulement, elle ouvrit les paupières et regarda par la fenêtre, manifestement terrifiée.

— Je ne vous ferai pas de mal, dit-il avec douceur. Je dois laisser cette voiture ici, mais la mienne n'est pas loin. Je vous conduirai où vous voulez avec plaisir.

Il mit pied à terre et ouvrit la portière arrière. Comme

elle reculait sur son siège avec une réticence visible, il poussa une exclamation de surprise.

Elle était enceinte.

Très enceinte.

A l'idée qu'un homme avait pu la battre dans son état, il éprouva soudain, et contre toute attente, un vif désir de la protéger.

Lucas mesurait un mètre quatre-vingt-trois ; avec son mètre soixante, elle paraissait minuscule à côté de lui. Comme elle levait vers lui ses immenses yeux bleus, il s'aperçut qu'elle était de nouveau au bord des larmes.

— Peut-être pourriez-vous me déposer à un motel, et m'avancer de quoi régler la nuit ? Je vous promets de vous rembourser jusqu'au dernier sou. Si vous voulez bien me laisser votre nom et votre adresse, je vous enverrai l'argent, je vous le jure.

Sa voix recelait une note de désespoir.

— Ce n'est pas possible, dit-il. Manifestement, vous avez des ennuis. Dites-moi donc ce qui s'est passé. Dites-moi votre nom.

La lèvre inférieure de la jeune femme se mit à trembler, ses yeux s'emplirent de larmes.

— Je ne peux pas, chuchota-t-elle.

Elle poussa un long soupir tremblant et s'adossa au siège de la Buick.

— Je ne peux pas vous le dire, parce que je l'ignore.

Elle porta une main à son front, esquissa une grimace, et ajouta :

— J'ignore qui je suis.

Lucas la considéra, les yeux étrécis, se demandant si elle était sincère, ou si les paroles qui sortaient de cette jolie bouche aux dents blanches et bien alignées n'étaient que des mensonges.

La voyant frissonner, il comprit qu'il devait rapidement

prendre une décision. Elle ne portait pas de manteau, elle était enceinte et il fallait que quelqu'un nettoie la plaie qu'elle avait sur le front. Il allait faire son possible pour l'aider ce soir, décida-t-il, mais dès demain matin, elle devrait se débrouiller seule.

Il était fort possible qu'elle ait inventé cette histoire d'amnésie ; ce n'était pas pour autant qu'il allait la laisser seule ici dans son état.

— Ecoutez, mon appartement se trouve non loin d'ici, et ma sœur vit sur le même palier. Elle est infirmière. Il faut que quelqu'un examine cette entaille sur votre front. Que diriez-vous de m'accompagner là-bas ? Nous déciderons ensuite ce qu'il convient de faire.

Elle le considéra avec méfiance et posa les mains sur son ventre rebondi.

— Je ne sais pas qui vous êtes, dit-elle enfin.

— Je m'appelle Lucas, Lucas Washington.

Il passa les doigts dans ses cheveux trop longs et en désordre, et poursuivit :

— Je ne sais pas pour vous, mais moi, je meurs de froid et j'ai envie de rentrer à la maison. Vous avez des ennuis, c'est évident. Si ce que vous m'avez dit est vrai, alors il faudra bien que vous fassiez confiance à quelqu'un. Autant que ce soit moi.

— Nous irons chez votre sœur ?

Lucas hocha la tête en signe d'assentiment.

— Et elle est infirmière ?

— Exact.

— Alors c'est d'accord, dit-elle d'une voix pourtant encore empreinte de méfiance.

Tout en marchant vers sa voiturc, la jeune femme sur ses talons, Lucas se le répéta : il veillerait à ce qu'elle soit en sûreté pour cette nuit, mais qu'ensuite, elle devrait poursuivre sa propre route. Il n'avait aucunement l'intention de s'impliquer davantage dans cette affaire, quels que soient les problèmes que rencontrait cette femme.

Pouvait-elle se fier à lui ? Elle n'en avait pas la moindre idée. Il avait l'air digne de confiance, même s'il correspondait assez à l'image qu'elle se faisait d'un cambrioleur. Au moins, ce n'était pas un voleur de voiture. Mais elle aurait été bien en peine de dire ce qu'il faisait dans la vie.

Tout en s'installant sur le siège passager de sa voiture de sport, elle l'examina à la dérobée. Il avait les cheveux très sombres ; ceux-ci lui arrivaient presque aux épaules, encadrant un visage mince à l'aspect vaguement dangereux. Son blouson de cuir noir mettait en valeur ses larges épaules, et son jean de teinte foncée épousait comme une seconde peau ses hanches étroites et ses longues jambes.

Il était extrêmement séduisant, mais pouvait-elle lui faire confiance ? se demanda-t-elle une nouvelle fois.

Un mal de tête atroce lui battait les tempes, lui donnant la nausée. Mais la douleur n'était rien comparée à la peur qui lui étreignait le ventre.

Pour quelle raison ne se souvenait-elle pas de son nom ? Comment avait-elle eu cette blessure à la tête ? Et pourquoi ne se rappelait-elle rien ? Elle était enceinte, et ne savait même pas si elle était mariée ou non. Elle ne portait pas d'alliance, mais cela ne voulait rien dire.

— Ça va ? s'enquit Lucas en tournant dans le parking d'un immeuble résidentiel.

Il ne l'avait pas conduite dans un endroit désert où personne ne l'entendrait crier, c'était déjà ça, se dit-elle.

— Je suppose que oui, répondit-elle. Pour être tout à fait sincère, je suis terrifiée.

Il gara la voiture sur l'un des emplacements, éteignit

le moteur, puis se tourna vers elle, le regard sombre et énigmatique.

— Vous n'avez pas à avoir peur de moi. Je ne vous ferai pas de mal, je vous le promets.

— C'est ce que disent tous les tueurs en série avant d'assassiner leur victime, me semble-t-il.

Un éclat de rire grave et profond lui échappa.

— Je ne m'étais jamais fait cette réflexion !

Il sortit de la voiture et elle l'imita, réconfortée à l'idée qu'on l'entendrait crier dans l'un des appartements voisins s'il venait à l'agresser.

Elle n'avait d'autre choix que de s'en remettre à quelqu'un. Elle n'avait pas d'argent, elle ne savait plus qui elle était, et elle était en proie à un mal de tête qui menaçait de la terrasser. La nuit était froide, et elle était à bout de fatigue. Si elle se souciait peu de ce qui pouvait lui arriver, le sort de son bébé, en revanche, lui importait.

Après avoir dormi, elle se souviendrait certainement de son nom et de ce qui s'était passé. Tout ce dont elle avait besoin, c'était de quelques heures de sommeil ; ensuite, tout s'éclaircirait.

Elle suivit Lucas à l'intérieur de l'immeuble, puis le long d'un couloir. Aucun bruit ne filtrait à travers les portes devant lesquelles ils passaient. Il était presque 3 heures du matin, et il régnait dans le bâtiment un silence sépulcral.

— Mon appartement est ici, fit Lucas à mi-voix en dépassant le numéro 104. Ma sœur habite au bout du couloir.

Quand ils furent arrivés devant l'appartement 108, il toqua doucement à la porte. N'obtenant pas de réponse, il frappa plus fort.

— Je suis affreusement gênée, chuchota-t-elle. Nous la réveillons en pleine nuit.

— Loretta ne nous en voudra pas, dit-il en frappant de nouveau.

La porte s'entrouvrit et une paire d'yeux noirs ensommeillés, incroyablement semblables à ceux de Lucas, apparut dans l'entrebâillement.

— Lucas, que fais-tu ici à cette heure ?

Le battant se referma, un cliquetis de chaîne se fit entendre, puis la porte s'ouvrit en grand.

Loretta Washington était aussi petite et menue que Lucas était grand et costaud, mais elle avait la même chevelure sombre et opulente que lui. Ses yeux s'écarquillèrent de surprise à la vue de l'inconnue qui accompagnait son frère. Elle s'effaça pour les laisser entrer, et resserra la ceinture de son court peignoir bleu.

— Que se passe-t-il ? s'enquit-elle.

— Jane ici présente a des ennuis, laissa tomber Lucas.

« Jane » ? Après tout, pourquoi pas ? songea-t-elle. En attendant, ce nom ferait l'affaire aussi bien qu'un autre.

— Je suis navrée de vous déranger au milieu de la nuit, dit-elle.

— Ne dites donc pas de bêtises ! Et venez avec moi dans la cuisine, que je puisse examiner cette blessure à la tête.

La sœur de Lucas dégageait une impression de calme et d'efficacité qui la mit aussitôt à l'aise. Elle se laissa entraîner dans un salon bien ordonné puis pénétra dans une petite cuisine équipée d'une table de bois ronde.

— Asseyez-vous, ordonna Loretta en lui indiquant l'une des chaises.

Luttant contre une envie grandissante de pleurer de soulagement, Jane obtempéra. Elle se sentait en sécurité ici, du moins pour le moment. Lucas s'assit en face d'elle et la toisa avec la même circonspection que celle dont elle avait fait preuve à son égard un peu plus tôt. Sous ce regard sombre, l'agréable sentiment de sécurité qu'elle avait pu éprouver se dissipa.

— Que s'est-il passé ? interrogea Loretta en sortant de dessous l'évier une trousse de premiers soins.

— Elle l'ignore, répondit Lucas.

Mais son intonation indiquait clairement qu'il n'accordait aucune foi à cette version.

— Je ne te parlais pas à toi, répliqua sa sœur.

Munie d'un linge humide, elle se mit à nettoyer par petites touches délicates le visage de Jane, qui ferma les yeux à ce contact.

— Que s'est-il passé, mon ange ?

— Je n'en ai aucune idée.

Comme Loretta s'attaquait à la plaie proprement dite, elle grimaça de douleur.

— Tout ce dont je me souviens, poursuivit-elle, c'est d'avoir couru, couru... Ensuite, comme j'avais froid et que j'étais fatiguée, j'ai trouvé refuge dans une voiture, et votre frère est arrivé.

— Elle dit qu'elle souffre d'amnésie, intervint Lucas sur un ton qui trahissait son scepticisme. Elle ne sait plus qui elle est. En attendant, je l'ai baptisée Jane.

Jane croisa son regard sombre. Il semblait vouloir sonder son âme, mais il n'y avait sans doute rien à voir, pensa-t-elle.

— Vous ne savez plus comment vous vous appelez ? questionna Loretta avec douceur. Pouvez-vous me dire quel jour nous sommes ?

— Le 2 ou 3 novembre.

Ce devait être une réponse correcte, se dit Jane, car l'infirmière hocha la tête en signe d'encouragement avant de lui poser d'autres questions : en quelle année étaient-ils ? Qui était le président des Etats-Unis ?

— Je sais tout cela, dit Jane. Ce que je ne me rappelle plus, c'est qui je suis, et ce qui m'est arrivé.

Un nouvel accès de peur la saisit. Elle s'efforça de le maîtriser, ne voulant pas leur montrer à quel point elle était terrifiée.

Tandis que Loretta contrôlait sa tension artérielle et son pouls, Lucas continuait de la fixer à travers ses paupières mi-closes, une expression indéchiffrable dans le regard.

— Bonne nouvelle, déclara sa sœur. Apparemment, toutes vos fonctions vitales sont normales, et vous n'aurez pas besoin de points de suture sur le front. Par contre, il faudrait vraiment que vous alliez à l'hôpital pour vérifier que vous ne souffrez pas d'un traumatisme crânien.

Jane sentit la panique l'envahir. Sans raison précise, elle avait l'intuition qu'elle serait encore plus en danger si elle se rendait à l'hôpital ou à la police.

— Non, je suis sûre que tout ira bien quand j'aurai dormi quelques heures.

Regardant Lucas, elle suggéra :

— Peut-être pourriez-vous me conduire à ce motel dont nous avons parlé tout à l'heure ?

— C'est hors de question ! s'exclama Loretta. De toute façon, il va bientôt faire jour, et je ne vois pas de raison pour que vous partiez. Je dispose d'une chambre d'amis où vous serez parfaitement à l'aise. Nous déciderons de la suite demain.

— Oh ! je ne veux pas m'imposer plus longtemps ! protesta faiblement Jane.

— Ne vous fatiguez pas à essayer de discuter avec elle, intervint Lucas. Loretta a beau être petite, elle est effroyablement têtue !

Celle-ci lui donna une tape sur le crâne et lui sourit avec affection.

— Pourquoi ne rentres-tu donc pas chez toi, que nous puissions aller nous coucher ?

— Tu me raccompagnes à la porte ?

Loretta hocha la tête. Au moment où elle sortait de la cuisine à la suite de son frère, Jane sentit le bébé bouger dans son ventre. Elle se recroquevilla sur elle-même et serra ses bras autour d'elle.

Si elle avait une seule certitude à présent, c'était qu'elle aimait l'enfant qu'elle portait. Elle n'avait aucune idée de qui pouvait être le père, ou de quelle nature était sa relation avec celui-ci, mais cela n'avait pas d'importance. Elle avait l'intime conviction qu'elle avait aimé le bébé dès l'instant de sa conception.

Qu'aurait-elle fait si le hasard n'avait pas mis Lucas Washington sur son chemin ? Où se trouverait-elle à présent ? Serait-elle toujours dans la voiture, à moitié morte de froid ? Et qu'aurait-elle fait au matin, lorsqu'il aurait fallu sortir du véhicule ?

Elle frissonna et, de nouveau, une peur sourde l'envahit. Peur qui était non seulement liée au fait qu'elle ne se rappelait plus qui elle était, mais également à la conviction intime qu'elle était en danger.

Le plus effrayant toutefois dans tout cela, c'était encore de ne pas savoir qui lui en voulait, ni pourquoi.

2

Assis dans sa cuisine, Lucas regardait le soleil matinal pointer à l'horizon. Il n'avait dormi que deux heures, mais il se sentait reposé.

Il n'avait pas besoin de beaucoup de sommeil. Ne dormir que d'un œil, et par courtes périodes, était un mécanisme de survie qu'il avait acquis dans sa jeunesse. Les crises de colère de son père pouvaient en effet éclater à toute heure du jour ou de la nuit.

Au souvenir de ces nuits de terreur, ses doigts se crispèrent sur sa tasse de café. Il n'était pas certain que, sans sa petite sœur, il aurait pu survivre à son enfance.

Au début, il avait été un peu inquiet à l'idée de laisser Loretta seule la nuit avec une inconnue, puis il s'était dit qu'une femme blessée à la tête et à la grossesse aussi avancée ne pouvait constituer une réelle menace. De plus, Loretta était moins fragile qu'elle n'en avait l'air.

Jane.

Elle avait hanté son sommeil. Après que Loretta l'avait débarrassée du sang qui lui maculait la figure, il l'avait réellement vue pour la première fois. Avec son visage en forme de cœur et ses grands yeux bleus, elle était absolument irrésistible. Elle avait un teint uni et sa peau semblait douce, souple au toucher.

Une flambée de désir purement masculin avait jailli au creux de son ventre. Cela l'avait surpris : il avait trente-trois ans et était rarement en proie à ce genre d'émotion. Encore moins face à une femme enceinte et amnésique.

Volontairement, il évitait la compagnie des femmes. Il avait déjà son travail et sa sœur : cela lui suffisait amplement.

Il se leva de table et s'étira de tout son long. Il avait besoin d'une douche. D'ici à ce qu'il ait fini de se préparer, Loretta serait réveillée, et il pourrait aller voir comment les deux femmes se portaient.

Debout sous le jet d'eau chaude, il pensa de nouveau à la mystérieuse Jane. Il la soupçonnait de mentir. Si la peur qu'il avait décelée dans ses yeux magnifiques avait l'air bien réelle, il avait en revanche de sérieux doutes quant à l'authenticité de sa perte de mémoire.

Elle avait dû se disputer avec son mari ou son petit ami, et avait inventé cette histoire d'amnésie pour gagner du temps. Tant qu'elle ne se rendait pas à la police ou à l'hôpital, l'homme en question ne risquait ni de la retrouver, ni d'aller en prison pour violence conjugale.

Ce matin, elle se « souviendrait » certainement de son nom, et aurait pardonné au type qui la battait. C'était le scénario habituel, songea Lucas, un scénario qui ne lui était que trop familier.

Il enfila un jean et un T-shirt bleu marine à manches longues, puis retourna dans la cuisine se servir une autre tasse de café.

Il fallait qu'il appelle l'un de ses associés pour leur faire savoir qu'il n'arriverait au bureau que l'après-midi. Il allait en effet devoir décider de la conduite à tenir concernant Jane. Pour le moment, il ne savait d'ailleurs pas à quoi s'attendre.

Après avoir quitté l'armée, il avait créé Recovery Inc. avec deux de ses anciens camarades des forces spéciales de la marine de guerre. L'entreprise avait pour vocation de retrouver aussi bien des objets perdus ou volés que des personnes dans le pétrin, et le succès qu'elle rencontrait dépassait leurs plus folles espérances.

Malgré des revenus confortables, Lucas vivait simplement. La majeure partie de son salaire était employée à rembourser le prêt étudiant de Loretta, et il était déterminé à payer ses études de médecine à la rentrée prochaine. Elle avait toujours souhaité devenir docteur, et il veillait à ce que son rêve devienne réalité.

Il tira son téléphone portable de sa poche et composa le numéro de Micah Stone, son associé et meilleur ami. Celui-ci décrocha à la première sonnerie.

— Hé, collègue, que se passe-t-il ?

— Je voulais simplement te prévenir que je ne serai pas là ce matin. J'ai quelques petites choses à régler, mais j'arriverai dans l'après-midi.

— Dans ce cas, nous sommes deux. On dirait que Troy va devoir diriger seul le navire. La séance d'essayage a lieu ce matin. Et toi ? Tu as fait ajuster ton smoking ?

Le mariage de Micah avait lieu dans moins d'un mois, et Lucas était son témoin.

— Pas encore. Je tâcherai de passer avant la fin de la semaine.

— Tu sais que si tu ne le fais pas, Caylee t'arrachera les yeux ! Et crois-moi, elle peut être féroce !

Lucas rit. Caylee était la fiancée de Micah. Le moins qu'on puisse dire était qu'elle avait le sang vif, mais Lucas n'avait jamais vu son ami aussi heureux.

— Dans ce cas, je suppose qu'on se verra cet après-midi, dit-il avant de raccrocher.

Il était soulagé que Micah ne lui ait pas demandé la raison de son retard. Sans s'expliquer pourquoi, il n'avait pas envie de parler à qui que ce soit des événements de la nuit et de sa mystérieuse Jane.

Si, comme il le suspectait, celle-ci avait profité de leur gentillesse, il ne voulait pas que ses associés sachent qu'il s'était fait mener en bateau.

Il termina son café et jeta un coup d'œil à la pendule. Il était 7 heures tout juste passé. Loretta devait être debout, à présent, et il avait hâte de découvrir ce dont Jane se serait miraculeusement « souvenue » ce matin.

Parvenu devant l'appartement de Loretta, il frappa discrètement à la porte. Sa sœur vint lui ouvrir presque immédiatement. Elle portait une blouse médicale bleue à fleurs, et tenait une tasse de café à la main.

— Je t'attendais, déclara-t-elle en marchant vers la cuisine. Mon invitée dort toujours.

— Avez-vous parlé hier soir après mon départ ? s'enquit-il en s'appuyant au comptoir.

— Oui, mais pas longtemps. Elle était épuisée, et j'ai pensé qu'elle avait avant tout besoin d'une bonne nuit de sommeil. Je parie que tu ne crois pas à son histoire.

Lucas haussa les sourcils.

— Et toi ?

Loretta s'assit à table.

— Je ne sais pas. A mon avis, elle a bel et bien subi un traumatisme, et elle paraissait réellement effrayée et désorientée. Elle doit en être à huit mois de grossesse. Si un homme l'a frappée à la tête, il mérite d'être promené tout nu sur la place publique !

Pris d'un brusque élan d'affection pour sa sœur, Lucas lui adressa un large sourire. Elle avait six ans de moins que lui. Du fait de leur passé commun et de la disparition de leurs parents, ils étaient très proches.

— Allez, Loretta, dis-moi ce que tu as vraiment sur le cœur.

— A mon avis, tu devrais lui épargner un peu ton

cynisme exacerbé. Qu'elle souffre ou non d'amnésie, elle est dans une situation difficile.

Elle vida sa tasse de café et se leva.

— Je dois partir travailler.

Lucas l'accompagna à la porte. Là, elle se tourna une dernière fois vers lui.

— Propose-lui quelque chose à manger, Lucas. Et si elle doit rester ici deux jours de plus, cela ne me dérange pas.

Se dressant sur la pointe des pieds, elle l'embrassa sur la joue puis s'en alla.

Lucas retourna dans la cuisine, se servit une tasse de café et s'assit à table. Il n'était pas surpris par l'attitude généreuse de sa sœur vis-à-vis d'une inconnue. Aider les autres était chez elle une seconde nature.

Parfois, il était sidéré de constater avec quelle bonne humeur elle avait survécu à leur passé difficile. Son âme était demeurée pure et bienveillante. Dommage qu'il ne puisse en dire autant de la sienne.

Alors qu'il portait sa tasse à ses lèvres, Jane apparut sur le pas de la porte. Elle était vêtue d'une chemise de nuit blanche trop étroite : ses seins et son ventre étaient visibles sous l'étoffe tendue à craquer. Ses cheveux blonds et bouclés étaient ébouriffés. A sa vue, elle écarquilla les yeux de surprise. A l'évidence, c'était Loretta, et non lui, qu'elle s'attendait à trouver dans la cuisine.

— Oh ! s'écria-t-elle.

Rentrant le cou dans les épaules, elle croisa les bras sur sa poitrine. Sa lèvre inférieure trembla. A en juger par ses yeux rougis, elle avait pleuré. Comme la veille, Lucas sentit se réveiller ses instincts protecteurs.

— Je… je reviens.

Elle quitta la cuisine comme une flèche.

Il s'aperçut alors qu'il avait retenu son souffle. Il but une gorgée de café et s'efforça d'effacer de son esprit l'image de Jane... si féminine, si douce, si infiniment vulnérable.

Elle revint quelques instants plus tard, vêtue cette fois du jean et du chemisier blanc maculé de sang qu'elle portait la veille.

— Loretta n'a-t-elle pas de vêtements à vous prêter ? demanda-t-il.

— Votre sœur fait une petite taille.

Elle posa une main sur son ventre et ajouta :

— Ce n'est pas mon cas en ce moment. Elle n'avait rien qui puisse m'aller.

— Asseyez-vous, je vais vous servir une tasse de café, ordonna-t-il.

Il se leva, versa le breuvage dans une tasse et posa celle-ci devant Jane.

— Comment vous sentez-vous, ce matin ?

A sa grande horreur, elle fondit en larmes.

— Je pensais que tout serait rentré dans l'ordre à mon réveil, articula-t-elle entre deux sanglots, que je me rappellerai qui j'étais et ce qui s'était passé, mais je ne me souviens de rien de plus qu'hier soir.

Son chagrin faisait peine à voir. Il prit une poignée de serviettes en papier et les lui tendit. Soit elle était la plus grande actrice que la Terre ait jamais portée, soit elle disait vrai.

Elle pleurait si fort qu'il commença à se sentir inquiet pour elle et pour son enfant. Il approcha une chaise de la sienne, s'assit et lui tapota le dos avec maladresse.

— Ne pleurez pas, lui enjoignit-il. Nous allons arranger ça, mais arrêtez de pleurer. Ce n'est certainement pas bon pour le bébé.

Apparemment, l'argument porta, car les sanglots s'espacèrent, puis finirent par cesser. Elle s'essuya les joues, puis leva vers lui un regard empli de désespoir.

— J'ai si peur ! dit-elle. Que va-t-il m'arriver ?

— Pour l'instant, rien ne va vous arriver, assura-t-il. Vous êtes en sécurité ici. Loretta m'a dit que vous étiez la bienvenue si vous souhaitiez rester un ou deux jours de plus en attendant d'aller mieux.

Les yeux de Jane s'emplirent de nouveau de larmes.

— Vous vous montrez incroyablement gentils à mon égard.

Il fut tenté de la détromper, de lui dire qu'il n'y était pour rien, que seule sa sœur méritait sa reconnaissance. Lui, il était le sceptique qui ne savait toujours pas s'il devait la croire ou non.

Mais il prit la décision de lui accorder un temps le bénéfice du doute. Si elle mentait, il s'en apercevrait tôt ou tard. Si, au contraire, elle disait la vérité, il ne voulait en aucun cas être l'individu qui avait jeté dans la rue une femme enceinte, seule, amnésique et sans argent.

— Avez-vous faim ?

— Je meurs de faim, répondit-elle. Je ne sais pas quand j'ai mangé pour la dernière fois.

Un éclat de rire hystérique lui échappa.

— Des œufs brouillés vous conviendraient-ils ? demanda-t-il en se levant.

— Ce serait parfait. Mais je vous en prie, ne vous donnez pas la peine de me servir. Si vous me montrez où se trouvent les ingrédients, je cuisinerai moi-même.

Comme elle esquissait le geste de se lever, il lui fit signe de se rasseoir.

— Ne bougez pas, je m'en occupe.

Il sortit les œufs du réfrigérateur et commença à préparer le petit déjeuner.

Tandis qu'il s'activait, elle garda les yeux rivés sur la fenêtre, de petites rides dansant sur son front. De nouveau, il fut frappé par sa beauté. Ce n'était pas le genre de beauté voyante qui vous faisait tomber à la renverse, mais une beauté discrète, qui irradiait de l'intérieur. Fronçant les sourcils, il se mit à battre les œufs avec une force inutile.

La dernière chose dont il avait besoin était de ressentir de l'attirance pour cette femme. A l'évidence, elle avait déjà quelqu'un dans sa vie. Et de toute façon, s'engager dans une relation n'intéressait pas Lucas.

Elle continua à fixer la fenêtre, perdue dans ses pensées, pendant que les œufs cuisaient et qu'il introduisait les tranches de pain de mie dans le grille-pain. Quand ce fut prêt, il disposa la nourriture sur deux assiettes, une pour elle et une pour lui.

— Lucas ? fit-elle en tournant la tête vers lui.

Une expression troublée se lisait dans ses yeux bleus.

— Je sais que cela va vous paraître fou, mais j'ai la terrible sensation que je cours un réel danger.

L'estomac soudain noué, il posa les assiettes sur la table. La situation se compliquait de minute en minute. Or, il n'y avait rien que Lucas détestait plus que les situations compliquées.

Jane le contemplait, s'efforçant de ne pas remarquer que ses cheveux sombres et brillants avaient l'air doux comme de la soie, et qu'il sentait le savon et la lotion après-rasage additionnée d'une touche fraîche d'eau de Cologne.

— Vous ne me croyez pas, n'est-ce pas ?

Dès l'instant où elle lui avait avoué qu'elle n'avait aucune idée de qui elle était, ou de ce qui lui était arrivé, elle avait perçu son incrédulité. Pourquoi était-il si important pour elle qu'il accorde foi à ses propos ? se demanda-t-elle. Mais elle n'avait pas de réponse à cette question.

— Je ne sais pas ce que je crois, répondit-il enfin. Je

pense qu'il est possible que vous ayez eu une violente dispute avec votre petit ami ou votre mari, et que vous ayez cherché refuge dans un endroit sûr en attendant que les choses se tassent et qu'arrive l'heure des retrouvailles et des embrassades.

Levant la main, elle toucha son front, sourcils froncés.

— J'ai du mal à croire que je pourrais vouloir me réconcilier avec la personne qui m'a fait cela.

Il s'empara de sa fourchette.

— Il vous achètera des fleurs ou des bonbons, et jurera ses grands dieux qu'il ne recommencera pas. Vous finirez par vous remettre avec lui, et tout ira bien jusqu'à ce qu'il perde une nouvelle fois son sang-froid, fit-il d'un ton dur.

— Je ne m'engagerais jamais avec un tel homme ! s'écria-t-elle.

Il haussa un sourcil.

— Comment le savez-vous ?

Elle sentit une brusque chaleur envahir ses joues.

— J'ignore peut-être qui je suis, mais je sais ce que je serais capable de tolérer ! Or, une chose est sûre, c'est que je ne resterai jamais avec un homme qui lève la main sur moi.

Elle refoula les larmes brûlantes qui lui montaient aux yeux. Elle s'était endormie en pleurant la veille au soir, et avait pleuré de nouveau à son réveil. Elle était fatiguée de pleurer.

— Et si personne ne m'avait frappée ? Peut-être que je suis simplement tombée, et que je me suis cogné la tête sur un angle, suggéra-t-elle.

— Je ne pense pas, répliqua-t-il. Avez-vous des bleus aux genoux ? Des écorchures sur les paumes ? La moindre marque qui pourrait résulter d'une chute ?

— Non.

— Cette entaille que vous avez à la tête ne ressemble

pas à une blessure que vous vous seriez faite en tombant. On dirait plutôt que vous avez reçu un coup.

Il se pencha en avant, et elle s'aperçut que ses prunelles sombres étaient piquetées de paillettes d'argent.

— Si vous êtes terrifiée et que vous souhaitez rester à l'abri quelques jours, il suffit de le dire, vous savez ? Vous n'avez pas besoin d'inventer des histoires.

— Je n'invente rien. Je ne sais plus quoi faire pour vous convaincre, pour que vous compreniez que je ne mens pas.

Les yeux sombres l'étudièrent avec attention, puis il dit :

— Mangez donc vos œufs et votre toast tant qu'ils sont chauds.

Ils absorbèrent leur repas sans parler. Ne pouvant supporter une minute de plus le silence tendu qui régnait entre eux, elle dit :

— Votre sœur a l'air d'être quelqu'un de bien.

Il hocha la tête.

— Elle a un faible pour les gens dans le besoin.

— A l'inverse de vous ?

Un sourire sans joie étira ses lèvres.

— Moi, je n'ai de faible pour rien ni pour personne.

— Je sais que votre sœur est infirmière, mais vous, que faites-vous exactement ?

— Je possède une entreprise, avec deux de mes amis. Nous étions soldats dans les forces spéciales de la marine, et quand nous avons quitté l'armée, nous avons créé notre affaire.

— Et vous récupérez les voitures volées ?

Sa mine s'assombrit, comme si cette question l'agaçait.

— Ce que j'ai fait hier soir n'a rien à voir avec nos activités habituelles. C'est une mission que j'ai acceptée pour rendre service au propriétaire de Big Bob, la concession automobile.

— Alors, quelles sont vos activités habituelles ? insista-t-elle.

S'interroger au sujet de son hôte plutôt que sur son propre compte lui apportait une distraction bienvenue.

— Nous retrouvons des objets et nous les rapportons à leurs propriétaires. Mais ce que je fais n'a aucune importance. Le plus urgent, c'est de décider ce que nous allons faire de vous.

— Je devrais m'en aller. Mes problèmes ne vous concernent pas.

Elle tâcha d'ignorer la terreur qui l'envahit à l'idée de se retrouver dehors sans savoir où aller.

— Si je vous laisse partir dans les circonstances actuelles, Loretta me tuera, commenta-t-il.

Il se leva, empila les assiettes et les porta à l'évier.

— La priorité de la journée, c'est d'aller faire quelques emplettes au supermarché. Si vous voulez rester un ou deux jours de plus, il va vous falloir des vêtements de rechange et quelques effets personnels.

Jane se sentait affreusement mal à l'aise. Elle ne voulait pas dépendre de la générosité de Loretta ou de Lucas. Mais, quel que soit son désir de reprendre sa propre vie en main, elle ne savait par où commencer.

— Je n'arrive pas à y croire, dit-elle, plus pour elle-même que pour lui.

Une fois encore, elle tourna son regard vers la fenêtre. Le soleil était caché derrière un voile bas de nuages gris. Elle le compara silencieusement à sa mémoire : comme l'astre du jour, celle-ci était dissimulée quelque part au fond d'elle, et refusait de se montrer.

Reportant son attention sur son hôte, elle entoura son ventre de ses bras.

— S'il ne s'agissait que de moi, je m'en irais. Jamais je ne profiterais de votre gentillesse.

Il s'appuya au comptoir, le regard indéchiffrable.

— Je vais aller à mon appartement vous chercher un T-shirt propre et une veste, puis nous irons au Walmart acheter le nécessaire.

— Quoi que vous achetiez, je vous rembourserai, c'est promis. Dès que je me rappellerai qui je suis et d'où je viens.

Les sourcils froncés, elle tenta d'ignorer la douleur lancinante qui lui martelait le crâne.

— Peut-être qu'un détail réveillera mes souvenirs au fil de la journée.

Il était impensable que des jours et des jours s'écoulent sans que la mémoire lui revienne, sans qu'elle se souvienne de détails aussi simples que son propre nom.

— Peut-être, fit-il en s'écartant du comptoir. Je vais chercher de quoi vous couvrir. Je reviens tout de suite.

Comme il quittait la pièce, elle s'adossa à sa chaise et prit une profonde inspiration. Elle leva la main et toucha la croûte qui s'était formée sur son front.

Que lui était-il arrivé ? Pourquoi ne parvenait-elle pas à s'en souvenir ? Et si, une fois passés ces deux jours de sursis, elle ne savait toujours pas qui elle était, ni d'où elle venait ? Que se passerait-il alors ? Elle ne pouvait rester ici indéfiniment, profiter de la gentillesse de Loretta trop longtemps.

Elle posa la main sur son ventre et le frotta doucement. Son intuition lui soufflait que le bébé était un garçon. Bien sûr, elle ne se rappelait pas qu'on le lui ait annoncé, elle n'avait aucun souvenir concret ; elle le savait, tout simplement. Tout comme elle savait qu'elle détestait le beurre de cacahuète et adorait la pizza.

Lucas revint avec un blouson de ski en duvet et un T-shirt ample. Elle prit ce dernier et alla se changer dans la chambre où elle avait dormi.

Son chemisier maculé de sang était probablement perdu. Aucun détergent ne viendrait à bout de toutes ces taches brunâtres.

Le T-shirt de Lucas était trop large pour ses épaules menues, et tirait légèrement au niveau du ventre, mais porter un vêtement propre en coton fleurant bon l'assouplissant l'aida à se sentir mieux.

Elle quitta la chambre et retrouva Lucas qui l'attendait, assis sur le canapé. Il se leva à son entrée, et laissa courir son regard sur sa silhouette.

Gênée, elle posa une main sur son ventre.

— Votre T-shirt n'est pas spécialement taillé pour deux personnes, dit-elle. J'espère ne pas trop vous le déformer.

— Ne vous inquiétez pas pour cela.

Il lui tendit le blouson et l'aida à l'enfiler. Elle se retrouva enveloppée dans une douce chaleur imprégnée du parfum de Lucas. C'était une odeur d'homme et d'eau de Cologne, agréable et étrangement réconfortante.

— Prête ? s'enquit-il.

Elle hocha la tête en signe d'assentiment, et le suivit dans le hall.

— J'espère que je ne vous prive pas de la compagnie de votre femme ou de votre petite amie, dit-elle quand ils passèrent devant l'appartement de Lucas.

— Non, vous ne me privez de la compagnie de personne.

— Et votre travail ? Ne devriez-vous pas être au travail ?

Il lui adressa un bref sourire. C'était la première fois qu'elle le voyait sourire, et elle sentit une onde de chaleur la traverser.

— L'un des avantages de posséder sa propre entreprise, c'est qu'on peut choisir librement ses horaires, répondit-il.

Elle esquissa un petit signe de tête et garda le silence tandis qu'ils sortaient dans l'air vif de novembre et se dirigeaient vers la voiture.

Quel genre de femme était-elle pour porter l'enfant d'un homme et être capable d'éprouver une bouffée d'émotion à la vue du sourire d'un quasi-étranger ? s'interrogea-t-elle.

Durant un instant, il avait laissé son regard s'attarder sur elle, et elle s'était surprise à souhaiter avoir un ventre plat et une taille fine, à regretter que Lucas et elle ne se soient pas rencontrés au supermarché ou au restaurant, qu'ils n'aient pas été réunis par une attirance mutuelle.

Peut-être n'avait-elle pas perdu seulement la mémoire, mais l'esprit tout entier, songea-t-elle en se glissant sur le siège passager.

Le stress. C'était forcément le stress qui lui inspirait des pensées aussi délirantes. Les seules personnes sur lesquelles elle savait pouvoir compter, du moins pour le présent, étaient Lucas et sa sœur. Dans ces conditions, était-ce si surprenant qu'elle se sente attirée par lui ?

— Si la mémoire ne vous revient pas dans la journée, j'irai demain me renseigner discrètement sur les personnes qui ont été portées disparues ces derniers jours, annonça-t-il en démarrant la voiture. Quelqu'un de votre entourage se sera certainement inquiété pour vous, et aura signalé votre disparition.

— A moins que personne ne s'en soucie, répliqua-t-elle.

Il lui jeta un bref regard.

— C'est assez difficile à croire !

Elle laissa échapper un rire sans joie.

— Je trouve toute cette situation difficile à croire !

— Faisons un jeu. Je vais vous poser des questions, et vous me donnerez la première réponse qui vous vient à l'esprit.

— D'accord, fit-elle tandis qu'ils quittaient le parking de l'immeuble.

— Quelle est votre série télévisée favorite ?

— *The Closer*, répondit-elle sans même réfléchir.

Il hocha la tête.

— Bien. Et quel est le dernier film que vous soyez allée voir ?

— Je ne vais pas très souvent au cinéma.

Elle tâcha de ne pas s'attarder sur les petits éléments d'information que ces réponses lui fournissaient sur son compte, de peur d'endiguer le flot de réminiscences.

— Quel est votre restaurant préféré en ville ?

— C'est facile, le Café Italien sur Maple Street !

Sentant une soudaine excitation s'emparer d'elle, elle s'exclama :

— Je ne leur serai peut-être pas inconnue, là-bas ! Peut-être pourront-ils nous dire qui je suis !

— Je connais ce restaurant. Ce n'est pas très loin de l'endroit où je vous ai trouvée hier soir. Nous irons y déjeuner, et peut-être récolterons-nous de nouveaux indices.

L'excitation de Jane s'accrut. Il se pouvait que d'ici midi, elle sache qui elle était ; ou tout au moins qu'elle apprenne son nom. A partir de là, il serait certainement plus facile de découvrir ce qui lui était arrivé.

— C'est un point de départ, assura Lucas, comme s'il avait lu dans ses pensées.

Il pénétra sur le parking du Wal-Mart et trouva une place près de l'entrée. A cette heure de la matinée, il semblait y avoir peu de monde dans le magasin.

Alors qu'ils descendaient de voiture et commençaient à se diriger vers la porte d'entrée, une voix éclata tel un coup de tonnerre dans la tête de Jane.

Ne les laisse pas te retrouver.

Les mots semblaient provenir d'une entité étrangère à l'intérieur de son cerveau, et avaient un tel accent d'urgence qu'elle s'arrêta net.

Effrayée, elle agrippa par réflexe la main de Lucas. Il enroula ses doigts autour des siens et la considéra avec inquiétude.

— Ça va ? demanda-t-il. C'est le bébé ?

Deux pensées traversèrent l'esprit de Jane. La première, c'était qu'elle aimait la façon dont sa grande main enveloppait la sienne ; et la seconde, que la voix qu'elle croyait avoir entendue n'était probablement rien d'autre qu'une réaction liée au stress de sa situation dramatique.

Se sentant soudain idiote, elle libéra sa main avec un petit rire.

— Non, ce n'est pas le bébé. J'ai un peu les nerfs à vif, c'est tout.

Il laissa retomber son bras et l'étudia avec attention.

— Vous n'avez aucune raison d'être nerveuse. Si vous devez avoir peur de quelque chose, ce serait plutôt de ne pas savoir quoi choisir dans le magasin.

Elle se força à sourire.

— Les femmes n'ont pas ce souci, dit-elle.

Ils se remirent en marche. Les mots qu'elle avait entendus dans sa tête ne signifiaient probablement rien, se dit-elle.

L'ennui, c'était qu'elle n'avait pas réellement l'impression que ce n'était rien. En fait, le message ressemblait à un avertissement… Mais contre quoi était-il censé la mettre en garde ?

3

Lucas avait de nouveaux doutes concernant la véracité de l'histoire d'amnésie de Jane. Quelque chose s'était passé sur le parking. Une pensée, un souvenir avaient surgi, qu'elle avait préféré garder pour elle.

Elle n'avait pas confiance en lui. Or, comment lui venir en aide si elle était sur la défensive ?

Poussant le Caddie d'une main, il prit Jane par le coude et la guida vers le rayon habillement. En la voyant dans le T-shirt qu'il lui avait prêté, il s'était rendu compte à quel point elle était frêle malgré sa grossesse. Elle portait son bébé vers l'avant, mais exception faite de son ventre rond comme un ballon, elle était mince et élancée.

— Je n'ai besoin que d'un haut et d'une brosse à dents, dit-elle tandis qu'ils passaient devant le linge de maison pour se diriger vers le fond du magasin.

Lucas ne connaissait pas grand-chose aux femmes, mais il n'était pas naïf au point de croire qu'elle pourrait tenir un jour ou deux uniquement avec un nouveau chemisier et le jean qu'elle avait sur elle.

Quand ils parvinrent devant les vêtements de maternité, elle se dirigea directement vers le portant des articles soldés. A l'évidence, elle comptait dépenser le moins possible.

Pendant qu'elle passait en revue la marchandise, il repéra dans la nouvelle collection un chemisier de coton bleu à manches longues exactement de la couleur de ses yeux. Il s'en empara et le jeta dans le chariot, puis choisit un large sweat-shirt bleu et blanc.

Bien qu'elle n'en ait rien dit, elle devait sans doute avoir besoin de sous-vêtements, également. Certes, il n'allait pas entièrement refaire la garde-robe d'une femme qui aurait peut-être retrouvé son mari ou son petit ami d'ici la tombée de la nuit ; elle avait déjà une vie quelque part, des vêtements, des chaussures ainsi que tout ce qu'il lui fallait. Cependant, il ne voulait pas qu'elle soit privée du strict nécessaire pendant le temps qu'elle passerait avec lui.

Elle revint près du Caddie, tenant à la main un vilain T-shirt gris — probablement le moins cher qu'elle avait pu trouver sur le portant.

— Je crains que ça ne convienne pas, objecta-t-il.

Comme elle le dévisageait d'un air surpris, il expliqua :

— Si je dois vous avoir sous les yeux pendant les quarante-huit heures à venir, j'aime autant que vous ne portiez pas quelque chose de laid.

— Mais ce haut ne coûte que cinq dollars, protesta-t-elle.

— S'il est si bon marché, c'est qu'il y a une raison.

Il lui prit le vêtement des mains et le suspendit au portant le plus proche.

— Que pensez-vous de ce haut rose, là-bas ?

Il lui montra du doigt un T-shirt pastel portant l'inscription « bébé à bord ».

— Avec un nouveau pantalon et les autres articles que j'ai choisis pour vous, vous devriez être parée.

Détournant le regard, il ajouta :

— Ensuite, nous irons au rayon sous-vêtements. Vous y prendrez ce qu'il vous faut.

Elle le saisit par le bras. Baissant la tête pour la regarder, il vit que ses splendides yeux bleus étaient de nouveau embués de larmes.

— J'espère que le père de mon bébé possède le quart de votre bonté, Lucas.

— Ne voyez pas en moi une espèce de héros, dit-il d'un ton tranchant. N'importe qui agirait de même à ma place.

Tandis qu'ils s'éloignaient du rayon maternité pour se diriger vers celui des sous-vêtements, il eut envie de lui dire de cesser de le regarder avec des yeux si doux, si séduisants, qu'il était la dernière personne qu'elle devait contempler avec cet air d'adoration qui lui donnait soudain l'impression d'avoir trop chaud.

Il attendit au bout de l'allée pendant qu'elle choisissait un lot de culottes. A l'autre bout du rayon, une vieille femme semblait prêter attention à Jane. Quand elle aperçut Lucas, elle lui adressa un sourire plein de bienveillance, avant de disparaître dans l'allée voisine.

Jane revint vers lui et jeta ses achats dans le chariot. Elle leva les yeux vers lui, les joues légèrement empourprées.

— J'espère être une femme riche, parce que je vais vous devoir une jolie somme d'argent !

— Ne dites donc pas de bêtises.

Il désigna les chemises de nuit.

— Vous aurez sans doute besoin de ceci, fit-il remarquer.

— Oh ! non ! Je peux m'en passer. Loretta m'en a prêté une.

Lucas fronça les sourcils, se rappelant l'instant où elle était entrée dans la cuisine, vêtue de la chemise de nuit de sa sœur.

— Elle ne devait pas être très confortable. J'ai vu comment elle vous serrait au niveau du ventre. Choisissez-en donc une à votre taille.

Pendant qu'elle se dirigeait vers le portant, il tâcha d'oublier la vision qu'il avait eue d'elle le matin. Sa chemise de nuit légèrement transparente qui n'était pas seulement trop juste au niveau du ventre, mais lui comprimait les seins, également… Ses cheveux blonds ébouriffés, l'aura de douceur et de féminité qui se dégageait d'elle.

L'espace d'un instant, sa tasse à café immobilisée à mi-chemin entre la table et ses lèvres, il s'était demandé quel effet cela ferait de se réveiller le matin aux côtés d'une femme telle que Jane. Dans un demi-sommeil, caresserait-il son ventre arrondi, rêverait-il du futur du bébé qu'elle portait ?

Bon sang, que lui prenait-il ? Il ne s'était jamais intéressé aux bébés jusqu'ici. La dernière chose qu'il souhaitait était de devenir mari et père un jour : il n'était taillé pour aucun de ces rôles, tout simplement.

Jane était trop dangereuse à son goût : elle lui faisait penser à des choses auxquelles il n'avait jamais songé auparavant.

Elle choisit une chemise de nuit rose pâle et la déposa sur le tas grandissant d'articles à l'intérieur du chariot. Lucas poussa celui-ci en direction du rayon hygiène et cosmétique. Accordant son pas au sien, elle s'arrêta soudain pour se masser les reins.

— Désolée, dit-elle en souriant. Junior doit s'être appuyé contre ma colonne vertébrale.

A la vue de ce sourire, il eut l'impression qu'une coulée de lave le traversait. C'était la première fois qu'il voyait son visage, déjà ravissant au naturel, s'éclairer ainsi ; la joie le transfigurait. Même la croûte qui déparait son front n'altérait pas son charme.

Il se sentit soudain irrité. Son unique souhait était de découvrir l'identité mystérieuse de cette inconnue, de l'aider à retrouver sa vie d'avant, et surtout, de la voir sortir de la sienne.

Il s'avisa alors que la femme aux cheveux blancs qu'il

avait aperçue un peu plus tôt dans le rayon des sous-vêtements se trouvait maintenant au bout de l'allée. A l'autre extrémité, Jane était occupée à examiner les articles de coiffure. Une nouvelle fois, la vieille dame sourit en croisant le regard de Lucas. Puis elle tira un téléphone portable de son sac et disparut au coin de l'allée.

Il était plus facile pour lui de se concentrer sur une petite dame aux cheveux blancs que de penser à Jane. Il se passait de la compagnie des femmes depuis trop longtemps. Là résidait le problème : il n'était sorti avec personne depuis des mois.

La dernière fois, c'était avec une amie de Bree — la fiancée de Troy. Miranda était arrivée en avion de Californie pour passer le week-end avec eux, et Lucas l'avait invitée à sortir. Elle avait été l'amante parfaite : chaude comme la braise et très temporaire.

Il fronça les sourcils, irrité à la pensée que Jane le touchait d'une façon dont Miranda n'avait su le faire. Il y avait en elle une douceur, dans son sourire une gentillesse, dans son regard une fragilité, qui éveillaient en lui un instinct protecteur jamais ressenti à l'égard de quiconque — hormis sa sœur.

— Je pense avoir tout ce qu'il me faut, déclara Jane, le tirant de sa rêverie.

Elle ajouta dans le chariot une brosse à cheveux, une brosse à dents et un flacon de shampoing parfumé aux agrumes.

— Allons-nous-en, dans ce cas, fit-il avec un soupir de soulagement.

Ils se dirigèrent vers les caisses. S'il l'emmenait au Café Italien pour un déjeuner précoce, songea-il, peut-être quelqu'un là-bas la reconnaîtrait-il, et le mystère serait-il résolu d'ici midi.

Ils firent la queue derrière une femme qui paraissait

avoir acheté la moitié du magasin. Jane pressa dans la sienne la main de Lucas posée sur le Caddie, lui communiquant sa chaleur.

— Je ne sais comment vous remercier, dit-elle en levant les yeux vers lui. J'avoue que j'appréhendais de porter toute la journée mon chemisier plein de sang.

— Nous allons retourner en vitesse chez Loretta le temps que vous vous changiez, puis nous irons au restaurant, en espérant que quelqu'un là-bas vous connaît.

Il fut soulagé lorsqu'elle retira sa main.

— Même si l'on ne se souvient que de mon nom de famille, l'entendre prononcer suffira certainement à me rafraîchir la mémoire.

Il perçut du désespoir dans sa voix. Ce devait être horrible d'ignorer la chose la plus simple à propos de soi-même — son propre nom. Jusqu'à cet instant, il n'avait pas réellement pris conscience que, si elle disait la vérité à propos de son amnésie, elle devait être absolument terrifiée.

Son unique souci avait été de la voir partir le plus tôt possible ; cependant, il ne voulait pas qu'elle s'en aille avant d'avoir recouvré la mémoire.

Enfin, leur tour arriva. Tout en disposant les articles sur le tapis roulant, il remarqua que Jane faisait la grimace et se frottait les reins. S'asseoir soulagerait peut-être son mal de dos.

— Voulez-vous vous avancer jusqu'à la voiture ? proposa-t-il.

— Etes-vous sûr que ça ne vous dérange pas ?

Il lui tendit les clés.

— Allez-y, je vous rejoins dans deux minutes.

Elle lui sourit avec reconnaissance, prit le trousseau, et se dirigea vers la sortie, tandis que l'hôtesse de caisse annonçait à Lucas le montant total à payer. Il sortit son portefeuille, régla, puis remit les sacs dans le chariot.

A l'instant où il sortait du magasin, un fourgon blanc pila soudain à une vingtaine de mètres de lui. Les portes arrière s'ouvrirent et deux hommes empoignèrent Jane, dans l'intention évidente de l'attirer à l'intérieur du véhicule.

Le cœur de Lucas fit un bond.

— Hé ! cria-t-il, abandonnant le chariot pout s'élancer vers eux.

Jane poussa un hurlement qui lui fit dresser les cheveux sur la nuque et attira l'attention de tout le monde sur le parking.

Un autre client, un homme à forte carrure, se mit également à courir en direction du fourgon.

Jane cria de nouveau tout en se débattant. Les deux agresseurs la lâchèrent brusquement et remontèrent d'un bond dans le véhicule, qui démarra dans un crissement de pneus.

Le client à forte carrure et Lucas arrivèrent en même temps à hauteur de la jeune femme. Elle se jeta dans les bras de Lucas et noua ses mains autour de son cou, se serrant contre lui.

— Ça va ? s'enquit-il avec inquiétude. Ils vous ont fait mal ?

Elle secoua la tête et nicha son visage contre son torse. Malgré l'épaisseur de son blouson en duvet, il la sentait trembler de tout son corps contre lui.

Jetant un coup d'œil à Lucas, le grand costaud tira un portable de sa poche.

— Voulez-vous que j'appelle la police ?

— Non !

Jane leva la tête, regarda l'homme, puis Lucas.

— S'il vous plaît, n'en faites rien. Rentrons, d'accord ? Je vous remercie de votre aide, monsieur.

L'homme haussa les épaules, rangea son appareil, puis s'éloigna vers l'entrée du magasin.

Une autre cliente, une jeune femme, se dirigeait vers eux, poussant le chariot devant elle.

— De nos jours, on n'est plus en sécurité nulle part, commenta-t-elle, les traits soucieux.

Après l'avoir remerciée, Lucas poussa le chariot jusqu'à la voiture, Jane toujours agrippée à lui. Celle-ci sortit les clés de sa poche. Il déverrouilla les portières, l'aida à s'asseoir sur le siège passager, jeta les sacs sur la banquette arrière, puis fit le tour de la voiture.

Tout s'était passé si vite ! Il n'avait même pas eu le temps de relever le numéro d'immatriculation du fourgon. Tout ce qu'il avait vu, c'était une espèce de petit symbole sur la vitre arrière.

Impossible de croire qu'il s'agissait d'un acte de violence fortuit. Ces hommes s'en étaient pris personnellement à Jane. Il se glissa derrière le volant et se tourna vers elle, le cœur battant encore la chamade.

— Si des souvenirs vous sont revenus, s'il y a quelque chose que vous ne m'avez pas dit, c'est le moment de parler, dit-il en enfonçant brutalement la clé dans le contact. Sinon, nous avons intérêt à découvrir en vitesse qui vous êtes et pourquoi diable ces types ont essayé de vous enlever !

Jane le fixa, glacée, tandis que peu à peu, l'horreur de ce qui venait de se passer s'imposait à elle. Elle n'avait pas prêté attention au fourgon lorsque celui-ci s'était arrêté devant elle. Puis les portes arrière s'étaient ouvertes à la volée, et deux hommes s'étaient rués sur elle.

— Je vous jure que je ne sais rien, articula-t-elle. J'ignore qui étaient ces hommes, ou ce qu'ils me voulaient.

Sous l'effet de la peur, son cœur continuait de battre à un rythme effréné dans sa poitrine.

Lucas sortit du parking et déboucha dans la rue, un muscle tressautant sur sa mâchoire bien dessinée.

Elle continua à le contempler : le simple fait de le voir l'aidait à rester ancrée dans la réalité, à dompter la panique qui lui serrait les entrailles.

— Vous ne les avez donc pas reconnus ?

Elle secoua la tête.

— Je ne crois pas les avoir jamais vus.

— Ont-ils dit quelque chose ?

— Non, pas un mot. Ils se sont seulement emparés de moi, et ont essayé de m'attirer à l'intérieur du fourgon.

Elle frissonna en revivant ces instants.

Lucas ne parla plus pendant le reste du trajet jusqu'à l'appartement. Tout en conduisant, il surveillait constamment le rétroviseur. Il s'assurait qu'ils n'étaient pas suivis, comprit-elle.

Il n'a pas demandé à être mêlé à tout ceci, songea-t-elle. *Il ne s'est jamais porté volontaire pour m'aider.*

Cependant, l'idée de ne plus l'avoir à ses côtés la terrifiait.

Lorsqu'ils parvinrent devant son immeuble, il la saisit par le bras et l'entraîna à l'intérieur du bâtiment, tout en balayant les alentours du regard.

— Pourquoi n'iriez-vous pas prendre une douche et vous changer ? suggéra-t-il. Ensuite, nous nous rendrons à ce restaurant, et nous verrons si quelqu'un peut vous identifier.

La perspective de quitter de nouveau la sécurité de l'appartement emplissait Jane d'effroi, mais elle savait qu'elle ne pouvait se contenter de rester là à espérer qu'elle recouvrerait miraculeusement la mémoire. Se retrouver dans l'environnement familier du restaurant libérerait peut-être ses souvenirs.

Elle emporta les sacs dans sa chambre puis, après

s'être munie de vêtements propres et de son nécessaire de toilette, alla à la salle de bains prendre une douche rapide.

Tout en laissant courir le jet d'eau chaude sur sa peau, elle se repassa l'instant où les hommes avaient tenté de l'enlever. Le choc avait été si grand qu'elle avait été incapable de réfléchir ; sa seule réaction avait été de se débattre. Elle avait donné des coups de pied et de poing en tous sens pour leur échapper, mais ils semblaient déterminés à la faire monter dans le fourgon.

Pour quelle raison ? Qui étaient-ils ?

Ne les laisse pas te retrouver !

Les mots résonnèrent dans son crâne tel un coup de tonnerre. Elle s'appuya contre le mur carrelé, terrassée par un sentiment de terreur irrépressible qui déferlait en elle en vagues successives. Cet avertissement crié par son subconscient faisait-il référence aux deux ravisseurs ? Que lui voulaient-ils ? Et qui était-elle ?

Ces questions tournaient et retournaient dans sa tête, aussi insistantes que l'eau chaude qui tambourinait sur sa peau.

Dans quel guêpier s'était-elle donc fourrée ?

Lorsqu'elle eut fini de se doucher, elle enfila ses vêtements neufs. Le jean de maternité, propre et frais, était agréablement rêche contre sa peau, et le chemisier bleu lui allait à merveille. Ayant trouvé le sèche-cheveux de Loretta sous le lavabo, elle se sécha les cheveux, puis se brossa les dents et s'estima prête à affronter la suite de la journée.

Elle trouva Lucas assis à la table de la cuisine, en train de griffonner sur un morceau de papier. Il leva la tête à son entrée, et l'espace d'un instant, elle crut apercevoir une lueur sombre, brûlante au fond de ses prunelles.

Elle ne se rappelait peut-être pas son nom, mais elle

savait reconnaître le désir quand elle le voyait. Cela la stupéfia, tout en provoquant chez elle un trouble violent.

Il l'attirait, c'était indéniable ; son physique mince et vigoureux, son allure ténébreuse lui faisaient battre le cœur. Mais, jusqu'ici, elle s'était efforcée d'écarter ces folles pensées. Elle portait l'enfant d'un autre, et pour ce qu'elle en savait, elle était engagée dans une relation heureuse et épanouie avec cet autre homme.

— Vous êtes jolie, fit Lucas.

Elle entoura son ventre de ses bras.

— Je suis enceinte, répliqua-t-elle, comme pour rappeler à tous deux cette évidence.

Un sourire apparut au coin des lèvres de Lucas.

— On peut être enceinte et jolie à la fois.

— Merci, dit-elle, consciente du rouge qui lui montait aux joues.

Elle s'assit en face de lui.

— Que faites-vous ?

— Je n'ai hélas pas pu voir distinctement les deux hommes qui ont essayé de vous enlever, et je n'ai pas eu le temps de relever le numéro d'immatriculation du fourgon, mais j'ai remarqué un logo sur la vitre arrière.

— Un logo ? Qui disait ?

— Il n'y avait rien d'écrit. C'était une sorte de symbole. J'ai essayé de le dessiner en espérant qu'il vous évoquerait quelque chose.

Il fit glisser vers elle le morceau de papier.

Elle baissa les yeux sur le croquis : un triangle avec, au centre, ce qui ressemblait à l'œil omniscient. Cette vision la frappa de terreur. Avec une exclamation étranglée, elle repoussa vivement le papier de l'autre côté de la table.

Il se pencha en avant et recouvrit sa main de la sienne.

— Vous reconnaissez ce signe ? Qu'est-ce que c'est, Jane ? Qu'est-ce que ça signifie ?

— Je l'ignore.

Elle se sentait mal, comme si l'air glacé de novembre avait pénétré dans ses veines.

— Tout ce que je sais, reprit-elle, c'est que le simple fait de le voir me rend malade de peur.

Elle retourna sa main et entremêla ses doigts aux siens, éprouvant le besoin de s'imprégner de sa chaleur pour chasser le froid qui l'avait envahie.

— Qu'est-ce que ça veut dire, Lucas ? Mon Dieu, que se passait-il donc dans ma vie avant que je perde la mémoire ?

— Je ne sais pas. Ce qui est sûr, c'est que ces hommes n'étaient pas animés des meilleures intentions à votre égard, dit-il sombrement.

Un tic nerveux agitait de nouveau sa mâchoire.

A regret, elle retira sa main et, le cœur battant, considéra anxieusement l'homme qui l'avait recueillie.

— Lucas, vous devriez peut-être me déposer à un refuge pour sans-abri, ou dans un endroit du même genre.

Les mots sortaient difficilement, et elle sentait le sang battre à ses tempes tout en parlant.

— Nous ignorons quels dangers je risque d'attirer sur vous et sur Loretta.

Les yeux de Lucas s'étrécirent.

— Le danger ne m'a jamais fait peur.

Il se laissa aller contre le dossier de sa chaise, et poursuivit :

— Il n'y a pas de risque qu'on établisse un lien entre vous et moi. Je ne crois pas que vous soyez en danger ici. Et jamais de la vie je ne vous abandonnerais quelque part avant d'avoir découvert ce qui se passe. A mon avis, ces hommes ne projetaient pas de vous emmener dans un salon boire une bonne tasse de thé bien chaude.

Une bouffée de gratitude submergea Jane. Il aurait

été si facile pour lui de repousser toute responsabilité en ce qui la concernait, de la jeter en pâture aux loups !

Sentant le bébé bouger, elle posa une main sur son ventre.

— Junior s'agite !

— Il a peut-être faim !

Lucas repoussa sa chaise et se leva.

— Allons donc jeter un coup d'œil à ce restaurant italien ! Qui sait, nous découvririons peut-être votre vrai nom tout en dégustant des gressins !

Ils remirent leur manteau, puis quittèrent l'appartement de Loretta.

— Il faut que nous passions chez moi avant de partir, annonça Lucas.

Quand ils furent devant sa porte, il tourna la clé dans la serrure et lui fit signe d'entrer.

— Je reviens tout de suite, dit-il avant de disparaître dans le couloir.

Jane parcourut le séjour du regard avec intérêt, constatant sans réelle surprise que son salon était aussi austère et impersonnel qu'une suite de motel. Il avait paru complètement à l'aise chez Loretta. Son intuition soufflait à Jane qu'il passait le plus clair de son temps libre là-bas.

Il n'y avait qu'une seule photo dans la pièce ; elle trônait sur le téléviseur dans un cadre d'argent. Elle fit quelques pas et s'en empara. C'était une photo de lui et de Loretta assis sur un banc, dans un parc. Il semblait avoir dans les quinze ans, et elle, neuf ou dix. Appuyée contre son frère, elle levait la tête vers lui en souriant comme s'il était la huitième merveille du monde ; son sourire à lui, en revanche, paraissait légèrement contraint.

Elle reposa la photo à l'instant où il reparaissait dans le salon.

— Loretta et vous avez toujours été proches ?

— Nous avons toujours été seuls contre le reste du monde, répondit-il.

— Et vos parents ? Sont-ils toujours en vie ?

— Non, ils sont morts tous les deux. Mais, même du temps où ils étaient là, Loretta et moi étions tout l'un pour l'autre.

Elle eut envie de lui demander quel était ce nuage qui avait assombri son regard lorsqu'il avait mentionné ses parents. Mais son ton sec et son expression sévère la dissuadèrent de poser d'autres questions.

Ils fermèrent l'appartement et se retrouvèrent dans le froid hivernal. Elle s'installa sur le siège avant et le regarda faire le tour de la voiture pour gagner le côté conducteur.

Comme il avançait, les pans de son manteau s'ouvrirent, et elle s'aperçut qu'il portait à présent un holster. Elle sentit sa bouche s'assécher. Elle s'était bien rendu compte qu'elle avait un problème sérieux quand ces deux hommes avaient tenté de l'enlever, mais voir cette arme rendait soudain les choses très réelles.

Lucas s'attendait à de nouveaux ennuis. Voilà ce que signifiait le revolver. Elle espérait seulement qu'ils sortiraient vivants des épreuves à venir.

4

Le Café Italien était un lieu très prisé le midi. On y proposait une formule déjeuner à prix raisonnable, et garantissait un service rapide à ceux qui ne disposaient que d'une heure pour se restaurer avant de retourner au travail.

Lucas et Jane furent accueillis à la porte par un homme robuste et souriant.

— Deux personnes ? s'enquit-il en s'emparant de deux menus.

Lucas hocha la tête en signe d'assentiment, et on les conduisit à une table du fond, où il s'assit face à la porte, de façon à pouvoir surveiller les allées et venues dans le restaurant. Jane ôta son manteau trop grand pour elle et prit place en face de lui.

— Travaillez-vous ici depuis longtemps ? demanda-t-il à leur hôte, qui leur tendait la carte.

— Depuis deux semaines seulement. Pourquoi ?

— Me reconnaissez-vous ? questionna Jane.

Le désespoir était perceptible dans sa voix. Comment parvenait-elle à conserver son sang-froid ? s'interrogea Lucas. Après la scène du supermarché, elle avait tous les droits de s'effondrer. Mais elle tenait le coup, affichant un courage qui forçait l'admiration.

— Est-ce que je devrais ? répondit l'homme en la dévisageant avec attention. Vous êtes quelqu'un de célèbre ?

— Non, ce n'est pas ça. C'est juste que… j'ai quelques problèmes de mémoire. Je me rappelle être venue ici, et j'espérais que quelqu'un pourrait me dire quand.

— Désolé. Je suis assez physionomiste, mais je ne me rappelle pas vous avoir déjà vue, répondit-il. Je demanderai aux serveuses si l'une d'elles se souvient de vous.

— Merci, je vous en serais reconnaissante.

Comme il s'éloignait, elle fixa son regard sur Lucas avec une mine découragée.

— Je pensais qu'il me suffirait d'entrer ici pour que tout me revienne.

— Vous n'avez pas le moindre souvenir ?

Elle s'adossa à son siège et regarda autour d'elle. Lucas avait deviné que le chemisier bleu irait bien avec ses yeux, mais pas qu'il donnerait à sa peau cet aspect crémeux qui appelait la caresse. Il n'avait pas pensé que si les premiers boutons étaient défaits, il apercevrait la naissance de ses seins chaque fois qu'elle se pencherait en avant.

— Aucun détail ne me frappe en particulier, mais l'endroit m'est familier. Je suis certaine d'être déjà venue ici. Ce que j'ignore, c'est si c'était il y a une semaine, un an ou cinq ans.

Elle poussa un soupir de frustration, et ajouta :

— Et si je ne me rappelais jamais qui je suis, ou la raison pour laquelle ces hommes ont essayé de m'enlever ?

— Cela ne fait qu'une journée, Jane. Peut-être mettez-vous trop d'acharnement à essayer de vous souvenir.

Elle sourit.

— Manquer se faire enlever par deux gorilles sur un parking a tendance à vous rendre acharnée !

Avec un nouveau soupir, elle ouvrit la carte des menus.

— Les aubergines sont délicieuses ici, fi-t-elle observer.

Elle braqua sur lui un regard surpris.

— Comment suis-je au courant de cela ? Comment puis-je me souvenir des aubergines, et pas de mon propre nom ?

Elle devenait plus agitée de minute en minute.

Lucas fronça les sourcils.

— Je suggère de rentrer à l'appartement après le repas, et de ne rien faire pendant le reste de l'après-midi. Cessez de vous torturer les méninges, et vos souvenirs reviendront peut-être d'eux-mêmes.

— Vous avez raison, acquiesça-t-elle en refermant la carte.

Plus Lucas passait de temps avec elle, plus les questions se bousculaient dans sa tête. Que signifiait le symbole qu'il avait vu à l'arrière du fourgon ? Pourquoi Jane avait-elle réagi de façon aussi viscérale à sa vue ? Et pourquoi ces hommes avaient-ils tenté de la kidnapper ? Que pouvaient-ils bien lui vouloir ? Une chose était sûre : il ne s'agissait pas d'une tentative de vol à la tire. Elle n'avait même pas de sac à main.

Si l'hôtesse de caisse avait mis plus de temps à enregistrer ses achats, s'il s'était arrêté pour regarder une vitrine en sortant du magasin, les ravisseurs auraient probablement réussi leur coup.

Cette pensée lui glaça le sang.

Il fut ramené à la réalité par l'arrivée d'une serveuse. Jane commanda les aubergines, et lui les lasagnes. Ensuite, Jane demanda à l'employée si elle l'avait déjà vue dans l'établissement auparavant.

— Votre visage m'est plutôt familier, répondit celle-ci. Je suis à peu près certaine que vous êtes déjà venue ici, mais je ne connais pas votre nom, ni quoi que ce soit d'autre à votre sujet.

— Nous savions qu'il y avait peu de chances pour

que ça marche, reconnut Lucas quand la serveuse se fut éloignée.

— Je sais. Mais j'espérais tout de même que nous apprendrions au moins mon prénom.

Elle repoussa une mèche moirée derrière son oreille.

— Parlons d'autre chose, Lucas. Parlez-moi de vous.

Elle sourit et poursuivit :

— L'avantage, quand vous êtes en compagnie d'une femme qui souffre d'amnésie, c'est que la conversation est entièrement centrée sur vous.

Il rit. Elle était délicieuse.

— Il n'y a pas grand-chose à dire. J'ai trente-trois ans, je n'ai jamais été marié et je n'ai pas l'intention de l'être un jour. J'aime mon travail, ma sœur et mes associés : cela me suffit.

— Pourquoi ne voulez-vous pas vous marier ?

— Parce que je ferais un piètre mari, et un père encore plus médiocre.

Il avait connu de près les mauvaises relations au sein du couple, et portait encore les cicatrices d'une enfance maltraitée. C'était là son expérience de la famille. En restant célibataire, en ne devenant jamais ni père ni mari, il ne courrait pas le risque de répéter les erreurs de ses parents.

— Je ne pense pas que vous seriez mauvais dans un rôle ou dans l'autre, dit-elle.

Elle disait cela parce qu'elle ne le connaissait pas, songea-t-il. Gêné par la tournure que prenait la conversation, il haussa les épaules.

— Je suis mieux seul. Cela me convient.

— Je sais que ça peut paraître fou, surtout au vu de mon état, dit-elle en tapotant son ventre, mais j'ai le sentiment que j'étais seule avant que tout cela n'arrive.

Ses joues rosirent de façon charmante.

— Je ne sais pas, enchaîna-t-elle. Peut-être l'homme avec qui j'ai conçu le bébé a-t-il décidé qu'il ne voulait plus avoir affaire à moi ou à son enfant.

Elle porta son verre à ses lèvres, but une gorgée d'eau, et conclut :

— C'est juste une impression un peu folle.

— Qui est peut-être due aux circonstances, suggéra-t-il. Si ça se trouve, vous avez un mari qui vous aime, qui vous attend quelque part en ce moment, et qui s'inquiète pour vous.

Elle examina ses mains. Elle avait des doigts fins aux ongles courts et soignés, dénués de vernis.

— Je ne porte pas d'alliance, dit-elle. Je ne peux pas l'expliquer, mais je sais au fond de moi que je ne suis pas mariée.

Lucas se demandait qu'en penser. Il ne pouvait certes supposer qu'elle était mariée simplement parce qu'elle était enceinte. Mais, sans savoir pourquoi, il espérait qu'elle l'était, qu'elle avait dans sa vie un homme qui l'aimait et qui se rongeait les sangs à son sujet, un homme qui était littéralement fou d'elle, et impatient que leur bébé vienne au monde.

Bien que ne la connaissant que depuis vingt-quatre heures, il le lui souhaitait. Et peut-être aussi avait-il besoin d'y croire afin de dresser une barrière entre eux.

Il était attiré par elle, il ne pouvait le nier. Plus attiré qu'il ne l'avait été par aucune femme depuis très longtemps.

Comme la serveuse revenait pour les servir, il s'efforça de chasser cette pensée de son esprit. Il croyait la désirer à cause de la façon dont elle le regardait — comme s'il était en mesure de lui rendre sa vie, de tout arranger. Loretta était la seule autre personne à l'avoir regardé de cette manière.

Il ne faisait que passer dans sa vie ; il était aussi

temporaire que son amnésie. Avec un peu de chance, dans vingt-quatre heures elle aurait recouvré la mémoire et serait sortie de son existence.

Le repas se passa tranquillement : ils parlèrent de la nourriture et elle l'interrogea sur ses associés, Micah et Troy.

Il lui raconta comment Micah avait rencontré l'amour en la personne de Caylee en se rendant sur une île privée pour récupérer un avion. Quant à Troy, il avait porté secours à la Californienne Brianna Waverly, chouchou des paparazzis et victime d'un enlèvement, et était tombé amoureux d'elle. Aujourd'hui, Brianna dirigeait un refuge animalier non loin des bureaux de Recovery Inc., et Lucas avait le pressentiment qu'il se passerait peu de temps avant qu'ils n'annoncent leur mariage prochain.

— J'appellerai Troy et Micah en rentrant, pour leur demander s'ils peuvent obtenir des renseignements sur le symbole que j'ai aperçu sur la vitre du fourgon.

Elle pâlit.

— La vue de ce signe me fait un effet affreux, dit-elle d'une voix que le stress rendait plus aiguë que d'habitude.

— Si nous découvrons ce qu'il signifie, cela nous donnera peut-être un indice sur votre identité.

— Alors, vous me croyez ? Vous ne pensez plus que je simule ?

Elle posa sur lui son regard clair, le fixant avec intensité.

On pourrait se noyer dans ces eaux bleues profondes, songea-t-il. Peut-être était-ce parce qu'elle n'avait ni passé ni bagage que ses yeux étaient si purs, d'un bleu presque douloureux à contempler.

— Oui, je vous crois.

C'était la vérité. Après la tentative d'enlèvement au supermarché, il avait à un moment donné pris conscience qu'elle ne faisait pas semblant. Il avait lu la terreur dans son visage, ainsi que la confusion la plus totale. Personne au monde n'aurait pu jouer aussi bien la comédie.

— Je suis si contente ! répondit-elle. Il est important pour moi que vous me croyiez.

— Pourquoi ?

Elle le considéra, surprise.

— Parce que vous m'aidez. Parce que vous et votre sœur avez fait bien plus pour moi que ne l'exigeait le simple devoir. Je ne voulais pas que vous pensiez que j'étais du genre à mentir et à profiter de votre générosité.

Il ne pensait certes pas qu'elle cherchait à profiter de lui ; en revanche, il était tout à fait certain qu'elle était le style de femme à lui attirer des ennuis s'il n'y prenait garde.

Quand ils arrivèrent à l'appartement de Loretta, Jane était épuisée.

— Pourquoi n'allez-vous pas vous allonger quelques instants ? suggéra Lucas. Vous avez l'air à bout de forces.

— Je le suis, confirma-t-elle.

— Pendant que vous vous reposez, je vais appeler mes associés au sujet de ce mystérieux symbole. Je suis ami avec le chef de la police, Wendall Kincaid. Je vais également lui passer un coup de fil pour lui demander si quelqu'un a signalé la disparition d'une femme enceinte.

Elle se rembrunit.

— Mais vous ne parlerez pas de moi à la police, n'est-ce pas ?

Comme il hésitait, elle fit un pas dans sa direction.

— Lucas, je ne pense pas être une criminelle, aussi ma peur peut-elle paraître irrationnelle, mais l'idée de me rendre à la police me terrifie tout autant que la vue de ce symbole. Je sais que si je ne me rappelle pas qui je suis, je finirai par devoir y aller. Mais je vous en supplie, pas tout de suite…

— Ne vous inquiétez pas, la rassura-t-il. Je n'irai pas contre vos désirs pour l'instant. Je vais poser quelques questions à Wendall, et s'il me demande pourquoi je l'interroge, je lui dirai que j'ai un souci dont je préfère ne pas lui parler dans l'immédiat. Il respectera mon silence. Mais si votre amnésie perdure, dans ce cas vous avez raison : nous n'aurons d'autre choix que de nous rendre à la police. Maintenant, allez vous reposer.

Esquissant un bref signe de tête, elle pivota sur ses talons et se rendit dans sa chambre. Elle aurait du mal à s'endormir avec toutes les questions qui lui tournaient dans la tête.

Une fois de plus, elle se demanda ce qui serait advenu d'elle si Lucas ne l'avait pas trouvée dans la voiture. Il était pareil à un ange gardien venu à son secours au moment où elle avait besoin d'aide.

Mais était-il normal de se sentir traversée par une onde de chaleur quand cet ange gardien posait les yeux sur vous ? Etait-il naturel de se demander ce que vous éprouveriez si ses lèvres se pressaient contre les vôtres ?

Les hormones, se dit-elle en s'étendant sur le lit. Oui, cette folle attirance physique pour Lucas était à mettre uniquement sur le compte du chamboulement hormonal de la grossesse.

Sentant le bébé bouger en elle, elle caressa son ventre. Qui était le père ? Quels événements l'avaient précipitée dans le froid au milieu de la nuit avec une blessure à la tête ?

Lucas avait peut-être raison. Il était possible qu'elle essaie avec trop d'acharnement de recouvrer la mémoire, que ses efforts inhibent sa guérison.

Elle ferma les yeux, tâchant d'oublier les secondes

terribles où les deux hommes l'avaient agrippée par les bras pour l'attirer dans le fourgon. Elle respira profondément et s'efforça de faire le vide dans sa tête.

Des symboles. Il y en avait partout. L'œil entouré d'un triangle. L'œil omniscient. L'esprit omniscient.

Son cœur cognait douloureusement contre ses côtes tandis qu'elle courait le long d'un couloir sombre, interminable, pour échapper à l'œil... pour leur échapper, à eux.

Des pas résonnaient derrière elle. Elle se blottit dans une alcôve, priant pour qu'ils passent sans s'arrêter, pour qu'ils ne la trouvent pas.

Comme le bruit de pas s'éloignait, elle laissa échapper un soupir de soulagement. Cours ! *hurla une voix dans sa tête.* Sors d'ici !

Elle se remit en route, avançant sans bruit dans le couloir, espérant trouver une porte qui lui offrirait une issue. Elle tourna dans un autre couloir puis s'arrêta net. Son sang se figea dans ses veines. Il était là, au bout du couloir.

Bien qu'il fasse trop sombre pour qu'elle puisse distinguer ses traits, elle savait de qui il s'agissait.

L'esprit omniscient.

Des mains l'agrippèrent par les épaules et elle cria, avant d'ouvrir les yeux et d'apercevoir Lucas. Le cauchemar se dissipa, mais pas l'impression d'horreur. Elle émit un sanglot étranglé.

— Hé, tout va bien, murmura-t-il en s'asseyant au bord du lit. Ce n'était qu'un mauvais rêve.

Elle avait froid. Elle était glacée de peur. Sans réfléchir, elle se jeta dans ses bras tandis qu'un autre sanglot lui échappait. Comme elle se pressait contre lui et nichait son visage contre son torse, elle le sentit se raidir. Puis il fit exactement ce qu'elle avait besoin qu'il fasse : il l'enveloppa de ses bras et la tint serrée contre lui.

Peu à peu, grâce à la chaleur, à la force qu'il lui communiquait, les larmes de Jane se tarirent. Ce n'était qu'un cauchemar, se dit-elle. Un simple cauchemar.

Mais en était-elle aussi sûre ?

— Ça va ?

Son oreille étant toujours collée contre le torse puissant de Lucas, la voix de celui-ci lui parvint, grave et assourdie.

Cette étreinte lui était infiniment agréable, mais elle était consciente de ne pouvoir la prolonger éternellement. A regret, elle se redressa et s'écarta de lui.

— Avez-vous envie de parler ? s'enquit-il.

Sentant de nouveau le froid de la peur s'insinuer en elle, elle croisa les bras sur sa poitrine.

— C'était complètement fou. Il y avait ce symbole partout, je me trouvais dans un couloir obscur, et je tentais de m'échapper.

— D'échapper à quoi ? interrogea-t-il, dardant sur elle son regard sombre.

Sourcils froncés, elle s'efforça de décoder les images de son rêve.

— Je ne sais pas. Cela n'avait aucun sens. Je savais seulement que je devais m'enfuir. J'ai tourné l'angle du couloir, et là, au bout, il y avait un homme. Je savais que je ne pouvais pas lui échapper.

Un frisson la parcourut.

— S'agit-il d'un rêve, ou d'un souvenir ?

Elle soutint son regard. Il serait facile de se noyer dans ces prunelles sombres bordées de cils noirs, se dit-elle. En cet instant, rien ne lui aurait plu davantage que de se perdre en lui, de se soustraire à l'incertitude et à l'inconnu, de se sentir en sécurité dans ses bras.

Elle se secoua.

— Je ne suis pas sûre… Je ne sais pas, répondit-elle enfin. Mais s'il s'agit d'un souvenir, que peut-il signifier ? Pourquoi aurais-je l'impression d'être une prisonnière tentant d'échapper à quelque chose d'affreux ?

Lucas se passa une main dans les cheveux.

— Je l'ignore. Il se peut que ce soit symbolique, que ce que vous cherchez à fuir soit votre amnésie.

— Peut-être, dit-elle à demi convaincue. Combien de temps ai-je dormi ?

Il consulta sa montre.

— Environ une heure.

Il se leva.

— Ecoutez, j'ai quelques affaires à régler. Vous serez en sécurité ici en attendant le retour de Loretta. Elle devrait revenir vers 4 heures.

Jane n'avait pas envie qu'il s'en aille. L'idée d'être seule la terrifiait, mais elle domina son angoisse et hocha la tête.

— Je vous en prie, faites ce que vous avez à faire. Ça ira.

Elle espéra que son sourire ne paraissait pas trop forcé.

— Je repasserai vous voir ce soir, promit-il.

Comme il quittait la pièce, elle éprouva le besoin impérieux de lui avouer qu'elle craignait de rester seule, mais elle résista.

Elle avait fait une intrusion massive dans sa vie, et le moins qu'elle puisse faire était de ne pas se cramponner à un homme qui ne lui devait rien, simplement parce qu'elle mourait de peur.

La peur. Elle passa ses jambes par-dessus le bord du lit et prit une profonde inspiration. Elle devait contrôler sa peur. Il y avait des milliers de choses qu'elle ignorait sur elle-même, sur sa vie, mais il fallait absolument qu'elle se concentre sur ce qu'elle savait.

Son bébé et elle étaient en bonne santé, et elle était en sécurité pour l'instant. Peut-être qu'après une autre bonne nuit de sommeil, elle recouvrerait la mémoire, ou que, durant le dîner de ce soir, par miracle, tous ses souvenirs lui reviendraient.

Au lieu de s'apitoyer sur son sort, elle ferait mieux de s'occuper l'esprit à autre chose. Forte de cette résolution, elle se rendit dans la cuisine.

Pourquoi ne pas faire une surprise à Loretta en préparant le dîner ? se dit-elle. Elle passa en revue le contenu du réfrigérateur, et repéra une livre de viande hachée décongelée. Un pain de viande ? Ce ne serait pas une mauvaise idée.

Il ne lui fallut que quelques minutes pour rassembler les ingrédients nécessaires à sa recette, et pour se mettre au travail. C'était étrange : elle avait le sentiment que le pain de viande était l'une de ses spécialités. Sans même avoir à réfléchir, elle mit la bonne quantité de chapelure et d'assaisonnement.

Elle venait d'introduire le plat dans le four lorsqu'elle entendit la porte d'entrée s'ouvrir.

— Il y a quelqu'un ? appela Loretta.

— Je suis dans la cuisine ! répondit Jane.

Comme son hôtesse pénétrait dans la pièce, elle se sentit légèrement intimidée : elle lui avait à peine parlé la veille au soir, et ne l'avait pas vue ce matin.

— Vous avez bien meilleure mine qu'hier, fit-elle observer la jeune femme avec un sourire chaleureux qui mit immédiatement Jane à l'aise.

— Physiquement je vais mieux, mais à l'intérieur rien n'a changé, malheureusement.

— Vous n'avez toujours aucun souvenir ? interrogea

Loretta en s'asseyant sur une chaise et en envoyant valser ses sabots en plastique bleu.

— Aucun. J'espère que le fait que je sois encore là ne vous embête pas trop. J'ai pris la liberté de préparer un pain de viande pour le dîner.

— Si cela m'embête ? Si vous cuisinez pour moi tous les soirs, je songerai peut-être à vous épouser ! s'exclama Loretta en riant.

Jane se détendit et la rejoignit à la table.

— Je ne veux pas abuser de votre gentillesse. J'espère qu'après une autre bonne nuit de sommeil, les choses s'éclairciront.

— Ne vous en faites pas pour cela. L'important, c'est que vous vous laissiez le temps de guérir. Où est mon frère ?

— Il a dit qu'il avait des affaires à régler. Il est sorti il y a une heure environ, il repassera dans la soirée. Il s'est montré très gentil avec moi.

Loretta sourit.

— Sous ses dehors bourrus, c'est quelqu'un de bon.

Elle fronça les sourcils et parut sur le point de dire autre chose. Puis, se ravisant, elle se leva.

— Je vais prendre une douche rapide. Je reviens dans quelques minutes.

— Si cela ne vous dérange pas, je vais dresser le couvert pendant ce temps-là.

— Je vous en prie, ne vous gênez pas ! s'exclama-t-elle en quittant la cuisine.

Ayant déniché les assiettes et les couverts, Jane mit la table. Elle avait préparé une salade, ouvert une boîte de maïs et mis celui-ci à chauffer sur le feu quand Loretta revint, vêtue cette fois d'un pantalon de survêtement et d'un T-shirt.

— Racontez-moi donc votre journée, dit cette dernière en mettant de l'eau à bouillir pour le thé.

Jane relata leur passage au supermarché et la tentative d'enlèvement. Tout en parlant, elle sentit le froid familier de la peur s'insinuer dans ses veines.

— Oh ! mon Dieu ! s'écria Loretta lorsqu'elle eut achevé son récit. Pauvre chou !

— Tout ça n'a pas suffi à activer ma mémoire, mais Lucas m'a dit qu'il demanderait à ses associés de procéder à des recherches sur ce symbole mystérieux.

— Si vous avez des ennuis et besoin d'aide, Lucas, Troy et Micah sont les personnes qu'il vous faut. S'il existe des réponses, ils les trouveront.

Tout en mangeant, Loretta parla à Jane des associés de Lucas et de leur société. Mais ce que Jane souhaitait par-dessus tout, c'était en apprendre davantage sur Lucas.

— Votre frère a fait une remarque, dit-elle. Il m'a dit qu'en grandissant, lui et vous aviez été « seuls contre le reste du monde ». Vous avez eu une enfance difficile ?

Loretta fronça les sourcils, l'air pensif.

— Moi moins que lui. C'est surtout pour Lucas que c'était dur. Mon père était perpétuellement en colère, et il défoulait principalement sa rage sur mon frère.

Elle haussa les épaules et enchaîna :

— Lucas a réussi à s'en sortir. Nous nous en sommes tirés tous les deux. Cela nous a rendus exceptionnellement proches. Il était mon héros, et cela n'a pas changé avec les années.

— Cela doit être agréable d'avoir quelqu'un dans sa vie, fit remarquer Jane. Quelqu'un qui est toujours là pour vous, sur qui vous pouvez compter quoi qu'il arrive.

Un sentiment de mélancolie s'empara d'elle et, encore une fois, elle ne put s'empêcher de se demander si elle était toujours en quête d'une telle personne, ou si elle l'avait déjà trouvée — tout en étant incapable de se le rappeler.

— Oui. La seule chose qui serait encore mieux que d'avoir Lucas serait d'avoir un mari comme lui ! dit Loretta en riant. Mais j'aurai tout le temps de m'intéresser à l'amour quand j'aurai terminé mes études de médecine.

Pendant le reste du repas, elles discutèrent de son rêve de devenir médecin, et élaborèrent des hypothèses concernant la carrière de Jane. Pour Loretta, Jane était une actrice hollywoodienne qui avait voulu échapper aux objectifs des paparazzis afin de donner naissance à son bébé en toute intimité. Bien sûr, le père de l'enfant était une rock star de premier plan qui l'aimait à la folie, mais craignait que le mariage ne nuise à son image.

Jane proposa un autre scénario : elle avait été enlevée par des extraterrestres qui lui avaient fait subir une insémination artificielle puis avaient effacé sa mémoire, de peur qu'elle ne livre aux humains les secrets de leur planète.

Rire faisait un bien fou, et elles gloussaient encore comme des collégiennes — et comme des amies de longue date — lorsque Lucas fit son apparition.

Instantanément, Jane eut l'impression que la cuisine rétrécissait : il remplissait tout l'espace de sa présence charismatique, de sa ténébreuse énergie.

— On dirait que vous vous amusez bien, fit-il observer en attrapant une assiette dans le placard et en s'asseyant à table.

— Nous fantasmions sur ce que pourrait être la vie de Jane, expliqua sa sœur, les yeux encore pétillants de gaieté. Nous avons décidé qu'elle était soit une espionne, soit une star incognito.

Jane rit de nouveau.

— Votre sœur ne manque pas d'humour !

— Oui, c'est une vraie comique, reconnut-il en remplissant son assiette.

— Qu'as-tu fait cet après-midi ? demanda Loretta.

— Je devais essayer un smoking pour le mariage. Ensuite, je me suis arrêté au bureau, répondit-il.

— Le mariage ? questionna Jane.

— Micah, mon associé, se marie dans moins d'un mois. Je suis son témoin. Très bon, ce pain de viande.

— Tu peux remercier Jane pour ce dîner, dit Loretta. Elle m'a fait la surprise de le préparer. Je lui ai dit que si elle cuisinait ainsi tous les soirs, je penserais à la garder, dit Loretta.

Lucas prit un morceau de pain.

— Il se pourrait que tu doives la garder, au moins un jour ou deux. Je suis allé voir Kincaid au commissariat. Aucune femme n'a été portée disparue ces dernières quarante-huit heures.

Jane le regarda, consternée. Elle s'était dit qu'un éventuel signalement leur apporterait des éléments de réponse.

Elle ignorait ce qui l'ennuyait le plus : que des inconnus aient tenté de l'enlever, ou que personne n'ait éprouvé le besoin de signaler sa disparition au cours des vingt-quatre heures qui venaient de s'écouler.

5

L'expression anéantie de Jane émut Lucas.

— Il est probablement trop tôt encore pour qu'on ait signalé votre disparition, dit-il. Si vous ne vous êtes volatilisée que quelques heures avant que je vous trouve, vingt-quatre heures seulement se sont écoulées depuis. Quelqu'un le fera peut-être demain.

— Peut-être, admit-elle. A moins qu'il n'y ait personne dans ma vie pour entreprendre cette démarche, personne à qui je manque.

— Je ne peux pas croire une chose pareille, intervint doucement Loretta.

Quel effet cela faisait-il de disparaître de sa propre vie, et de se dire que ça n'intéressait personne ? s'interrogea Lucas. Malgré lui, il ne put s'empêcher d'éprouver un élan de sympathie envers la jeune femme.

Tout en mangeant, il écouta les deux femmes causer de bébés et de mode avec autant de naturel que si elles s'étaient connues toute leur vie. En entendant pour la première fois leur invitée rire, il sentit une brusque chaleur l'envahir. Elle avait un rire franc et généreux.

Qui était-elle avant que tout cela n'arrive ? se demanda-t-il. Riait-elle souvent ? Appréciait-elle les vieux films en noir et blanc et la musique new age ? Préférait-elle les dîners tranquilles, intimes, ou le monde plus festif de la nuit ? Etait-elle passionnément amoureuse d'un homme ?

Il fronça les sourcils, irrité de se laisser aller ne serait-ce qu'à éprouver ce genre de curiosité à son égard.

Comme sa sœur se levait pour débarrasser le couvert, Jane l'imita. Loretta lui fit signe de se rasseoir.

— Pas question. Vous avez préparé le repas, je me charge de ranger. Restez assise et détendez-vous.

Jane obtempéra. Au bout d'une minute, un sourire éclaira son visage.

— Junior est en train d'exécuter un petit pas de danse. Vite, donnez-moi votre main ! dit-elle à Lucas.

Sans même y penser, il se pencha en avant et posa la main sur son ventre.

Il sentit aussitôt sous ses doigts une sorte d'ondulation — le mouvement de la vie. Emerveillé, il perçut un frétillement, puis une protubérance plus nette — un coude ou un pied. Un bébé, une petite vie humaine… C'était extraordinaire, songea-t-il.

Avec brusquerie, il retira sa main et se rassit sur son siège. Il ne voulait pas penser aux bébés ou aux belles blondes au sourire ensoleillé. Il refusait de s'impliquer émotionnellement vis-à-vis de l'enfant à naître ou de Jane, qui, de toute façon, finirait par se remémorer sa vie d'avant et par y retourner.

— Je dois rentrer, déclara-t-il en se levant, impatient d'échapper au doux sourire de la jeune femme et à la pensée préoccupante qu'elle était seule au monde — que, peut-être, elle l'était déjà avant de perdre la mémoire. Demain, j'aimerais vous emmener au bureau faire la connaissance de mes associés. Micah s'occupe d'obtenir des informations sur le symbole qui nous inquiète. En chemin, nous ferons un saut jusqu'à l'endroit où je vous ai trouvée. Il se peut que retourner là-bas provoque un déclic chez vous.

— A quelle heure dois-je me tenir prête ? s'enquit-elle.

— 9 heures vous conviendrait ?

— Très bien.

Il rejoignit sa sœur en quelques pas et l'embrassa sur la joue.

— A plus tard, dit-il.

Il laissa échapper un soupir de soulagement en fuyant l'appartement et en traversant le hall pour rentrer chez lui. Il n'avait aucune idée de ce qui, chez sa protégée à l'identité mystérieuse, le troublait à ce point.

Même pendant les deux heures qu'il avait passées seul, ses pensées n'avaient cessé de se tourner vers elle. Et si le bébé arrivait ? ressassait-il. Qui s'occuperait d'elle et de l'enfant si elle ne guérissait pas de son amnésie ?

Bon sang, il n'avait aucune envie de se sentir responsable d'elle. Et pourtant, tel était bien le cas. Pour être tout à fait honnête envers lui-même, il devait reconnaître qu'en dépit de son état, Jane l'attirait. Jamais, au grand jamais il n'aurait imaginé qu'il pourrait trouver sexy une femme enceinte. Et pourtant… Il la trouvait *extrêmement* sexy.

Il pénétra dans son appartement et consulta son répondeur. Pas de nouveaux messages. Il n'en attendait pas. Ses associés avaient la possibilité de le joindre sur son portable, et personne d'autre n'était susceptible de vouloir l'appeler.

Il s'assit sur le canapé et laissa le silence se refermer autour de lui.

L'écho du rire de Jane s'était logé quelque part au fond de lui, dans une partie reculée de son être où régnait un sentiment de solitude insoupçonné, que son rire chaleureux avait momentanément chassé.

Il fallait à tout prix que demain à son réveil, non seulement elle se souvienne de son nom, mais qu'elle ait retrouvé une famille et un mari aimant qui s'occupent d'elle.

Il avait avant tout besoin d'une bonne nuit de sommeil, sans être dérangé par des pensées inopportunes tournant autour de Jane.

Il alla prendre une bière dans le réfrigérateur, se réinstalla sur le canapé et appuya sur la télécommande de la télévision, tombant sur une série comique qu'il ne connaissait pas. Il décapsula la canette et avala une grosse gorgée de bière. En général, il n'était pas tellement amateur de télévision, mais ce soir, il avait besoin de se distraire, pour éviter de penser à une certaine femme enceinte aux cheveux blonds et au regard bleu empli de chaleur.

Il s'absorba dans le programme puis, à 21 heures, ayant terminé sa bière, il décida d'aller se coucher.

Le lendemain matin n'amena rien de nouveau. Aux informations, on ne signala aucune disparition, et à l'instant où Jane ouvrit la porte de l'appartement de Loretta, il sut que la mémoire ne lui était toujours pas revenue.

— Vous avez bien dormi ? s'enquit-il.

— Comme un bébé, répondit-elle.

Elle n'avait pas l'apparence d'un bébé, en tout cas. Son T-shirt portant l'inscription « bébé à bord » épousait étroitement la rondeur généreuse de ses seins, et son jean de maternité bien ajusté mettait en valeur ses longues jambes fines. Il émanait d'elle une odeur fraîche de savon parfumé et de shampoing aux agrumes. Tout le corps de Lucas se tendit.

— Etes-vous prête ? demanda-t-il d'un ton plus sec qu'il n'aurait voulu.

— Donnez-moi juste le temps d'aller chercher un manteau.

Elle disparut dans le couloir puis revint, vêtue du blouson qu'il lui avait prêté la veille.

Ensemble, ils émergèrent de l'immeuble. Un vent du

nord glacé soufflait. Ils se hâtèrent de traverser le parking pour rejoindre la voiture.

— Quel est le programme ? s'enquit-elle une fois qu'ils furent à l'intérieur du véhicule et qu'il eut démarré le moteur.

— Pour commencer, nous allons faire un tour du côté de l'endroit où je vous ai trouvée, en espérant que cela stimulera votre mémoire, dit-il. Ensuite, nous irons au bureau pour savoir ce que Micah et Troy ont découvert à propos du symbole.

— J'ai interrompu le cours de votre vie. Vous devez déjà en avoir plus qu'assez de moi !

Il se tourna pour la regarder, prenant conscience que le ton cassant sur lequel il s'était adressé à elle un peu plus tôt n'avait pas échappé à la jeune femme.

— Ne vous inquiétez pas. Il n'y avait pas grand-chose à interrompre.

Il quitta en marche arrière sa place de parking, surpris par le sentiment de solitude que ses propres paroles éveillaient de nouveau en lui. Qu'est-ce qui lui prenait ?

Il serra plus fort le volant, irrité par le tour capricieux que prenaient ses pensées.

— Où sommes-nous, exactement ? questionna-t-elle alors qu'il tournait dans la rue. Je veux dire… Je sais que nous sommes à Kansas City, mais rien ne me semble familier.

— Le centre-ville se trouve plus au sud. Nous sommes à la périphérie nord de l'agglomération. Le secteur où je vous ai rencontrée s'appelle Oak Grove Estates. Demeures bourgeoises, quartier agréable. Cela vous évoque quelque chose ?

— Non.

Les sourcils froncés, elle fixa le paysage par la fenêtre.

— Mais je me souviens d'avoir couru longtemps avant d'entrer dans cette voiture pour me reposer, ajouta-t-elle.

— Nous passerons peut-être devant une maison ou un monument que vous reconnaîtrez.

Il ne savait qu'entreprendre d'autre. Il fallait qu'ils stimulent sa mémoire d'une façon ou d'une autre afin qu'elle se rappelle ce qui lui était arrivé ; or, cela n'avait aucune chance de se produire si elle restait cloîtrée chez Loretta.

— Peut-être, acquiesça-t-elle avant de laisser retomber le silence.

Atteindre Oak Grove ne leur prit que peu de temps. Lucas parcourut lentement la rue où, l'avant-veille, il avait récupéré la voiture impayée, retenant son souffle dans l'attente d'un « ah ! » triomphal de la part de Jane.

Un « ah ! » qui ne vint pas. Elle gardait les yeux rivés sur la fenêtre, une expression de désespoir dans le regard. Prenant en compte le fait qu'elle avait couru, il dépassa la maison où il l'avait trouvée et continua à rouler dans les rues environnantes.

— Ça ne va pas, finit-elle par dire. Je ne reconnais rien.

Sa voix trahissait son désarroi. Elle poussa un soupir las.

— Je commence à croire que je ne me rappellerai jamais qui je suis ni ce qui s'est passé.

— Vous ne pouvez pas abandonner ! protesta-t-il. Ces choses-là demandent du temps, Jane. Vous devez vous montrer patiente.

— Moi, oui, mais il n'y a pas de raison que vous, vous le soyez, répliqua-t-elle.

Levant les yeux vers lui, elle poursuivit :

— Peut-être vaudrait-il mieux que vous me déposiez à un motel, que vous m'avanciez un peu d'argent et que vous me laissiez résoudre seule cette situation. Rien ne vous oblige à m'aider. C'est mon problème, pas le vôtre.

Je ne suis qu'une inconnue sur qui vous êtes tombée par hasard.

Il serait simple de faire comme elle le lui suggérait, d'entrer sur le parking de l'hôtel le plus proche, de payer d'avance un séjour d'une semaine ou deux, de la laisser là et de l'oublier. Mais il savait qu'il n'oublierait pas. Elle continuerait à le hanter. Il se demanderait toujours avec inquiétude ce qu'il était advenu d'elle et de son bébé, où elle était, si elle avait de quoi se nourrir. Non, il était simplement impensable de l'abandonner à son sort pour le moment.

Il lui lança un bref regard, puis reporta son attention sur la route.

— Ne soyez pas stupide. Je ne vais pas vous lâcher n'importe où et m'en aller comme cela, en vous laissant avec votre problème sur les bras.

Il crut l'entendre pousser un soupir de soulagement.

— Ne vous inquiétez pas pour moi, Jane, continua-t-il. Tôt ou tard, nous découvrirons qui vous êtes et ce qui vous est arrivé. Jusque-là, je serai à vos côtés. Je n'ai pas l'intention de vous tourner le dos.

Il lui jeta un autre coup d'œil, juste à temps pour apercevoir l'un de ses éblouissants sourires.

Il se concentra de nouveau sur sa conduite, avec l'impression qu'il était déjà beaucoup trop impliqué en ce qui concernait Jane.

Les locaux de Recovery Inc. étaient joliment aménagés, avec deux grandes tables de travail et un espace d'attente meublé d'un canapé en cuir et d'un fauteuil assorti.

Aussitôt arrivée, Jane se dirigea tout droit vers le canapé et s'y affala pour soulager son dos douloureux. On aurait dit que l'activité favorite du bébé était de s'appuyer sur sa colonne vertébrale. Elle avait mal aux reins presque constamment.

— Troy et Micah devraient être là d'une minute à l'autre, l'informa Lucas en s'approchant du téléphone et en appuyant sur le bouton du répondeur.

Il n'y avait qu'un seul message, laissé par un homme qui disait s'être fait voler son hors-bord. Ses soupçons se portaient sur son ex-gendre ; pour finir, il communiqua son numéro de téléphone, dont Jane ne reconnut pas l'indicatif.

Elle était ridiculement nerveuse à l'idée de rencontrer les associés de Lucas, un peu comme si elle était sa petite amie et souhaitait désespérément faire bonne impression sur sa famille. C'était absurde, évidemment. Elle n'était pour lui qu'un fardeau. Que ses partenaires l'apprécient ou non n'avait pas la moindre importance.

— Vous voulez boire quelque chose ? proposa-t-il.

— Non, merci.

A cet instant, la porte principale s'ouvrit, et un homme grand et séduisant entra. Lucas se chargea des présentations. Micah Stone sourit à Jane, lui serra la main avec chaleur, et lui fit signe de se rasseoir.

— Lucas m'a un peu raconté ce qui se passait, dit-il en se débarrassant de son manteau d'un mouvement d'épaules, avant de le suspendre avec les autres sur le portemanteau. J'ai fait des recherches sur ce symbole, et j'aimerais vous montrer quelque chose à tous les deux.

Il tira de sa poche plusieurs feuilles de papier pliées en quatre, puis s'assit près d'elle sur le canapé, tandis que Lucas prenait place de l'autre côté. Etre entourée de tant de muscles et de testostérone donna à Jane l'impression qu'elle survivrait même en cas de fin du monde.

— L'œil omniscient tient une place importante dans l'histoire, commença Micah. En général, c'est le symbole de la puissance protectrice d'un être suprême. Dans la culture mexicaine, il est utilisé comme talisman contre le mal. Son origine remonte à la mythologie égyptienne et plus précisément à l'oudjat, l'œil d'Horus.

Il déplia l'une des feuilles et la tendit à Lucas.

— Cela ressemblait-il à ça ?

Apercevant l'image, Jane ferma aussitôt les yeux. Elle ne voulait plus voir ce symbole, ne comprenait pas quel rapport il pouvait avoir avec elle, ni pourquoi il suscitait en elle une peur si intense.

— Pas exactement, répondit Lucas. Ce n'était pas une pyramide comme celle qu'on voit sur les billets d'un dollar. C'était un simple triangle.

Micah lui tendit un autre feuillet.

— C'est ce signe-là, affirma Lucas.

Jane regarda Micah.

— Qu'est-ce que c'est ?

— Il m'a fallu un moment pour trouver à quoi le signe pourrait correspondre ici, dans le coin, puis j'ai fini par tomber sur le nom d'une église qui s'en sert comme logo.

— Une église ? répéta-t-elle, perplexe.

Quel rapport une église pouvait-elle bien avoir avec sa situation présente ?

— L'Eglise de la Lumière, pour être exact, répondit-il.

— Et qu'as-tu appris sur elle ? questionna Lucas.

— C'est une grosse institution, formée d'une congrégation pluriconfessionnelle aisée. Elle détient une centaine d'hectares de terre dans le nord de la ville. Elle est ouverte au public, mais possède une propriété privée, une espèce d'enclave résidentielle protégée par une enceinte.

— Une résidence protégée... Cela paraît plutôt bizarre, lâcha-t-il, l'air sombre.

— L'Eglise elle-même est assez étrange. Je n'ai pas eu le temps de creuser davantage, mais d'après les informations que j'ai pu réunir, elle est dirigée par un homme connu uniquement sous le nom de Prophète, qui délivre un sermon tous les dimanches et passe pour une mystérieuse figure paternelle.

— Il s'agit d'une secte, à ton avis ? questionna sèchement Lucas.

— Ça, je n'en sais rien, répondit Micah. Il faudrait que je dispose de bien plus d'éléments pour pouvoir tirer pareille conclusion.

— Ce n'est pas parce que nous avons vu l'œil omniscient sur l'arrière du fourgon que les individus qui ont essayé de m'enlever au supermarché ont un lien avec cette église, fit remarquer Jane.

— C'est juste, approuva Lucas avec une frustration évidente. Mais vous réagissez vivement chaque fois que vous avez ce symbole sous les yeux. Il doit bien y avoir une raison à cela.

— Peut-être ai-je été effrayée enfant par un gros globe oculaire poilu, plaisanta-t-elle.

Lucas rit, puis secoua la tête.

— Je suis content de voir que quelqu'un parmi nous garde le sens de l'humour !

— Vous n'avez pas remarqué d'autres signes particuliers sur le fourgon ? s'enquit Micah.

Lucas fit un signe de dénégation, la mine sombre.

— C'était une banale camionnette blanche. Tout s'est passé si vite !

Son expression s'assombrit encore, comme s'il était irrité contre lui-même de ne pas avoir pu faire davantage, de ne pas avoir vu plus de détails.

A cet instant, la porte d'entrée s'ouvrit en coup de vent, livrant passage au troisième associé de la société. Lucas présenta Troy Sinclair à Jane, et durant quelques minutes, les trois hommes s'entretinrent à propos de Recovery Inc.

Pendant qu'ils parlaient, elle les observa avec intérêt. Loretta lui avait dit que Lucas, Troy et Micah étaient inséparables du temps où ils étaient dans la marine, et que leur retour à la vie civile n'avait rien changé à cet état de fait.

Leur amitié se voyait à leur façon naturelle, aisée de communiquer. Chacun pouvait pratiquement finir les phrases de l'autre. Leurs rapports étaient empreints de respect, mais aussi de la chaleur qui peut exister entre des personnes nourrissant une affection réciproque.

Et elle, avait-elle un ami quelque part ? Une amie avec qui elle déjeunait, ou faisait les boutiques de temps en temps ? Une confidente qui connaissait ses secrets, qui partageait ses rires et ses larmes ?

Où était cette amie, à présent ? Se faisait-elle du souci pour elle ? Il y aurait bientôt quarante-huit heures qu'elle avait disparu. Personne ne s'inquiétait donc à son sujet ? A cette pensée, le désespoir l'envahit.

Ce n'est qu'en entendant prononcer son nom qu'elle reporta son attention sur les trois hommes.

— J'ai vérifié auprès de Wendall. Aucune personne correspondant au signalement de Jane n'a été portée disparue ces dernières vingt-quatre heures, dit Lucas à ses collègues. Je retournerai l'interroger demain matin.

— Il ne t'a pas demandé pourquoi tu posais cette question ? s'enquit Micah en levant un sourcil brun.

— Si. Mais je ne suis pas entré dans les détails. Jane a le sentiment qu'elle se mettrait encore plus en danger en allant trouver les forces de l'ordre.

Les trois hommes se tournèrent vers elle pour la fixer, et elle sentit ses joues s'empourprer.

— Je ne saurais pas vous dire pourquoi, dit-elle. J'ai conscience que cela peut paraître irrationnel, mais l'idée d'aller parler à la police me terrifie.

— Après ce qui est arrivé hier au supermarché, je suis disposé à laisser passer un peu de temps avant de prévenir les autorités, mais j'ai dit à Jane que si elle ne recouvrait pas rapidement la mémoire, nous n'aurions plus d'autre choix que de faire appel à eux.

Jane avait beau savoir qu'il avait raison, elle ne pouvait s'empêcher de frémir à cette perspective. Pourquoi avait-elle peur de la police ? Etait-elle une criminelle ? Elle ne parvenait pas à s'en convaincre.

Ainsi qu'elle l'avait confié à Lucas lors de leur première rencontre, elle ignorait peut-être tout de son identité, mais pas de sa *personnalité*. Or, elle aurait mis sa main à couper que, de toute sa vie, elle n'avait jamais eu de démêlés avec la justice.

Il était presque midi quand ils quittèrent finalement les locaux de Recovery Inc. L'atmosphère de novembre s'était refroidie pendant qu'ils étaient à l'intérieur, et une légère odeur dans l'air annonçait la chute imminente de la neige.

On était à deux semaines de Thanksgiving. Serait-elle rentrée chez elle à cette date ? Serait-elle en train de déguster de la dinde farcie en compagnie de ses amis et de ses proches, ou encore en train de s'évertuer à découvrir qui elle était et d'où elle venait ?

Quelques minutes plus tard, Lucas et elle remontaient en voiture et prenaient la direction de l'appartement.

— Je vous dépose chez Loretta. Je serai de retour à l'heure du dîner, annonça-t-il.

Elle ne lui demanda pas où il allait ou ce qu'il comptait faire. Il n'y avait plus rien à entreprendre pour stimuler sa mémoire, elle le savait. A l'évidence, la seule chose dont elle avait besoin pour l'instant, c'était de temps. Mais de combien de temps disposait-elle encore avant que Lucas en ait assez d'elle et de ses problèmes ?

Le trajet jusque chez Loretta se déroula sans un mot.

— Vous êtes bien silencieuse, fit observer Lucas en tournant la clé de l'appartement.

— Je pensais à Thanksgiving. Je me demandais si je serais rentrée chez moi à ce moment-là.

Elle s'appuya contre le mur du couloir.

— Organisez-vous un repas ce jour-là, votre sœur et vous ?

— Il se trouve que oui. Ce sont les seules vacances où Loretta ne travaille pas. Elle prépare une dinde farcie, des patates douces et des tartes, et nous invitons des amis à la maison.

Il fit un pas vers elle et toucha sa joue.

— Je ferai tout ce qui est mon pouvoir pour que vous soyez de retour chez vous à Thanksgiving, dit-il avec douceur.

Ses doigts chauds s'attardèrent sur son visage, et Jane retint son souffle. Quelque chose dans les yeux de Lucas l'avertit qu'il allait l'embrasser, et elle fut stupéfaite de constater à quel point elle désirait qu'il le fasse.

Elle emprisonna sa main sous la sienne. Elle ne voulait pas qu'il s'éloigne. Au contraire, elle souhaitait qu'un élan incontrôlable le pousse vers elle, qu'il l'entoure de ses bras et la serre contre lui aussi étroitement que possible.

Il se rapprocha encore. Sa bouche n'était plus qu'à quelques centimètres de la sienne. Elle ferma les yeux et s'inclina en avant. Elle désirait, elle avait *besoin* de ce contact.

Enfin, les lèvres de Lucas se posèrent sur les siennes, chaudes, douces, tendres et possessives, enflammant non seulement sa bouche, mais tout son corps.

Toutefois, quand il l'attira plus près de lui et entra en contact avec son ventre arrondi, il s'arracha brusquement à leur étreinte.

— Désolé. Je suis impardonnable.

Il inspira profondément, comme pour se ressaisir.

Elle le saisit par le bras.

— Je vous pardonne, dit-elle, et je n'aurai aucun mal à vous pardonner encore si l'envie vous prenait de recommencer.

Elle n'en revenait pas de sa propre audace. Cependant, ce qu'elle ressentait à l'égard de Lucas n'était pas uniquement de la gratitude : c'était un désir ardent qui lui faisait tourner la tête.

Elle craignit un instant de l'avoir offensé, mais il la gratifia d'un demi-sourire sexy qui ne fit que le rendre plus désirable encore.

— C'était très agréable, mais nous ne devons pas perdre de vue le fait qu'il y a probablement un homme dans votre vie.

Il regarda ostensiblement son ventre.

— Je ne le pense pas, argua-t-elle. Je ne peux pas l'expliquer, Lucas, mais je crois que j'étais seule avant que tout cela ne commence.

Il poussa un soupir, repoussa d'un geste tendre ses cheveux derrière son oreille, puis ouvrit la porte de l'appartement.

— Reposez-vous, dit-il. A ce soir.

Il tourna le dos et s'éloigna presque au pas de course. Avait-elle perdu tout bon sens ? se morigéna-t-elle. Une femme enceinte faisant des avances à un homme séduisant qui l'avait pourtant prévenue qu'il n'était intéressé ni par le mariage ni par les enfants !

Quelle idiote d'imaginer qu'il aurait envie de l'embrasser de nouveau !

Encore une fois, le découragement s'abattit sur elle comme un lourd manteau. Elle pivota sur ses talons et rentra.

6

Ce baiser avait été une énorme erreur. Le souvenir des lèvres douces, voluptueuses de Jane hanta Lucas le reste de la journée.

Après avoir quitté l'appartement de Loretta, il rejoignit directement sa voiture et prit la direction de l'Eglise de la Lumière. Il aurait été incapable de dire si c'était quelqu'un de l'Eglise qui avait tenté d'enlever Jane au supermarché, mais le fait que l'institution utilise l'œil omniscient comme signe distinctif constituait la seule piste dont ils disposaient pour l'instant.

L'Eglise de la Lumière était située aux franges nord de Kansas City, à une quinzaine de kilomètres du quartier où il avait découvert Jane dans la voiture.

Il était peu vraisemblable que la jeune femme ait pu marcher quinze kilomètres cette nuit-là dans son état, mais il n'était pas prêt pour autant à éliminer totalement cette possibilité. Les journaux rapportaient quotidiennement des histoires de personnes capables d'accomplir toutes sortes d'exploits impossibles lorsqu'elles étaient en danger.

L'église proprement dite était un énorme édifice percé de vitraux impressionnants. Sur la porte, un panneau souhaitait la bienvenue à tous ceux qui venaient là en quête de nourriture spirituelle.

Lucas ne prit pas la peine d'entrer ; en fait, il ne descendit même pas de voiture. Plus intéressants que l'église elle-même étaient les bâtiments entourés d'un mur d'enceinte situés derrière celle-ci.

L'ensemble comptait une imposante demeure de trois étages, plusieurs constructions basses à toiture plate, une bâtisse en chantier dont les fondations étaient déjà coulées, et des champs à perte de vue. Il était ceinturé d'une haute et solide clôture destinée à en défendre l'accès.

Visiblement, l'argent coulait à flots. Certes, la religion pouvait être une entreprise rentable, mais cette église-là ne semblait affiliée à aucune autre, ni dépendre d'une quelconque organisation.

Il prit mentalement note de demander à Micah s'il pouvait essayer de trouver une liste des membres du conseil d'administration, ou des personnes, quelles qu'elles soient, qui géraient les finances de l'ordre religieux.

Il fit halte devant le portail, mais il n'y avait pas de gardien de service, et les lourds panneaux grillagés étaient cadenassés.

Tout cela ne pouvait avoir de rapport avec Jane, se dit-il. Même s'il parvenait à se procurer le nom de tous les membres de la congrégation, il ne pourrait en aucune façon identifier le responsable de l'agression du supermarché.

Tout ça n'avait aucun sens. Le symbole qu'il avait aperçu à l'arrière du fourgon n'avait peut-être pas le moindre rapport avec cette église. Il ne voyait tout simplement pas comment faire correspondre les pièces du puzzle.

Il fit demi-tour et retourna au bureau. Troy était sur place, occupé à examiner la comptabilité de la société.

Ils s'entretinrent au sujet de Jane et convinrent ensemble qu'elle avait avant tout besoin de temps. Un détail finirait par faire remonter ses souvenirs à la surface ; entre-temps, il n'y avait pas grand-chose à faire.

Même si Lucas rêvait de savoir qui était le responsable

de la tentative d'enlèvement et quels étaient ses motifs, il y avait peu de chance qu'il le découvre.

Il était presque 16 heures lorsqu'il quitta le bureau. Mais, au lieu de rentrer directement chez lui, il se rendit au Sandbox, un restaurant où il avait l'habitude d'aller.

L'intérieur était sombre et enfumé — l'endroit parfait pour qui voulait s'asseoir et déguster une bière en toute tranquillité. Bien que fréquentant l'établissement depuis des années, Lucas ne savait rien du barman, sinon qu'il s'appelait Joe et servait un excellent whisky-soda.

En le voyant s'installer au bar, Joe lui adressa un signe de tête et posa presque aussitôt sa boisson devant lui. Lucas enroula ses doigts autour du verre glacé, et songea encore une fois au baiser qu'il avait échangé avec Jane.

Il ne connaissait pas le vrai nom de la jeune femme, mais aimait son sens de l'humour. Il appréciait le fait qu'en dépit de tout ce qui lui était arrivé, elle ne s'était pas effondrée, n'avait pas sombré dans l'hystérie.

Elle représentait tout ce qu'il ne voulait pas voir entrer dans sa vie : une femme souhaitant trouver un mari, et sur le point de fonder une famille. L'embrasser avait été une grossière erreur. Même si, effectivement, elle était célibataire et aussi seule qu'elle le pensait, il n'avait strictement rien à lui offrir.

Ses lèvres exerçaient déjà sur lui un puissant attrait avant qu'il ne cède à la tentation, mais cet unique baiser n'avait fait que décupler son désir, au point de le rendre incontrôlable. Il avait eu envie de la plaquer contre le mur et d'explorer plus intimement sa bouche, de prendre ses seins en coupe et d'en sentir la chaleur sous ses paumes, de poser les mains sur ses hanches et de les presser contre les siennes.

Il agrippa le verre froid avec plus de force. Elle était

vulnérable actuellement, et il serait vraiment ignoble s'il profitait de cette fragilité.

Pourtant, l'éventualité d'un autre baiser le faisait frémir de plaisir anticipé. Et cela l'ennuyait. Cette femme le perturbait comme aucune autre jusque-là.

Il termina son verre, puis en sirota un deuxième jusqu'à 19 heures passées, peu tenté par la perspective de dîner en compagnie de Loretta et de Jane. A la place, il ingurgita quantité de cacahuètes et de bretzels, tout en discutant de tout et de rien avec un représentant de commerce du New Jersey en déplacement pour un congrès.

La nuit était tombée lorsqu'il quitta enfin le Sandbox pour rentrer chez lui. Après être demeuré longtemps assis dans l'atmosphère confinée et enfumée du bar, il souhaitait prendre une douche avant d'aller s'assurer que les deux jeunes femmes allaient bien.

A la seconde où il ouvrit la porte de son appartement, il sentit que quelque chose clochait. Il s'immobilisa sur le seuil et balaya le séjour du regard, tous les sens en alerte.

Lucas était quelqu'un d'ordonné. Troy et Micah le taquinaient souvent à propos de ce qu'ils appelaient « trouble obsessionnel compulsif de gravité supérieure ».

Sortant son arme, il s'aperçut que les magazines posés au centre de la table basse avaient été déplacés de quelques millimètres sur la droite, et que les papiers sur son bureau n'étaient pas tels qu'il les avait laissés avant de partir.

Même la photographie de Loretta et de lui sur la télévision n'était plus à la même place que ce matin. Presque, mais pas tout à fait.

Quelqu'un était entré ici. Il agrippa plus fort le revolver et s'avança à pas de loup dans la pièce. Il jeta un coup d'œil dans la cuisine : personne. Puis il longea le couloir pour gagner sa chambre.

La porte du placard était entrouverte. Il se rappelait

l'avoir complètement refermée après avoir sorti ses vêtements ce matin. Les portes et les placards ouverts étaient chez lui une obsession : il veillait toujours à les fermer avec soin après chaque passage.

Quelqu'un s'était introduit ici et, à l'évidence, ne tenait pas à ce qu'on le sache. Il — ou ils — avait été bon. Quelqu'un de moins observateur que Lucas n'aurait pas remarqué qu'il avait eu de la visite. Mais Lucas *savait*, et cette certitude lui arracha un frisson.

Il ne lui fallut que quelques minutes pour s'assurer qu'il n'y avait plus personne sur les lieux. Pourtant, il y avait bien eu quelqu'un ; il ne pouvait s'empêcher de tourner et retourner cette pensée dans sa tête.

Il resta debout au milieu du salon, réfléchissant à toute allure à ce que cela pouvait signifier. Pourquoi aurait-on voulu fouiller son appartement ? A première vue, rien ne manquait : il ne s'agissait donc pas d'un cambriolage.

Jane.

Son nom claqua dans son esprit tel un coup de tonnerre. Cela avait-il quelque chose à voir avec Jane ? Peut-être la cherchait-on, ou avait-on voulu découvrir un indice de l'endroit où elle se trouvait ?

Il n'avait pas réussi, la veille, à déchiffrer le numéro d'immatriculation du fourgon sur le parking du supermarché ; mais peut-être avait-on relevé le sien et s'en était-on servi pour apprendre son nom et son adresse, dans l'espoir de trouver Jane chez lui ?

Il était temps de changer d'endroit, songea-t-il.

Il fixa la photographie sur la télévision. Ses visiteurs n'auraient pas à se donner beaucoup de mal pour découvrir l'existence de Loretta : il leur suffirait de poser une ou deux questions aux habitants de l'immeuble, et ils seraient au courant que Lucas et Loretta étaient parents.

A partir de là, il ne leur serait pas très difficile de deviner que Lucas avait caché Jane chez sa sœur.

Que signifiait tout cela ? Qui était Jane, et que lui voulaient ces gens ? Que diable se passait-il ?

Il retourna à la chambre, fourra quelques affaires dans un sac en toile et sortit de chez lui. Jetant un coup d'œil autour de lui, il vérifia qu'il n'y avait personne dans le hall, puis gagna en hâte l'appartement de Loretta.

Il se servit de sa clé pour entrer, laissa tomber son sac près de la porte et se dirigea vers la cuisine, d'où lui parvint un bruit de rires.

Les deux femmes étaient assises à table. La vaisselle était faite, mais chacune avait devant elle un morceau de gâteau. Jane buvait un verre de lait, et Loretta une tasse de café. Toutes deux semblaient heureuses et détendues.

— Lucas ! s'écria Jane à son entrée.

Il se sentit ému par l'éclat, la chaleur de son regard.

— Je me demandais si vous viendriez ce soir, dit-elle.

— As-tu mangé ? s'enquit Loretta.

Il hocha la tête.

— Loretta, es-tu allée chez moi aujourd'hui ?

— Non, pourquoi ?

Elle le regarda avec curiosité.

— Jane, il faut que vous prépariez votre sac. Je dois vous emmener.

L'étincelle qui faisait briller le regard de la jeune femme s'éteignit, laissant place à la frayeur.

— Pourquoi ? Que voulez-vous dire ?

— Que s'est-il passé ? demanda Loretta en se levant.

— On s'est introduit chez moi aujourd'hui. Je pense qu'ils cherchaient Jane.

A ces mots, celle-ci écarquilla les yeux.

— Mais personne ne peut savoir qu'elle est là, argua Loretta.

— Pas encore, peut-être, mais ils finiront par le deviner. Ils ont probablement vu le cadre sur la télévision. S'ils découvrent qui tu es, ils viendront tôt ou tard voir ici si Jane y est.

Cette dernière se leva à son tour.

— Je vais chercher mes affaires, dit-elle d'une voix légèrement tremblante.

— Attends, Jane.

Loretta lui passa un bras autour des épaules.

— Je vais te donner un sac de voyage.

Ensemble, elles quittèrent la cuisine.

Lucas alla attendre Jane dans le salon, tout en continuant à élaborer de multiples hypothèses.

Pour l'instant, il ne pouvait que prendre des mesures défensives, essayer de réduire au minimum les risques, sans savoir exactement d'où le danger pouvait venir.

Il ramassa son propre sac en voyant revenir les deux femmes. Jane avait enfilé son manteau, et agrippait la poignée d'un petit bagage noir.

— Où m'emmenez-vous ? l'interrogea-t-elle d'une voix où perçait l'effroi.

— Dans un endroit sûr.

— Le refuge ? demanda Loretta.

Il hocha la tête en signe d'assentiment.

Jane posa sur lui un regard interrogateur.

— Je vous expliquerai en chemin, dit-il.

Il reporta son attention sur sa sœur.

— Je t'appellerai.

— Suis-je en danger ? s'enquit celle-ci.

Il fronça les sourcils.

— Je ne le pense pas. Selon toute apparence, ceux qui sont entrés chez moi ne cherchaient pas la confrontation. Ils sont venus et repartis en mon absence.

Jane s'empara de la main de Loretta.

— J'espère que je ne t'ai pas mise en danger. Je suis vraiment désolée à propos de tout ça.

— Ne t'inquiète pas, la rassura cette dernière. Lucas ne t'a-t-il pas dit que j'étais une dure à cuire ?

— Veille simplement à ce qu'il ne reste pas trace de son passage dans l'appartement, conseilla Lucas en ouvrant la porte.

Il jeta un coup d'œil discret dans le hall et, constatant qu'il était désert, fit signe à Jane de le suivre. Sans prononcer un mot, ils se dirigèrent vers la froide obscurité de cette soirée de novembre. Lorsqu'ils furent arrivés devant la porte, Lucas lui ordonna de l'attendre, sortit et inspecta du regard les environs. Malheureusement, il faisait nuit, et il était difficile de se rendre compte si quelqu'un attendait dans les parages, tapi dans l'ombre.

Il sortit son revolver, ne tenant pas à se laisser surprendre sans protection, puis retourna à l'intérieur et attrapa Jane par le bras.

— Restez bien à côté de moi. Nous allons directement à la voiture.

L'attirant près de lui, il sentit qu'elle tremblait. Il était navré qu'elle soit si effrayée, mais, à tout prendre, mieux valait être effrayé et sur ses gardes qu'insouciant et vulnérable.

Il retint son souffle jusqu'à ce qu'ils soient tous deux en sécurité dans la voiture. Tout en démarrant le moteur, il examina une nouvelle fois les environs, à l'affût d'une menace pouvant surgir de l'obscurité.

Rien. Il n'aperçut ni rôdeur ni voiture suspecte à proximité. Mais ça ne voulait rien dire.

Sortant du parking, il garda les yeux rivés sur le rétroviseur pour vérifier qu'ils n'étaient pas suivis.

Il ne vit pas d'autre véhicule, mais ne fut pas rassuré

pour autant. Il ne serait en paix qu'une fois arrivé au refuge, et certain qu'ils n'avaient pas été suivis.

Un silence tendu s'installa entre eux tandis qu'il conduisait, les yeux sans cesse posés sur les rétroviseurs central et latéraux. Il était reconnaissant à Jane de ne pas parler, car il avait besoin de se concentrer sur la route.

Il roula au hasard, bifurquant d'abord à gauche, puis à droite, afin de déterminer si, oui ou non, ils avaient été pris en filature.

Après avoir ainsi tourné dans les rues du quartier pendant trente minutes, son inquiétude fut totalement dissipée. Ses muscles crispés commencèrent à se détendre, et l'effet de l'adrénaline qui circulait dans ses veines depuis qu'il était rentré chez lui s'estompa légèrement.

— Le refuge est une ferme à la campagne, dit-il enfin, rompant le silence. C'est la propriété d'une société factice impossible à rattacher à Recovery Inc. Les seules personnes à savoir où il se trouve sont mes associés et leurs compagnes, Loretta et Wendall Kincaid, le chef de la police. Vous y serez en sécurité jusqu'à ce que nous ayons résolu cette affaire.

— L'unique moyen de la résoudre, c'est que je retrouve la mémoire, et cela ne semble pas près d'arriver, répondit-elle avec une frustration évidente. Je suis navrée, Lucas, navrée de vous imposer tout cela.

— Vous n'avez pas besoin de vous excuser, la rassura-t-il. Ce n'est pas la première fois que Recovery Inc. vient en aide à quelqu'un.

Il fronça les sourcils et agrippa plus fort le volant. Ces derniers mois, le refuge avait servi deux fois. La première, à Micah, qui y avait emmené Caylee alors qu'ils se défendaient tous deux contre une accusation mensongère de meurtre. Et la seconde, à Troy, qui y avait caché sa petite amie, Brianna, harcelée par un déséquilibré.

Les deux hommes avaient trouvé l'amour lors de leur séjour au refuge ; Lucas, lui, ne tomberait jamais dans ce piège. Il regarda Jane à la dérobée. Elle avait posé les mains en éventail sur son ventre, comme pour protéger la vie qui s'y nichait.

Elle avait une existence, un homme quelque part. Et même si tel n'était pas le cas, il n'était pas intéressé par une relation, quelle qu'elle soit, avec elle et son bébé.

Peu importait qu'il lui ait plu de l'embrasser, ou qu'il ne soit pas contre le fait d'échanger un autre baiser, ou plus… Même s'il ne connaissait pas son vrai nom, il avait l'intuition que Jane était femme à croire à la notion d'amour toujours, à rêver du parfait bonheur domestique avec un mari à ses côtés. Elle voudrait des barbecues en famille, et un frère ou une sœur pour l'enfant qu'elle portait.

Elle ne paraissait vraiment pas du genre à accepter une liaison sans attaches et sans avenir. Levant la main, il se frotta la nuque, et sentit sous ses doigts le relief d'une cicatrice ancienne.

Il laissa retomber sa main sur le volant, assailli par une vague de colère surgie du passé, tandis que l'image de son père s'imposait à son esprit.

Pas une fois il n'avait vu Roger Washington autrement que rouge de colère, les traits déformés par la rage. Il ne se rappelait pas une seule caresse, pas un seul regard affectueux de sa part. Les seuls souvenirs qu'il conservait de son père étaient empreints de souffrance, physique comme morale.

Tel était son héritage. Un héritage qu'il ne prendrait jamais le risque de léguer. Or, en ne se mariant pas, en n'ayant jamais d'enfant, il ne pouvait se muer en mauvais époux ou en père violent.

Le refuge avait apporté l'amour à ses deux associés.

Mais jamais de la vie Lucas ne deviendrait la proie de pareille émotion.

Jane fixait le paysage nocturne par la fenêtre. Ils avaient laissé la ville derrière eux et roulaient à présent sur une route sans éclairage. On ne distinguait les maisons que grâce à la faible lueur qui émanait des fenêtres, et elles se faisaient de plus en plus rares.

Deux jours plus tôt, si Lucas l'avait emmenée en voiture au milieu de nulle part, elle aurait été submergée par la panique. Mais elle lui vouait à présent une confiance absolue.

L'idée qu'elle avait peut-être mis en danger la jeune femme qui lui avait ouvert sa porte lui faisait mal au cœur. Si quelque chose devait arriver à Loretta par sa faute, elle en mourrait.

Qui étaient les gens qui la poursuivaient ? Et pourquoi ? Pourquoi donc ne se souvenait-elle de rien ? Elle avait désespérément besoin de recouvrer la mémoire. Il fallait qu'elle connaisse son identité si elle voulait comprendre ce qui se passait.

Elle se redressa sur son siège lorsque Lucas tourna sur une étroite route de gravier. Au bout de quelques instants, ils débouchèrent sur une clairière au milieu de laquelle se dressait la silhouette sombre d'une maison flanquée de part et d'autre de hauts arbres.

Où tout cela finirait-il ? songea-t-elle avec désespoir. Et si les ravisseurs du supermarché parvenaient d'une façon ou d'une autre à la retrouver ? Où irait-elle alors ?

— Cessez de vous tourmenter, dit-il, comme s'il lisait dans ses pensées.

Elle lui adressa un sourire nerveux.

— Je ne peux pas m'en empêcher.

Il s'arrêta devant la maison, éteignit le moteur et se tourna vers elle. Ses yeux sombres brillaient à la lueur du tableau de bord.

— Vous serez en sécurité ici. Et, qui sait, peut-être vos souvenirs reviendront-ils d'ici un jour ou deux !

— Je l'espère, répondit-elle avec ferveur.

Elle changea de position sur son siège : une douleur sourde lui lançait dans le dos.

— L'autre soir, quand vous m'avez trouvée dans la voiture et que je me suis rendu compte que je souffrais d'amnésie, j'étais certaine qu'après une bonne nuit de sommeil, tout irait bien. Mais il s'est passé deux nuits depuis, et toujours rien.

— Cela ne fait pas si longtemps, la consola-t-il.

Il ôta la clé de contact et éteignit les phares.

— Venez, allons à l'intérieur.

Comme ils descendaient de voiture, Jane eut l'impression que le vent glacé la transperçait jusqu'aux os. Elle était gelée. Mais ce n'était pas le vent qui était en cause, elle le savait ; c'était la peur de l'inconnu.

Elle se sentit un peu mieux une fois qu'ils furent dans la maison et que Lucas eut allumé les lumières. Le salon était agréable, bien que la décoration soit aussi impersonnelle que celle d'un hôtel.

— La cuisine est ici, l'informa-t-il. J'irai faire quelques courses demain en début de matinée.

C'était une pièce vaste et spacieuse ; ici et là, quelques touches jaune vif apportaient une note de gaieté.

Il l'entraîna ensuite dans un couloir, et s'arrêta devant la première porte.

— Vous pouvez vous installer ici. La salle de bains se trouve de l'autre côté du couloir. Quant à moi, je serai dans la chambre du fond.

Il posa son sac de voyage sur le lit double.

— Ne prenez pas cet air effrayé. Tout ira bien.

Sa voix chaude, profonde, atténua quelque peu la tension qui s'était accumulée dans les muscles de Jane depuis qu'il était entré dans la cuisine de Loretta en lui enjoignant de faire son sac. Elle se débarrassa de son manteau et le jeta dans le fauteuil qui se trouvait près de la porte.

— Si seulement je savais à quoi rime tout cela ! dit-elle doucement.

Elle s'assit au bord du lit et, d'une main, se massa les reins.

— Vous pouvez compter sur mon soutien, assura-t-il. Si je n'étais pas complètement impliqué jusqu'ici, je le suis à présent.

Ses yeux s'étrécirent.

— Ils ont commis une grosse erreur en faisant une intrusion dans mon appartement et en portant atteinte à ma vie privée.

Il fonça les sourcils.

— Vous vous sentez bien ?

Elle fit oui de la tête.

— J'ai juste un petit peu mal au dos. Ce n'est pas grave.

— Le travail n'a pas commencé, n'est-ce pas ?

Elle faillit éclater de rire en voyant sa mine horrifiée. L'ancien commando, le dur à cuire qui portait un revolver à l'épaule, n'en menait pas large face à la perspective d'une naissance.

— Non, ce n'est pas le travail, le rassura-t-elle. Un simple mal de dos. Demain matin, il n'y paraîtra plus.

— Dans ce cas, il ne me reste plus qu'à vous souhaiter bonne nuit. Si vous avez besoin de quoi que ce soit, je suis au bout du couloir.

Et il disparut.

Elle eut envie de le rappeler. Elle aurait voulu qu'il

reste avec elle tout au long de cette interminable nuit solitaire, qu'il la tienne dans ses bras et empêche les cauchemars de montrer leurs têtes hideuses.

Au lieu de quoi elle se leva, ferma la porte, et sortit du sac sa chemise de nuit. Il était 21 heures passées et elle était fatiguée. Elle emporta chemise de nuit et brosse à dents dans la salle de bains, de l'autre côté du couloir, se changea, se brossa les dents, et examina son reflet dans le miroir.

— Qui es-tu ? demanda-t-elle à la femme qui la fixait dans la glace.

Avec un soupir las, elle se détourna. Malgré son épuisement, elle appréhendait la nuit à venir.

Plus effrayante encore était la perspective de se réveiller le lendemain matin et de se rendre compte qu'il n'y avait aucun changement, qu'elle ne se rappelait toujours rien.

Lucas lui avait affirmé qu'il s'impliquerait jusqu'au bout, mais elle ne se faisait pas d'illusions : au bout d'un certain temps, il l'encouragerait à se rendre à la police. Or, sans qu'elle sache pourquoi, cette idée l'horrifiait.

Etait-elle mariée à un policier ? Un homme violent qu'elle avait voulu fuir ? Ou était-elle une hors-la-loi qui cherchait à échapper à une peine de prison ?

Autant de questions sans réponses.

Comme elle sortait de la salle de bains, le son assourdi de la voix de Lucas lui parvint de la chambre du fond. Elle en conclut qu'il était certainement en train de téléphoner. A ses associés, peut-être, pour les mettre au courant des derniers développements de l'affaire.

Elle éteignit la lumière et se glissa dans le lit inconnu. Allongée sur le dos, elle regarda l'ombre des branches d'arbres danser sur le plafond baigné de lune, et tâcha d'évacuer de son esprit les milliers de questions qui s'y bousculaient.

Elle avait dû s'endormir car, lorsqu'elle rouvrit les yeux, le soleil entrait à flots par la fenêtre, et l'odeur du café frais et du bacon en train de frire flottait dans l'air.

Elle garda les yeux fermés, se laissant aller quelques instants à rêver que l'homme dans la cuisine était son mari, qu'il préparait le petit déjeuner pour sa femme enceinte bien-aimée. Après le repas, il masserait son dos endolori avec des gestes tendres, tout en lui répétant combien il l'aimait.

Les paupières closes, elle s'efforça de se le représenter avec plus de précision, mais la seule image qui lui vint à l'esprit fut celle de Lucas.

Au souvenir de leur baiser, du feu qui l'avait embrasée au contact de ses lèvres, une brusque sensation de chaleur se diffusa dans son corps. Elle ne le connaissait que depuis deux ou trois jours, et il lui faisait déjà perdre la tête.

Etait-il possible qu'elle refuse d'aller à la police parce qu'elle savait que cela sonnerait le glas de leur association ?

Cette pensée lui fit honte, l'incitant à quitter son lit et à se rendre de l'autre côté du couloir pour prendre une douche. Une douche froide, afin de se remettre les idées en place, et d'oublier Lucas et ses lèvres scandaleusement douces.

Une fois habillée, elle se sentit plus à même de faire face aux épreuves que cette nouvelle journée lui réservait, et à affronter l'homme qui était dangereusement près de dérober son cœur.

— Ah ! Il me semblait bien vous avoir entendue vous lever, dit Lucas en guise d'accueil lorsqu'elle pénétra dans la cuisine.

Elle s'arrêta net, oubliant pendant quelques secondes de respirer.

Debout devant la cuisinière, il ne portait qu'un pantalon de survêtement attaché bas sur ses hanches étroites. Ses cheveux noirs ébouriffés lui donnaient l'allure d'un petit garçon, mais son torse large et musclé, ses mâchoires ombrées de barbe n'avaient rien d'enfantin. Il offrait une vision torride, et elle sentit chaque parcelle de son corps s'embraser.

— Vous avez faim ? demanda-t-il.

— Vous n'imaginez pas à quel point, marmonna-t-elle, davantage pour elle-même que pour lui.

— Je suis loin d'être un cordon-bleu, mais je me suis dit que je pourrais au moins essayer de préparer des œufs et du bacon. Asseyez-vous, je vais vous servir un verre de jus d'orange.

Elle prit un siège, en s'efforçant de ne pas poser les yeux sur lui.

— Vous avez dû vous lever tôt, fi-t-elle observer.

— Il y a une épicerie ouverte vingt-quatre heures sur vingt-quatre non loin d'ici. Je me suis levé à l'aube, et j'ai acheté assez de provisions pour deux jours. Comment prenez-vous vos œufs ? Je vous les recommande brouillés.

Elle sourit.

— Brouillés, c'est parfait.

Comme il se tournait vers le réfrigérateur, elle aperçut les cicatrices. Discrètes, mais visibles, elles dessinaient sur son dos un réseau de stries entrecroisées.

— Que vous est-il arrivé, Lucas ?

Il fit volte-face.

— Votre dos. Qu'est-il arrivé à votre dos ?

Une myriade d'émotions défila sur ses traits, pour finalement laisser place à une calme résignation. Il pivota pour prendre une boîte d'œufs dans le réfrigérateur.

— Ce qui m'est arrivé ? Mon père, dit-il après une longue hésitation.

Elle le contempla durant un long moment, tandis que ses paroles faisaient leur chemin dans son esprit.

— Il vous battait ?

Le cœur étreint de compassion, elle comprit soudain ce qu'il avait voulu dire en déclarant que Loretta et lui étaient seuls contre le reste du monde.

— A peu près quotidiennement, jusqu'au jour où j'ai eu dix-huit ans et où je suis entré dans la marine.

Il cassa plusieurs œufs dans un bol, un sourire crispé aux lèvres.

— C'était un pauvre bougre qui, dès ma petite enfance, a, pour une raison ou pour une autre, décrété que j'étais la cause de son malheur.

— Buvait-il ? Etait-il soûl lorsqu'il s'en prenait à vous ?

Elle trouvait impensable qu'un parent puisse faire cela à un enfant, à moins d'être sous l'emprise de la drogue ou de l'alcool. D'ailleurs, même ainsi, cela lui paraissait inimaginable.

— Non. Il était toujours sobre quand il levait la main sur moi.

— Et Loretta ? La battait-il, elle aussi ?

— Il ne l'a jamais touchée.

Il versa le contenu du bol dans la poêle chaude et reprit :

— Il devait savoir d'instinct que je le tuerais s'il faisait une chose pareille.

Il prononça ces mots d'une voix neutre, et Jane se demanda quelles autres cicatrices il gardait encore, invisibles à l'œil nu celles-là.

— Loretta avait environ cinq ans la première fois qu'elle s'est glissée en cachette dans ma chambre après que j'eus reçu une volée.

Il enfonça le levier du grille-pain.

— Elle est venue avec un gant humide et me l'a posé sur le front. Puis elle m'a tenu la main jusqu'à ce que je m'endorme.

Il sourit de nouveau, avec plus de chaleur cette fois.

— A l'époque déjà, elle prenait soin des malades et des blessés. Après chaque correction que je recevais, c'était elle qui venait m'apporter de l'eau ou m'appliquer de la pommade sur le dos.

— Et votre mère ? Où était-elle dans ces moments-là ? interrogea Jane.

— Elle était assise dans son fauteuil, préparait le dîner ou regardait la télévision. Elle était détachée émotionnellement. Elle n'a jamais ni encouragé, ni tenté d'arrêter mon père.

— La frappait-il ?

— Pas que je me souvienne. Elle n'avait pas l'air d'avoir particulièrement peur de lui. Simplement, elle ne semblait pas nous aimer suffisamment, Loretta et moi, pour se donner la peine de nous défendre. Une fois adulte, je me suis longtemps demandé qui des deux je haïssais le plus.

Il s'empara d'une cuiller de bois pour remuer les œufs, et la gratifia d'un nouveau sourire.

— N'ayez pas l'air si atterrée, Jane. J'ai survécu, et cela m'a probablement rendu plus fort.

Les toasts sautèrent hors du grille-pain. Tout en le regardant les beurrer, Jane sentit qu'elle lui ouvrait plus largement encore les portes de son cœur. Il existait d'autres façons de s'aguerrir que de survivre à une enfance épouvantable.

— Jamais mes parents n'auraient levé la main sur moi, dit-elle enfin. Ma mère disait toujours qu'elle savait quand je lui racontais des histoires, parce que je tortillais nerveusement une mèche de mes cheveux. Elle me punissait en me mettant au coin, ou en me privant de sortie. Je n'ai jamais été frappée.

Surprise, elle le fixa.

— Je me souviens de ça…

Sourcils froncés, elle se concentra sur ce lambeau de réminiscence.

— Ma mère s'appelait Bernice, mais tout le monde la surnommait Bernie, poursuivit-elle.

— Quel était son nom de famille ? interrogea Lucas, la contemplant avec attention.

Elle tâcha désespérément de fixer l'impression fuyante, de mettre un nom sur le visage féminin qu'elle avait en tête. En pure perte. La vision s'évanouit, et ne réapparut pas malgré tous ses efforts pour la rappeler.

Elle secoua la tête et poussa un soupir de frustration.

— Non, c'est reparti.

— Ce n'est pas grave, la rassura-t-il en répartissant la nourriture dans les assiettes. Le fait que vous ayez eu ne fût-ce qu'un souvenir est déjà bon signe. Cela signifie peut-être que la mémoire commence à vous revenir.

Il posa son assiette devant elle.

— Et cette histoire de mèche de cheveux est bonne à savoir ! la taquina-t-il.

Elle prit sa fourchette en riant.

— Je ne vous mentirais certainement pas à vous ! Vous êtes la seule personne à qui je fasse totalement confiance en ce moment.

— Je suis la seule personne que vous connaissiez en ce moment, répliqua-t-il en s'asseyant à table.

— C'est juste, mais j'ai pourtant le sentiment que même si j'en connaissais une douzaine, c'est toujours à vous que je me fierais le plus. En fait, je pense que quand mon petit garçon naîtra, je l'appellerai Luke en votre honneur.

Toute lueur de gaieté disparut de ses yeux.

— Non, Jane.

— Non quoi ?

— Ne faites pas de moi une sorte de héros.

Son regard se durcit, sa mâchoire se crispa.

— Je suis seulement le type qui sera coincé avec vous aussi longtemps qu'on n'aura pas découvert où est votre vraie place.

Elle le contempla fixement. Certes, elle avait perdu la mémoire, mais elle savait encore ce que c'était que de se sentir blessée.

7

— J’ai rendez-vous au bureau avec Troy et Micah, annonça Lucas trois jours plus tard, alors que Jane était assise à la table de la cuisine et buvait un verre de jus d’orange. Je devrais être de retour à l’heure du dîner.

Il voulait vérifier que tout allait bien du côté de ses associés et passer voir sa sœur chez elle, mais, surtout, il avait besoin de fuir Jane et la tension insupportable qui n’avait cessé de grandir entre eux au cours de ces trois jours d’isolement.

Elle hocha la tête en signe d’assentiment.

— Je préparerai le repas.

C’était rapidement devenu une habitude : elle se chargeait de cuisiner pour le dîner, et tous deux débarrassaient le couvert ensuite. Le caractère domestique de leur vie au refuge commençait sérieusement à taper sur les nerfs de Lucas.

— Merci, dit-il. Fermez bien à clé derrière moi. A tout à l’heure.

Il attrapa son manteau, l’enfila, puis sortit. C’était une journée particulièrement froide et grise. On sentait dans l’air l’arrivée imminente de la neige. La veille au soir, on avait annoncé une tempête de neige précoce au bulletin météo. Juste ce dont il avait besoin à présent, se dit-il sombrement — être coincé dans la maison avec une femme qui lui faisait perdre la tête petit à petit.

Il mit le moteur en marche et, pendant que celui-ci chauffait, contempla la maison en songeant à la personne qui se trouvait à l'intérieur.

Jane se montrait inhabituellement silencieuse ; elle était blessée, il le savait, par les mots qu'il avait prononcés au petit déjeuner le premier jour. Il avait seulement éprouvé le besoin de la faire redescendre sur terre. Elle le considérait en effet comme l'homme qu'il aurait voulu être, plutôt que comme celui qu'il craignait d'être en réalité… Et cela l'avait effrayé.

Ils avaient passé les trois derniers jours à jouer aux cartes et au Monopoly pour faire passer le temps. Elle était douée au poker, mais il lui manquait l'instinct du tueur pour gagner. Elle l'avait taquiné sur sa manie de fermer les portes de placard ou de disposer les objets selon un ordre méticuleux, mais il ne s'en était pas formalisé. En vérité, il trouvait son espièglerie charmante.

Ils n'étaient pas plus avancés qu'avant concernant l'identité de ceux qui en voulaient à Jane, mais d'autres souvenirs étaient remontés à la surface. Elle se rappelait un bal du lycée et une visite au zoo de Kansas City. Elle s'était également souvenue des obsèques de son père, puis d'avoir enterré sa mère deux ans plus tard. Des fragments de sa vie lui revenaient par brefs éclairs, mais ils attendaient toujours la révélation la plus importante : son nom.

Néanmoins, il savait à présent que ce n'était sans doute plus qu'une question de jours avant qu'elle ne recouvre complètement la mémoire et ne sorte de sa vie pour de bon.

Ce qu'il ne comprenait pas, c'était pourquoi l'idée de ne plus la revoir le contrariait autant.

Chaque soir, quand ils regardaient la télévision dans le salon, il l'observait à la dérobée au lieu de se concentrer sur l'écran. Il aimait la façon dont elle soulevait ses cheveux sur sa nuque quand elle avait trop chaud, ou dont elle frottait son ventre sans y penser, comme pour caresser l'enfant qui était en elle.

Son rire l'emplissait d'une joie particulière, totalement nouvelle pour lui, et l'inquiétude qui assombrissait parfois son extraordinaire regard bleu lui donnait envie de remuer ciel et terre pour qu'elle retrouve son insouciance.

Il passa la première et démarra. Incontestablement, le moment était venu de mettre de la distance entre eux. Comment diable avait-elle réussi à s'insinuer aussi profondément en lui en un temps aussi court ?

A la différence de sa sœur, il n'avait pas de tendresse particulière pour les animaux errants et les âmes en détresse. Pourtant, quelque chose, chez Jane, le touchait, comme personne ne l'avait fait jusque-là.

Il agrippa plus étroitement le volant. Il devait se ressaisir. Il jeta un coup d'œil au sachet en papier brun posé sur le siège passager. A l'intérieur se trouvait un verre dont elle s'était servie la veille.

Il avait glissé discrètement le verre dans le sac et l'avait emporté dans la voiture après qu'elle était partie se coucher. Un ami à lui travaillait au laboratoire médico-légal : celui-ci pourrait relever les empreintes de la jeune femme, et les comparer à celles de l'AFIS, le fichier automatisé des empreintes digitales. Si elle avait un casier judiciaire, ou si on avait déjà procédé à un contrôle de son identité pour une raison ou pour une autre, le logiciel d'identification la trouverait.

Lucas avait envisagé plus tôt de recourir à cette méthode, mais avait rejeté cette idée dans l'espoir que les choses se résoudraient d'elles-mêmes. Il n'avait pas informé Jane de sa démarche, sachant que cela ne ferait que rendre plus stressante une situation déjà pénible à vivre pour elle.

Il était intrigué par son refus catégorique d'aller trouver la police, c'était indiscutable. Au moins, en vérifiant ses empreintes, il saurait dans les prochaines vingt-quatre ou quarante-huit heures si elle était fichée ; et apprendrait son nom du même coup, si tel était le cas.

Avant de porter le verre à son ami et de passer voir ses associés, il voulait rendre visite à sa sœur. Lorsqu'il se gara dans le parking de la résidence, il avait commencé à neiger.

C'était aujourd'hui le jour de congé de Loretta, et bien qu'il soit presque 10 heures quand il frappa à sa porte, elle l'accueillit en pyjama, une tasse à la main.

Elle le fit entrer dans la cuisine. Il se servit du café avant de s'asseoir en face d'elle.

— J'ai entendu la météo annoncer qu'il risquait de neiger, donc j'ai décidé que c'était un bon jour pour rester en pyjama, dit-elle. Alors, comment est-ce que ça se passe ? Jane va bien ?

— Oui. Quelques souvenirs ont commencé à lui revenir, mais il s'agit de détails assez insignifiants. Aucun ne nous a donné d'indication sur son identité ou sur ce qui lui est arrivé.

— C'est tout de même bon signe ! s'exclama Loretta.

— C'est ce que je lui ai dit. Et je me le répète sans arrêt : ce n'est qu'une question de temps avant qu'elle ne recouvre totalement la mémoire.

— Je dois dire que sa présence me manque.

Loretta prit une gorgée de café, et poursuivit :

— Elle a été d'une compagnie très agréable. Elle a beaucoup d'humour. Je l'aime bien.

— Oui, eh bien, elle ne va plus tarder à retourner chez elle.

— Peut-être vaudrait-il mieux qu'elle n'y retourne

pas. Je veux dire, si elle s'est enfuie, c'est qu'il devait y avoir une raison.

Un peu agacé, Lucas se rembrunit. Il ne voulait pas songer à cela. Il devait continuer à s'accrocher à l'idée que Jane avait un endroit où aller, qu'il y avait quelque part des gens qui tenaient à elle.

— J'ai hâte que tout cela se termine, déclara-t-il. Je voudrais pouvoir reprendre le cours de ma vie.

Loretta leva un sourcil et sourit tristement.

— Quelle vie ?

— Ha, ha ! Très drôle, fit-il sèchement.

— Je n'essayais pas d'être drôle. Tu fais partie de mon existence et de celle de tes associés, mais tu n'as pas à proprement parler de vie à toi.

— Il est un peu trop tôt pour une séance de psychanalyse, riposta-t-il. As-tu vu quelqu'un de suspect rôder autour de l'immeuble ces deux derniers jours ?

— Non, mais n'essaie pas de changer de conversation. Sérieusement, Lucas, vous voir ensemble était un plaisir. Elle te plaît, je le sais. Cela se voit à la façon dont tu la regardes. Je me doute qu'elle a probablement une vie à elle, mais cette affaire m'a rappelé combien j'aimerais que tu trouves une charmante compagne qui partage ton existence.

— Je n'ai besoin de personne, répliqua-t-il. D'ailleurs, tu es mal placée pour parler. C'était quand, la dernière fois que tu es sortie avec quelqu'un ?

— Justement, il se trouve que j'ai un rendez-vous vendredi soir.

Elle sourit, l'air content d'elle.

Les yeux étrécis, Lucas s'adossa à sa chaise.

— Avec qui ?

— C'est un garçon très sympathique. Il travaille au laboratoire de l'hôpital. Ce mois-ci, nous sommes restés ensemble pendant nos pauses, et il a fini par m'inviter à sortir.

— Comment s'appelle-t-il ? interrogea Lucas.

Elle secoua la tête.

— Oh ! non ! Pas de ça, Lucas. Hors de question que tu enquêtes sur lui en employant l'une de tes affreuses méthodes. Je te dirai son nom le jour du mariage.

Lucas la fixa, ébahi.

— C'est sérieux ?

Elle éclata de rire.

— Pas encore. Mais je suis sérieuse quand je te dis de ne pas t'en mêler.

Elle s'inclina en avant et posa sa main sur la sienne.

— Je t'aime, Lucas, mais il faut que tu me laisses un peu d'espace pour que je puisse trouver ma propre voie dans le domaine sentimental.

Elle avait raison, il le savait.

— Sois tout de même prudente. Veille à sortir dans des endroits où il y a du monde.

Il se mordit la langue avant qu'un sermon en bonne et due forme ne lui échappe.

— Et amuse-toi bien, conclut-il.

Elle lui sourit avec reconnaissance.

— Merci. J'en ai bien l'intention.

— Je dois m'en aller, dit-il en jetant un coup d'œil à sa montre. J'ai quelques courses à faire avant de retourner auprès de Jane.

Il se leva, vida sa tasse et la porta dans l'évier.

— Appelle-moi en rentrant vendredi soir, d'accord ?

— Il risque d'être tard.

Elle se leva de table pour le raccompagner.

— Ce n'est pas un problème, dit-il. Je dormirai mieux en te sachant bien rentrée.

Elle le suivit jusqu'à la porte d'entrée.

— Tu me tiens au courant, pour Jane ?

— Dès que j'ai du nouveau, promit-il.

— Bien. J'aimerais rester en contact avec elle. Amnésique ou non, c'est une fille formidable.

Quelques minutes plus tard, alors que Lucas roulait en direction du laboratoire, un sentiment de mélancolie s'abattit sur lui pour la seconde fois de la matinée. Ses associés étaient tous deux en train de se construire une nouvelle vie avec la femme qu'ils aimaient, et Loretta était manifestement très excitée par la perspective de son rendez-vous de vendredi soir. Les choses changeaient. Tout le monde semblait évoluer, tandis que lui-même restait à la traîne.

Il chassa de son esprit cette pensée ridicule, et se gara sur le parking d'un petit café situé face au laboratoire médico-légal de Kansas City.

Celui-ci était aménagé dans un long bâtiment bas, mais Lucas avait donné rendez-vous à son ami au Cornerstone Café, essentiellement fréquenté par le personnel du labo qui avait l'habitude de s'y rendre pour grignoter un morceau.

A l'instant où il franchit le seuil, il aperçut Justin James, installé sur une banquette au fond. D'après Loretta, c'était le mordu de science le plus sexy de la planète. Lucas n'avait pas d'avis concernant le potentiel de séduction de son ami, mais ce qui était sûr, c'était que ce dernier pensait science, mangeait science, respirait science.

Justin leva une main en le voyant approcher. De l'autre, il attrapa un roulé à la cannelle de la taille du New Jersey et mordit dedans.

— Sucre et science, fit observer Lucas en s'asseyant face à l'homme blond. Il est agréable de constater que certaines choses ne changent pas.

Justin haussa les épaules.

— En ce qui me concerne, le changement est une

notion largement surévaluée. Alors, que me vaut l'honneur de cette rencontre ?

Lucas posa le sac en papier sur la table.

— C'est un verre. Tu devrais pouvoir relever des empreintes correctes dessus. J'aimerais que tu les compares à celles de l'AFIS.

Justin haussa ses sourcils blonds.

— Et moi, qu'ai-je à y gagner ?

— Deux douzaines de beignets nappés d'un glaçage au sucre dans la boulangerie de ton choix.

— Marché conclu. Cela prendra vingt-quatre heures. Je t'appellerai pour te communiquer le résultat.

— J'apprécie ton aide, le remercia Lucas.

— Vas-tu me dire de quoi il s'agit ?

— Non.

Lucas fit signe à la serveuse de lui apporter un café.

— Et je préférerais que tout cela reste entre nous.

— J'avais deviné sans que tu aies besoin de le préciser.

— Comment ça se passe, au labo ?

— Ce qu'il y a de bien, quand on travaille dans un laboratoire médico-légal, c'est qu'on n'a pas à s'inquiéter pour la sécurité de l'emploi. Tant qu'il y aura des criminels sur cette planète, je suis à peu près sûr de garder mon boulot.

Les deux hommes causèrent brièvement météo, travail, sport. Puis Justin se leva pour retourner à son poste, et Lucas se rendit au bureau.

Après avoir vu Troy et Micah, il décida de rentrer au refuge. La neige tombait en abondance, et il dut mettre en marche les essuie-glaces pour chasser les épais flocons à demi fondus qui gênaient sa visibilité et commençaient à recouvrir l'asphalte.

Il n'était encore qu'à un pâté de maisons du bureau

lorsqu'il remarqua une berline sombre deux voitures derrière lui.

Il bifurqua dans une rue résidentielle, l'œil rivé sur son rétroviseur. La berline l'imita, ainsi qu'une voiture de sport noire.

Il tourna encore. La berline céda du terrain et le coupé prit sa place. Les deux véhicules se relayaient pour qu'il ne s'aperçoive pas qu'il était filé, il en était certain.

Une bouffée d'adrénaline l'envahit. Afin de confirmer son impression, il accéléra et prit au cordeau le virage suivant. Puis il écrasa la pédale de frein, et lut dans le rétroviseur le numéro de plaque de l'autre voiture. Celle-ci faillit l'emboutir. JMV-237.

— JMV-237. JMV-237, répéta-t-il plusieurs fois, jusqu'à ce qu'il soit sûr d'avoir mémorisé le numéro.

Puis, les mains crispées sur le volant, il appuya sur le champignon, décidé à semer ses poursuivants.

Ils étaient doués. Mais pas autant que lui.

Il fonça à travers les rues comme un coureur automobile, prenant les virages beaucoup trop vite au regard des conditions de circulation, ne respectant aucune limite de vitesse. Il fallait qu'il leur échappe.

Il lui fallut une demi-heure pour parvenir à les distancer. Après cela, il roula encore trente minutes supplémentaires, surveillant sans cesse son rétroviseur afin de s'assurer qu'il s'était débarrassé d'eux pour de bon.

Une fois certain qu'il était seul, il prit la direction du refuge, se demandant une fois de plus qui était Jane et ce que ces gens lui voulaient.

Son dos l'avait fait souffrir toute la journée. Jane était assise sur le canapé, solidement calée contre des oreillers, lorsque Lucas rentra.

Instantanément, elle sut que quelque chose était arrivé. Elle se redressa.

— Je ne vous ai pas entendu vous garer dans l'allée, dit-elle.

— En effet. J'ai fait le tour de la maison et je me suis garé derrière, dans le garage.

Il s'assit en face d'elle dans un fauteuil. Des vagues d'énergie semblaient émaner de lui.

— J'ai demandé à Troy et Micah de venir ce soir m'apporter une voiture de location.

— Que s'est-il passé ?

Tandis qu'il lui racontait comment il avait été pris en filature depuis le bureau, un sentiment de frustration nouveau, doublé d'une peur familière, la transperça.

— Qui sont ces gens ? Que me veulent-ils ? s'écria-t-elle avec désespoir.

— Je l'ignore, mais j'espère que nous aurons le nom de l'un d'eux avant la fin de la soirée. J'ai réussi à relever le numéro d'une des voitures qui me suivaient, et j'ai passé un coup de fil à Wendall Kincaid pour le lui communiquer.

— Le chef de la police ?

Comme chaque fois, elle sentit son estomac se nouer à la seule mention des autorités.

— Ne vous inquiétez pas. Je lui ai dit que le conducteur m'avait embouti par l'arrière, et que j'avais besoin de son identité pour remplir le constat.

Il se passa une main dans les cheveux, et se laissa aller contre le dossier de son fauteuil.

Il avait l'air épuisé. Une vague de culpabilité la submergea.

— Nous devrions peut-être aller trouver la police, proposa-t-elle, consciente que sa voix tremblait légèrement.

Tout devient si compliqué ! Et je suis sûre que vous en avez plus qu'assez de moi.

Il lui adressa un sourire, quelque peu forcé toutefois.

— Je n'en ai pas assez de *vous*. J'en ai assez de ne pas savoir ce qui se passe. A la limite, je pourrais comprendre qu'un déséquilibré — petit ami ou mari — vous harcèle... Mais il ne s'agit pas d'un individu isolé, une bande entière est à vos trousses.

— Peut-être suis-je réellement une espionne, dit-elle. C'est une des conclusions auxquelles Loretta et moi avions abouti. Bien sûr, nous avions également envisagé la possibilité que je sois une rock star, ou une courtisane de haute volée.

Une ébauche de sourire se dessina sur les lèvres de Lucas. Il se détendit visiblement.

— Il vaut mieux être une courtisane de haute volée que de bas étage, je suppose.

Elle se laissa retomber sur ses oreillers.

— J'ai découvert un fait important à propos de moi-même aujourd'hui.

— Qui est ?

— Je n'aime pas les feuilletons télévisés. Quand on a l'impression de nager en plein mélodrame, la dernière chose que l'on souhaite est d'en voir un à l'écran.

— Vous avez encore mal au dos ? s'enquit-il en la voyant chercher une position confortable contre les coussins.

Elle hocha la tête en signe d'assentiment.

— C'est une douleur supportable. Je crois que c'est le fait de porter le poids du bébé toute la journée... Cela tire sur la colonne vertébrale. Mais ça va. Je vais bien. J'ai préparé un ragoût pour le dîner. Il doit mijoter encore un peu : ce ne sera pas prêt avant une heure.

— Pas de souci. Je n'ai pas faim. Si cela ne vous dérange pas, je vais aller passer quelques coups de fil.

J'attends un fax bientôt, et l'appareil se trouve dans ma chambre.

Il se leva de son fauteuil. Elle le regarda disparaître dans le hall. Comme chaque fois qu'il s'en allait, elle eut l'impression qu'il emportait avec lui une partie de l'énergie présente dans la pièce, et de ses propres forces.

Passant la main sur son ventre, elle pensa aux derniers événements de la journée.

La plaque d'immatriculation que Lucas avait réussi à relever était le premier vrai indice susceptible de leur fournir des réponses, aussi fut-elle surprise de constater que cette nouvelle ne lui inspirait qu'une joie mitigée.

D'un côté, elle souhaitait redevenir maîtresse de sa vie, quelle qu'elle soit. Et elle détestait penser qu'elle profitait de Lucas et l'empêchait de mener normalement sa propre existence.

Mais, d'un autre côté, elle n'avait pas envie de lui dire adieu.

Répugnait-elle à le laisser partir parce qu'elle n'avait personne d'autre à qui se raccrocher ? Pour être tout à fait honnête envers elle-même, c'était sans doute là l'une des raisons ; mais l'autre raison, plus difficile à admettre, était qu'elle ne voulait pas le quitter parce qu'elle était en train de tomber amoureuse de lui.

C'était complètement insensé. Elle portait l'enfant d'un autre. Elle ne se rappelait même pas son propre nom. Mais elle savait ce qu'elle avait dans le cœur, et cela ressemblait à de l'amour.

Elle ne croyait pas que Lucas se sente coincé en sa compagnie, comme il l'avait prétendu au petit déjeuner le premier matin de leur arrivée au refuge. Ce qu'il ressentait à son égard, elle ne le savait pas vraiment. Mais, si le baiser qu'ils avaient échangé, les moments troublants où elle sentait son regard s'attarder sur elle, avaient la moindre signification, alors ce qu'il éprouvait pour elle était davantage qu'un pénible sentiment d'obligation.

Deux fois, elle se leva du canapé pour aller remuer le ragoût dans la cuisine. Là, postée devant la fenêtre, elle contempla la neige. Il ne tombait plus que de maigres flocons ; la fine couche blanche sur le sol ne dépassait pas un centimètre d'épaisseur.

Elle était retournée dans le salon et était étendue depuis un bon moment lorsque Lucas revint, lui tendant une feuille de papier sur laquelle était imprimée la copie d'un permis de conduire.

— Vous le reconnaissez ? demanda-t-il en s'asseyant à côté d'elle.

Elle prit la feuille et l'examina.

Charles Blankenship. Cinquante-huit ans, quatre-vingt-dix kilos, un mètre quatre-vingts, disait le descriptif. Il avait une mâchoire carrée qui lui donnait un air sévère, des yeux marron, des cheveux poivre et sel et une coupe militaire. Il ne souriait pas à l'objectif.

Elle fronça les sourcils pensivement.

— Il me paraît vaguement familier, mais j'ignore où j'ai pu le voir.

Elle lui rendit le document.

— Qui est-ce ?

— L'une des voitures qui m'ont pris en filature est enregistrée à son nom. Je crois que la première chose que je ferai demain matin sera d'aller rendre visite à ce Charles Blankenship.

— Je vous accompagnerai.

Il fit la moue.

— Je ne suis pas sûr que ce soit une bonne idée.

— C'est la seule piste dont nous disposions ! protesta-t-elle. Son visage m'est familier. Le voir en personne stimulera peut-être ma mémoire. Et, tant que je suis avec vous, je ne crains pas pour ma sécurité. Il s'agit de ma vie, Lucas. Je vous en prie, laissez-moi prendre part à tout ça.

Il la considéra longuement. Au fond de ses yeux brun foncé se lisait la même émotion que celle qu'elle y avait déchiffrée avant qu'il ne l'embrasse la première fois. C'était un appel… Retenant son souffle, elle sentit ses lèvres s'assécher sous l'effet d'une douce impatience.

Comme tiré par un fil invisible, il s'inclina en avant, et elle entrouvrit la bouche, souhaitant qu'il l'embrasse de nouveau, éprouvant le besoin de sentir ses lèvres tendres et chaudes se presser sur les siennes.

D'un geste abrupt, il se leva.

— Pensez-vous que le ragoût soit prêt, maintenant ? lança-t-il d'une voix plus rauque qu'à l'accoutumée.

Relâchant l'air emprisonné dans ses poumons, elle hocha la tête. L'instant était brisé, mais il lui avait donné un espoir nouveau, l'espoir fou qu'une fois cette affaire terminée, ils pourraient être ensemble.

Ils venaient tout juste de finir de manger quand Troy et Micah arrivèrent avec la voiture de location. Jane fit du café pendant que les trois hommes s'installaient autour de la table et que Lucas informait ses amis de la course-poursuite de l'après-midi.

Il leur montra la copie du permis de conduire de Charles Blankenship, mais ni l'un ni l'autre n'avait la moindre idée de qui était cet homme, ou de la raison pour laquelle il avait suivi Lucas.

— Ce doit être à cause de Jane, suggéra celui-ci. Ils sont à sa recherche.

Tournant le dos à l'évier pour leur faire face, elle vit trois paires d'yeux braqués sur elle.

— J'aimerais être en mesure de vous fournir une explication, dit-elle. J'aimerais savoir ce qui se passe.

— Nous avons résolu d'aller parler à Charles Blankenship demain matin. Nous lui demanderons pourquoi il m'a suivi, déclara Lucas tandis qu'elle les rejoignait à la table.

Micah la regarda.

— Et vous ne voulez toujours pas aller trouver les flics ?

Elle hésita avant de répondre. Non, elle n'en avait nullement envie, mais si c'était ce que Lucas voulait qu'elle fasse, eh bien, elle le ferait.

— Pas encore, répondit Lucas à sa place.

Elle lui sourit avec reconnaissance. Au moins, il n'était pas fatigué d'elle au point de la jeter en pâture aux loups ! Pas encore en tout cas.

— Pour une raison ou pour une autre, Jane a l'impression qu'elle se mettrait en danger en se rendant à la police. Nous espérons qu'elle recouvrera la mémoire avant que cela ne devienne notre unique option.

Micah hocha la tête et frappa du bout du doigt la photo de Charles Blankenship.

— Vous voulez que je voie ce que je peux dénicher sur ce type avant demain matin ?

— Ce serait formidable, répondit Lucas. Tu n'as pas ton pareil pour déterrer des informations sur les gens.

Son ami accueillit ce compliment par un grand sourire, avant de reporter son attention sur Troy.

— Nous ferions bien d'y aller. Je me mettrai plus vite au travail.

Tous quatre se levèrent et gagnèrent la porte d'entrée.

— Micah, Troy, merci de votre aide, prononça Jane. Je suis sûre que Lucas se rend compte à quel point il a de la chance de pouvoir compter sur des amis tels que vous.

Alors qu'elle leur disait au revoir, une sensation familière d'abattement fondit sur elle. Elle retourna dans le salon pendant que Lucas les accompagnait dehors.

Voilà presque six jours qu'elle s'était enfuie, et personne

ne semblait être à sa recherche. Pourquoi ne s'inquiétait-on pas pour elle ? Pourquoi personne n'était-il affecté par son absence ?

Avait-elle si peu d'importance qu'elle pouvait se volatiliser durant des jours, des semaines, à jamais peut-être, sans que cela intéresse qui que ce soit ?

8

La maison était silencieuse. Jane était partie se coucher une heure auparavant. Assis à table, Lucas ne cessait de retourner dans sa tête ce qu'il avait appris au cours de la soirée.

Pour commencer, Justin avait appelé pour dire que la recherche sur les empreintes digitales de Jane n'avait donné aucun résultat : sa démarche avait donc été un coup d'épée dans l'eau.

Et, ensuite, Lucas avait failli embrasser la jeune femme une deuxième fois.

Le front barré d'une ride soucieuse, il tourna son regard vers la fenêtre. Son désir de l'embrasser avait été tel qu'il en avait eu mal à la poitrine, et qu'il avait eu l'impression que son sang bouillait dans ses veines.

Dieu merci, il n'avait pas obéi à son impulsion. Rien de bon ne pourrait sortir d'un autre baiser.

Pourtant, son parfum — senteur fraîche de son shampoing aux agrumes mêlée à une essence légère et féminine de fleurs qui le rendait à moitié fou — continuait à le hanter.

Il n'avait pas seulement eu envie de l'embrasser ; il aurait voulu toucher sa peau, caresser son ventre et sentir sous sa paume les coups de pied de son fils.

Le fils qu'elle prénommerait Luke en son honneur, avait-elle dit.

S'il examinait sa conscience, il devait reconnaître

qu'il avait été touché par cette promesse. Mais il avait été tout aussi horrifié. Il ne voulait pas qu'un enfant porte son nom, et encore moins qu'une femme le regarde avec des yeux si pleins de confiance — avec une intensité qui ressemblait à de l'amour.

Son téléphone portable vibra dans la poche poitrine de sa chemise. Il décrocha, heureux de cette diversion.

— J'ai du neuf, annonça Micah.

— Je t'écoute, répondit Lucas en se carrant sur son siège.

— Charles Blankenship est un agent d'assurances. Pas de casier judiciaire, rien qui indique qu'il soit autre chose que le parfait citoyen modèle. Il est marié, a deux enfants adultes et un petit-enfant. Pas de problèmes financiers, à part l'habituelle dette contractée par carte de crédit et un prêt auto ; en tout cas, rien qui sorte de l'ordinaire.

Lucas réprima un soupir de frustration.

— J'espérais autre chose... Quelque chose qui expliquerait son intérêt pour Jane.

— Le seul détail qui m'ait alerté, et que, je pense, tu trouveras intéressant, c'est qu'il est membre du conseil d'administration de l'Eglise de la Lumière.

Lucas ressentit une brusque poussée d'adrénaline, et se redressa sur sa chaise.

— Quoi ?

— Le conseil est constitué de huit hommes et de deux femmes. Blankenship est l'un d'entre eux. J'ignore ce que cela signifie, Lucas, mais cela mérite que je continue à creuser.

— Ce serait super. Merci, répondit-il, songeur. Je ne comprends pas, Micah. Pourquoi une Eglise voudrait-elle enlever Jane ?

— Je ne sais pas, mon pote. Nous ne pouvons pas être certains que l'Eglise a un rapport avec notre affaire.

Sauter aux conclusions sans preuves solides est la pire des choses à faire. Dans l'état actuel des choses, le fait que ce Blankenship t'ait suivi et que Jane ait une aversion marquée pour le logo de cette Eglise pourrait n'être qu'une coïncidence.

— Tu penses vraiment ce que tu dis ? fit sèchement Lucas.

— Pas un instant, répondit son ami.

Lucas l'entendit sourire.

Longtemps après qu'ils eurent raccroché, il resta assis à table, s'efforçant de rassembler les pièces du puzzle.

Le fait que le logo de l'Eglise inspire une peur irrationnelle à Jane, et que l'homme qui l'avait filée fasse partie du conseil d'administration de cette même Eglise était-il vraiment une coïncidence ?

Pour quelle raison une institution religieuse serait-elle à la poursuite de la jeune femme ? Cette question le taraudait. Rien de tout cela n'avait de sens. Peut-être Charles Blankenship se montrerait-il coopératif demain, quand Lucas irait l'interroger. Oui, bien sûr… Et peut-être que demain, il ferait assez chaud pour se baigner.

Il se leva, s'assura que la porte de derrière était bien fermée à clé, puis éteignit les lumières et traversa le salon plongé dans l'obscurité.

Il vérifia ensuite la porte d'entrée et s'engagea dans le couloir, mais à peine avait-il fait quelques pas qu'il entendit des pleurs en provenance de la chambre de Jane.

Ne t'arrête pas, se dit-il. Elle avait de nombreuses raisons d'être triste en ce moment, et il n'y avait rien qu'il puisse faire pour résoudre ses problèmes ou calmer ses peurs.

Ne t'arrête pas.

Bandant sa volonté, il passa devant la porte de sa chambre. Celle-ci était à peine entrouverte, mais le son étouffé de ses sanglots lui parvint avec la même amplitude que le fracas du tonnerre. C'était une plainte pathétique, bouleversante.

Il marcha jusqu'à sa propre chambre, puis s'immobilisa. Jamais il ne pourrait se coucher, comme si de rien n'était, avec le bruit de ses pleurs à la mémoire.

Avec un soupir, il fit demi-tour. Tout en étant conscient que c'était une décision insensée, il était incapable de s'en empêcher. Il s'arrêta devant le battant et frappa doucement.

— Jane ? Vous allez bien ?

Il entrebâilla la porte juste assez pour pouvoir jeter un coup d'œil à l'intérieur, mais il faisait trop sombre pour qu'il puisse distinguer la jeune femme.

— Non, je ne vais pas bien.

Il perçut un froissement de drap, puis la lampe de chevet s'alluma et elle apparut, vêtue de sa chemise de nuit rose pâle, le visage auréolé d'une masse de cheveux emmêlés et les yeux brillants de larmes. Elle se dressa sur son séant et le drap lui tomba sur la taille, découvrant ses clavicules délicates, la ligne de son cou et, sous l'étoffe fine du vêtement, le doux renflement de ses seins.

Il resta immobile sur le seuil, n'osant plus ni respirer ni bouger. Elle était si jolie malgré ses larmes !

— Qu'est-ce qui ne va pas ? s'enquit-il.

Il grimaça.

— Question idiote, n'est-ce pas ?

Elle lui adressa un sourire tremblant, mais il ne fallut pas longtemps avant que les larmes ne se remettent à couler sur ses joues.

— Je me comporte comme un bébé, dit-elle. Je suis allongée là, à me demander pourquoi je ne manque à personne, pourquoi on n'a pas signalé ma disparition. Des gens sont à ma poursuite sans que je sache pourquoi… Mon dos me fait tellement mal ! Et je n'ai personne pour me masser. Je vais avoir ce bébé toute seule, et je ne saurai peut-être jamais qui je suis.

Il s'efforça de maintenir en place les barricades qui entouraient son cœur. Il ne voulait pas ressentir sa douleur, ni être entraîné dans son désespoir, mais il était impossible de résister.

Avant de se rendre compte de ce qu'il faisait, il était debout près du lit. Le doux parfum de Jane monta jusqu'à lui.

— Je ne peux pas vous dire pourquoi personne n'a signalé votre disparition, Jane. Je ne peux pas vous dire non plus pourquoi ces gens vous poursuivent. Mais vous n'aurez pas ce bébé seule. J'y veillerai.

Au fond de lui, il savait qu'il était en train de faire une promesse qu'il n'avait pas l'intention de tenir, mais en cet instant, la seule chose qui importait était de faire cesser ses larmes, de lui rendre son magnifique sourire.

— Et si vous avez besoin de quelqu'un pour vous masser le dos, il suffit de le demander, s'entendit-il dire.

Un infime tremblement agita les lèvres de Jane tandis qu'elle levait les yeux vers lui.

— Vous feriez ça ? Juste une minute ou deux ? J'apprécierais tellement…

Elle se rapprocha du bord du lit et s'allongea sur le côté, le dos tourné, ses longs cheveux blonds répandus tel un flot de mèches brillantes sur l'oreiller.

Avec circonspection, il s'assit sur le lit. Son cerveau lui criait qu'il était en train de commettre une énorme erreur, mais, apparemment, son corps n'écoutait pas.

Elle repoussa le drap, dévoilant intégralement sa silhouette. La longue chemise de nuit constituait l'unique barrière entre eux. Il avait sous les yeux le doux vallon de sa taille, la courbe de ses hanches, la rondeur parfaite de ses fesses. Il entendait son cœur battre à ses oreilles.

Tendant la main, il appuya sa paume contre ses reins, et sentit la chaleur de sa peau à travers le tissu. Elle laissa échapper un soupir de pur plaisir. Tout en commençant à pétrir la zone douloureuse, il s'efforça de se rappeler que ce massage était censé être un geste thérapeutique, rien de plus.

— Mmm… Ça fait du bien, chuchota-t-elle.

Il ne répondit pas, il en était incapable. L'air semblait bloqué dans sa gorge, et il n'aurait pu proférer une parole. Le désir montait en lui, de plus en plus puissant, de plus en plus impérieux malgré ses efforts pour se contrôler.

Tout en la massant d'une main, il toucha ses cheveux de l'autre, du bout des doigts. Ils étaient opulents et soyeux, comme il s'y attendait. Il ferma les yeux pour tenter d'endiguer une nouvelle vague de désir.

Ce n'était qu'un massage de dos, tâchait-il de se convaincre. Cependant, ce contact lui semblait plus intime que tout ce qu'il avait pu expérimenter jusqu'à présent. La chaleur, le parfum de Jane le grisaient. Ses petits soupirs de plaisir le transperçaient, brûlants comme un fer rouge.

Il sentit l'entrejambe de son pantalon devenir trop étroit en réponse au désir qu'elle lui inspirait. Pour l'amour du ciel, qu'est-ce qui ne tournait pas rond, chez lui ? Elle était enceinte. Elle ne connaissait même pas son propre nom. Tout ceci était totalement inapproprié. Mais aucun des ordres que lui dictait son cerveau ne semblait parvenir à ses membres.

Il devait s'arrêter, fuir la pièce. Il était conscient d'être la proie d'un désir plus grand que tout ce qu'il avait pu connaître jusqu'à présent. Et pourtant, il continuait à pétrir son dos et à caresser ses cheveux, tout en essayant de se convaincre qu'il ne faisait que répondre au besoin de Jane, non au sien.

Elle gémit de plaisir et s'étira. Ce son agit sur lui comme

une nouvelle décharge d'électricité. Il était impératif qu'il mette fin au massage, avant que les choses n'échappent totalement à son contrôle.

Sors d'ici ! criait une voix dans sa tête, mais il n'en fit rien. Impossible. Il était prisonnier… Pris au piège de son envie de continuer.

Au lieu de s'en aller, il laissa ses mains remonter le long de son dos jusqu'à ses épaules, exerçant juste assez de pression pour détendre ses muscles crispés sans lui faire mal.

— Vous n'imaginez pas à quel point cela fait du bien, dit-elle d'une voix légèrement rauque.

Elle se tourna à demi pour le regarder. Il fut pris d'un désir pressant d'explorer de ses lèvres la ligne délicate de sa mâchoire. La vue de sa bouche généreuse s'étirant en un doux sourire le mit au supplice.

— Vous massez divinement bien.

Il laissa retomber ses mains et se leva.

— Ça va mieux ?

Le sourire de Jane s'effaça, et elle le fixa avec une intensité telle que le cœur de Lucas manqua un battement.

— Ça va mieux, répondit-elle.

Elle s'assit et le saisit par la main.

— Ne partez pas, Lucas. Restez allongé près de moi et discutons un petit moment. Je n'ai pas envie d'être seule maintenant.

Elle tapota le matelas à côté d'elle.

Rien ne le tentait davantage que de passer cette froide nuit d'hiver au lit avec elle.

Il n'y a pas d'enjeu. Nous n'allons faire que parler, se persuada-t-il.

En s'étendant sur le matelas encore chaud de la présence de Jane, il se demanda toutefois ce que diable il était en train de faire.

*
* *

La présence de Lucas à ses côtés dans le lit paraissait à Jane normale, naturelle.

Elle se dressa sur un coude et le contempla, assimilant le moindre détail de sa physionomie. Elle aimait les longs cils qui frangeaient ses yeux sombres, le sourire oblique qui dissipait en partie son aura ténébreuse. Une barbe de deux jours ombrait sa mâchoire, ne faisant qu'ajouter à sa séduction brute, au parfum de danger.

— Vous me fixez, fit-il remarquer, l'air franchement mal à l'aise.

Elle posa la main sur sa joue.

— J'aime vous regarder. Vous avez un beau visage, Lucas Washington, mais vous avez les yeux d'une vieille âme.

— Grandir avec un père tel que le mien m'a poussé à mûrir rapidement, je suppose. Et si je n'étais pas encore un homme quand je me suis engagé dans la marine, j'en suis vite devenu un.

Elle laissa retomber sa main, fronçant pensivement les sourcils.

— J'ai peine à imaginer ce que vous avez dû traverser. Même si je n'ai pas de souvenir précis, je crois que j'ai eu une enfance heureuse.

— J'en suis ravi. J'aimerais que vous vous souveniez des moments joyeux de votre enfance. Je peux vous le dire à présent : vous n'avez pas de casier judiciaire.

Elle le considéra avec surprise.

— Comment le savez-vous ?

Il prit l'air légèrement penaud.

— J'ai confié un verre dans lequel vous aviez bu à un ami à moi qui travaille au laboratoire médico-légal. Il a procédé à un relevé de vos empreintes et les a comparées à celles de sa base de données. Vous n'y étiez pas.

— Pourquoi ne me l'avez-vous pas dit ?

— Je viens de le faire à l'instant, dit-il en souriant. Je ne voulais pas vous en parler avant de connaître les résultats.

— C'est un soulagement, c'est certain. Mais qu'auriez-vous fait si j'avais été une criminelle ? questionna-t-elle, curieuse.

— J'imagine que j'aurais dû vous menotter et vous livrer à mon ami Wendall, répondit-il, une lueur malicieuse dans le regard. Bien sûr, il se peut que vous soyez une criminelle très douée et très intelligente, et que vous n'ayez jamais été attrapée.

Elle se rapprocha de lui, se délectant de son odeur, de la chaleur qui émanait de son corps. Elle n'avait pas particulièrement envie de parler. Ce qu'elle voulait, c'était qu'il l'entoure de ses bras. Sentir ses lèvres sur les siennes encore une fois. Caresser sa peau nue. Elle voulait des choses qu'elle avait tort et peur de vouloir.

Tout en le regardant, elle oublia le sujet de leur discussion. Tout ce qu'elle était capable de penser, c'était combien elle souhaitait avoir un homme tel que lui dans sa vie. Non, ce n'était pas vrai. C'était lui, Lucas, et uniquement lui qu'elle voulait. Pas seulement maintenant, dans cette période d'incertitude, mais toujours.

Bien sûr, c'était complètement irréaliste. Il lui avait fait comprendre de toutes les façons possibles qu'il n'avait pas l'intention de s'engager dans une relation durable. Alors pourquoi voudrait-il d'une femme qui portait l'enfant d'un autre, et qui, en plus, avait des ennuis ?

Malgré tout, cela n'empêchait pas Jane de le désirer là, cette nuit, maintenant. Demain, elle se réveillerait peut-être avec sa mémoire intacte, et retournerait à sa vie d'avant. Mais ce soir, c'était ce soir. Etait-ce si mal de sa part d'avoir besoin de se sentir tenue, aimée ?

— Prenez-moi dans vos bras, dit-elle. Embrassez-moi, Lucas.

Il écarquilla les yeux de surprise, puis plissa les paupières.

— Ce n'est sans doute pas une bonne idée.

N'eût été le spasme musculaire qui agitait sa mâchoire, la braise ardente qui luisait au fond de ses prunelles ou la tension qui émanait de son corps, elle aurait certainement pensé qu'il n'en avait pas envie.

Mais il avait envie d'elle. Elle sentait son désir irradier de lui, le voyait étinceler dans son regard. Elle le devinait dans sa voix rauque.

— Ça m'est égal.

Elle posa la main sur son torse large et musclé.

— Je sais à quoi m'en tenir, Lucas. Je serai probablement sortie de votre vie d'ici quelques jours, mais cela n'enlève rien au fait que j'ai envie de vous embrasser ce soir. Tout de suite.

A peine avait-elle prononcé ces mots que les lèvres de Lucas se posaient sur les siennes. Aussi légères que les ailes d'un papillon, elles étaient divinement douces.

Mais ce n'était pas de tendresse et de douceur qu'elle avait besoin ; elle voulait davantage. Elle rêvait de passion brûlante et échevelée, de fièvre ardente et bouillonnante.

Se blottissant contre lui, elle entrouvrit la bouche. Il répondit aussitôt, l'attirant plus près de lui tandis que leurs langues s'entremêlaient, entamant une ronde endiablée.

Malgré l'ampleur de son ventre, elle tenait sans problème dans ses bras, comme si là était sa place, comme si, de sa vie, elle n'avait jamais été dans les bras d'un autre.

Il était excité, elle le devinait à son souffle plus court, à la façon dont il l'étreignait. Sa bouche se détacha de la sienne, et il déposa un chapelet de baisers le long de son cou, tandis qu'elle laissait courir ses mains sur son dos, sentant sous ses doigts le relief créé par ses cicatrices. Elle eut envie de les embrasser, de les faire disparaître à force de caresses.

Elle avait désespérément besoin qu'il lui fasse l'amour ; cependant, ce n'était pas envisageable, elle le savait. Même si les femmes enceintes pouvaient sans danger avoir des relations sexuelles, elle avait entendu dire que celles-ci pouvaient déclencher le travail en fin de grossesse.

Elle ne voulait pas courir ce risque, aussi faible soit-il. En revanche, elle tenait à lui donner du plaisir.

Elle tira sur les pans de sa chemise, éprouvant le besoin de le déshabiller, de sentir sa peau nue sous ses paumes.

Il s'écarta d'elle. Sa poitrine se soulevait et s'abaissait au rythme de sa respiration saccadée.

— Que faites-vous, Jane ?

Sa voix basse, rauque, son souffle précipité la galvanisèrent.

— Je veux t'aimer, Lucas. J'ai envie de toucher ta peau. Laisse-moi faire. Enlève ça, laisse-moi t'aimer.

Il parut se transformer en statue. Il soutint son regard et, l'espace d'un horrible instant, elle crut qu'il allait bondir hors du lit et s'enfuir en courant de la chambre, le plus loin possible d'elle. Au lieu de quoi il se dressa sur son séant, passa sa chemise par-dessus sa tête et la laissa tomber sur le sol.

Lorsqu'il se rallongea, elle coucha son visage sur sa poitrine, goûtant la chaleur de sa peau et les rapides battements de son cœur contre son oreille. Elle fit courir ses mains sur son torse, et l'entendit gémir.

Sa bouche suivit le même chemin, embrassant, mordillant sa chair enflammée tandis qu'il glissait les doigts dans ses cheveux. Elle aimait la saveur de sa peau, l'odeur fraîche, virile qui émanait de lui : en atteignant la ceinture de son jean, elle sut qu'elle voulait tout de lui.

Donner du plaisir était aussi excitant, aussi gratifiant que d'en recevoir, songea-t-elle. Surtout si c'était à quelqu'un à qui l'on tenait.

Très vite, Lucas n'eut plus sur lui que son boxer, et les caresses, les baisers de Jane se firent plus enfiévrés. Elle ne pensait à rien d'autre qu'à lui.

En cet instant, le passé et le futur n'avaient plus la moindre importance. Il n'y avait qu'eux, et la magique intimité du moment.

Ce fut elle qui prit l'initiative de lui ôter son caleçon. Dès qu'il eut fini de s'en débarrasser, elle referma les doigts autour de son sexe dressé, tandis que la bouche de Lucas s'emparait de la sienne avec une ferveur qui l'électrisa des pieds à la tête.

Elle se mit à le caresser, et il laissa échapper un râle de plaisir contre sa bouche. Elle savait que Lucas était quelqu'un qu'elle n'oublierait jamais, qu'il avait gravé dans son cœur une marque indélébile que ni le temps ni les circonstances ne pourraient effacer. Et elle tenait à ce qu'il ne l'oublie pas non plus.

Elle sentit son membre rigide pulser sous les afflux de sang. Devinant qu'il n'était plus très loin de jouir, elle accéléra le mouvement, désireuse de le conduire à la jouissance, de lui laisser un souvenir inoubliable de cette nuit passée avec elle.

Parvenu au faîte du plaisir, il cria son nom. Le seul regret de Jane fut qu'il ne s'agissait que d'un surnom, qu'elle ne l'entendrait peut-être jamais prononcer son vrai prénom.

Ensuite, il se leva sans un mot et quitta la pièce. Instantanément, elle fut assaillie par l'inquiétude.

L'avait-elle offensé en se montrant trop entreprenante ? Etait-il en colère à cause de ce qui venait de se passer ?

Elle se faufila hors du lit, gagna la salle de bains de l'autre côté du couloir, entendit le bruit de la douche, et comprit qu'il devait y avoir une autre salle d'eau attenante à la chambre principale.

Elle retourna au lit et resta allongée dans le noir, en proie au doute. Avait-il une piètre opinion d'elle ? Pensait-il qu'elle n'était rien d'autre qu'une fille légère prête à coucher avec le premier venu ?

Quelques instants plus tard, il fut de retour, se glissa dans le lit et l'attira dans ses bras. Alors seulement elle laissa échapper un soupir de soulagement.

— Tu te rends compte que c'était incroyablement idiot de notre part, dit-il enfin.

— Cela ne m'a pas paru idiot, le contredit-elle. C'était merveilleux.

Le visage appuyé sur son torse, elle releva la tête pour le regarder.

— Oh ! Lucas ! Tu n'as pas à te faire de souci, je n'attendrai pas de toi plus que tu ne peux donner ! Tout ce qui m'arrive en ce moment, je le vis comme une sorte d'expérience extrasensorielle. Je sais que ce qui vient de se passer entre nous n'a pas de rapport avec la réalité.

Elle soupira et laissa retomber sa tête sur sa poitrine, où étaient perceptibles les battements réguliers de son cœur.

— J'ignore tout de mon passé, et je ne suis certainement pas en mesure de deviner ce que l'avenir me réserve. J'avais simplement envie d'être avec toi ce soir… De cette unique nuit au milieu des limbes qu'est devenue ma vie.

Il étendit le bras, éteignit la lampe de chevet, puis referma ses bras autour d'elle.

— Nous en saurons peut-être plus demain matin,

après avoir eu une explication avec Charles Blankenship. Maintenant, dors.

Elle ferma les yeux. Pour la première fois depuis que tout avait commencé, elle n'avait pas peur. Elle se sentait à l'abri, bien au chaud dans les bras de Lucas, et il ne lui fallut que quelques minutes pour sombrer dans le sommeil.

Elle était dans une église. Des fleurs par centaines imprégnaient les lieux d'un doux parfum. Il y avait de la joie dans l'air, et les membres de l'assistance, sur les bancs, avaient tous le sourire.

Trois hommes attendaient debout devant l'autel, vêtus de smokings noirs, de chemises d'un blanc éclatant et de nœuds papillons turquoise.

C'était un mariage. Le marié lui tournait le dos ; en le contemplant, elle sentit son cœur s'emplir d'allégresse. Comme les premières notes de l'hymne traditionnel résonnaient, elle commença à remonter l'allée, sa longue robe de soie blanche bruissant autour de ses jambes.

Son cœur battait à grands coups dans sa poitrine. Dans sa hâte d'unir sa vie à la sienne, elle aurait voulu courir jusqu'à lui. « Lucas », chantait son cœur, tandis qu'elle refrénait son impatience.

Enfin, elle le rejoignit, et il se tourna vers elle, un sourire éclairant son beau visage.

Elle se figea.

Ce n'était pas Lucas. Cet homme qui lui tendait la main, son fiancé, elle ne l'avait jamais vu auparavant.

*
* *

Elle s'éveilla en sursaut, le cœur battant à un rythme effréné. L'obscurité régnait dans la chambre, et elle perçut le souffle régulier de Lucas endormi à côté d'elle.

Un rêve, se dit-elle. Ce n'était qu'un rêve absurde. Pourtant, alors même que cette pensée lui traversait l'esprit, elle sut qu'il n'en était rien.

Il ne s'agissait pas d'un rêve, mais d'un souvenir.

9

— La maison te paraît-elle familière ? demanda Lucas en se garant le lendemain, par une autre journée froide et grise, dans l'allée de Charles Blankenship.

Il regarda Jane, qui examinait, sourcils froncés, la bâtisse ocre à deux étages.

Il était 10 heures. Pendant le petit déjeuner, il s'était senti très embarrassé : il avait encore présent à l'esprit le souvenir de la nuit précédente.

— Non, répondit-elle. Pas du tout. Je ne crois pas l'avoir jamais vue de ma vie.

Ses mains serrées l'une contre l'autre sur ses genoux trahissaient la tension qui l'habitait. Lucas avait tenté de la persuader de ne pas l'accompagner, mais elle s'était montrée inflexible.

— Il s'agit de ma vie, Lucas ! s'était-elle exclamée d'un air têtu. Si voir cet homme en chair et en os me permet de recouvrer la mémoire, alors cela vaut la peine de prendre tous les risques.

L'ennui, c'était que Lucas ne savait pas quels risques exactement comportait cette rencontre. Et si Charles Blankenship était un dangereux maniaque ?

Lucas préférait éviter qu'on ne repère le véhicule de location. Charles ayant déjà vu sa voiture personnelle, il avait été plus logique de prendre celle-là.

Une nouvelle fois, il se tourna vers Jane.

— Quand je descendrai de voiture, j'aimerais que tu te glisses derrière le volant, dit-il. Si ça tourne mal, je veux que tu fiches le camp en vitesse. Rentre au refuge, et appelle Troy ou Micah.

Elle écarquilla les yeux et s'empara de sa main, qu'elle serra dans la sienne en le scrutant avec intensité.

— Tu ne crois tout de même pas qu'un drame peut se produire ?

— J'ignore à quoi m'attendre, répliqua-t-il en retirant sa main. Nous ne savons pas de quoi sont capables ces gens. Mais je veux être sûr que tu feras exactement ce que je t'ai dit. Si les choses tournent mal, tu démarres et tu t'en vas sans un regard en arrière. Promets-le-moi, Jane.

C'était manifestement un engagement qu'elle n'avait pas envie de prendre, mais elle posa les mains sur son ventre et hocha la tête. Il savait qu'elle le ferait, sinon pour elle, du moins pour son bébé.

— Je te le promets, répondit-elle doucement.

Comme il ouvrait la portière et sortait, le vent froid lui gifla le visage. Il avait gardé son manteau ouvert, afin d'avoir rapidement accès à son arme en cas de besoin.

Il se dirigea vers la porte d'entrée, puis se retourna pour s'assurer que Jane avait bien suivi ses instructions. Elle était assise sur le siège du conducteur, et suivait ses gestes avec des yeux élargis.

Si un incident fâcheux se produisait, elle pourrait faire demi-tour et mettre les voiles, c'était déjà ça. Il se détourna et frappa à la porte.

Venir ici était peut-être une mauvaise idée, mais, de toute façon, ils avaient les poings liés. Au moins, pour la première fois depuis que cette histoire avait commencé, il avait le sentiment d'agir, au lieu d'attendre passivement.

Il toqua une deuxième fois. Charles Blankenship vint ouvrir en personne. Doté de traits épais, il portait un pantalon à pinces et une chemise blanche à manches longues. Il ne put dissimuler une expression de surprise, vite remplacée par l'air d'intérêt poli que l'on réserve aux visiteurs inconnus.

— Puis-je vous aider ? questionna-t-il.

— Oui, j'aimerais savoir pourquoi vous m'avez poursuivi dans les rues de Kansas City hier soir, fit Lucas.

Il n'avait pas l'intention de perdre du temps à jouer au chat et à la souris avec cet homme.

Les yeux de Blankenship se portèrent vivement sur la voiture, par-dessus l'épaule de Lucas. Une nouvelle fois, un éclair de surprise traversa son regard, qu'il réprima aussitôt pour reporter son attention sur son visiteur.

— Je n'ai aucune idée de ce dont vous parlez, bluffa-t-il.

— Oh ! je crois que si, rétorqua Lucas.

Les deux hommes se mesurèrent du regard l'espace d'un instant ; puis Blankenship poussa un soupir et passa la main dans ses cheveux poivre et sel.

— Vous m'avez coupé la route, cela m'a rendu fou de rage. Je ne suis pas fier de ma réaction. Mettez-la sur le compte de l'agressivité au volant.

Lucas sentit la moutarde lui monter au nez.

— Ce n'était pas un cas d'agressivité au volant, dit-il en s'avançant d'un pas. Vous me suiviez. Reconnaissez-vous cette femme, dans la voiture ?

— Est-ce qu'elle me connaît ? riposta l'autre sur un ton de défi.

Lucas réfléchit aux possibilités qui s'offraient à lui. Soit il disait la vérité à Blankenship — à savoir que Jane souffrait d'amnésie — et il voyait ce qui se passait ; soit il tentait un coup d'esbroufe. Il opta pour une solution intermédiaire.

— Elle s'est cogné la tête et a des problèmes de mémoire. Elle ne se souvient pas de vous en particulier, mais votre visage lui est familier. La mémoire lui revient chaque jour un peu plus. S'il s'avère que vous l'avez maltraitée, je reviendrai vous le faire regretter, vous m'entendez ?

— Inutile de me menacer, protesta l'homme.

Lucas lui adressa un sourire dur.

— Il ne s'agit pas d'une menace mais d'une promesse, croyez-moi !

— Ecoutez, je ne connais pas cette femme, et j'ai déjà reconnu que je m'étais mal conduit hier. Vous m'avez coupé la route, et je me suis laissé emporter par la colère, c'est tout ! Désolé. Voilà, je me suis excusé. A présent, partez d'ici avant que j'appelle la police.

— Si je vois votre voiture rôder autour de moi, c'est moi qui préviendrai la police, répliqua Lucas en reculant.

Il rebroussa chemin sans quitter la porte des yeux. Il ne voulait pas tourner le dos à Blankenship. Lorsqu'il parvint à la voiture, Jane s'était de nouveau glissée sur le siège passager.

Il monta à bord et fit reculer la voiture dans l'allée, l'estomac noué par un intense sentiment de frustration.

— Je ne sais pas exactement à quoi je m'attendais, mais cette démarche n'a servi à rien du tout, déclara-t-il en conduisant.

Comme toujours, son attention était partagée entre la route devant lui et le rétroviseur.

Jane posa la main sur son avant-bras. Malgré l'épaisseur du manteau, il sentit sa chaleur sur sa peau, et son irritation s'accrut.

— Je suis désolée, dit-elle. Je ne l'ai pas reconnu.

— La mémoire ne se commande pas, dit-il, soulagé qu'elle retire sa main.

Il lui fut également reconnaissant de garder le silence pendant le trajet du retour jusqu'au refuge. Il avait besoin de réfléchir, non à ce que signifiait l'entrevue avec Charles Blankenship, mais à sa propre situation. Combien de temps encore pourrait-il continuer ainsi, à être responsable de Jane, à rester près d'elle vingt-quatre heures sur vingt-quatre ?

Faire l'amour avec elle la nuit précédente avait vraiment semé la confusion dans son esprit. A son réveil, ce matin, ils étaient lovés en cuiller l'un contre l'autre, ce qui lui avait procuré une sensation infiniment agréable.

Il avait senti ses cheveux lui chatouiller le nez, et la chaleur de son corps pressé intimement contre le sien.

Durant quelques minutes, il était simplement resté sans bouger, imaginant ce que cela serait de s'éveiller tous les jours à ses côtés pendant le reste de son existence, de ne pas avoir envie de la quitter.

Il était en train de perdre le contrôle des événements. Il perdait tout empire sur lui-même. Il n'avait plus la bonne distance, nourrissant des désirs dont il savait qu'ils étaient aussi mauvais pour lui que pour elle.

Et il n'était pas le seul. Elle aussi s'impliquait trop. Il le devinait à la façon dont elle le touchait, le voyait dans ses yeux chaque fois qu'elle le regardait. Il l'avait senti au plus profond de son cœur, de son âme tandis qu'elle le caressait la nuit précédente.

Ils ne pouvaient continuer ainsi indéfiniment. Cela prendrait peut-être des semaines, des mois avant que la mémoire ne revienne à Jane intégralement. En aucun cas il ne pourrait prolonger cette situation deux semaines de plus, encore moins un mois ou deux. Il devait décider combien de temps encore il était disposé à lui accorder, comment lui annoncer que, tôt ou tard, il allait reprendre sa liberté.

De retour au refuge, elle se rendit dans sa chambre pour se reposer, et il fit les cent pas dans la cuisine, trop agité pour s'asseoir.

Le fait que Charles Blankenship lui ait menti n'était pas surprenant. Mais il avait espéré qu'à la vue de l'homme ou de sa maison, Jane verrait ses souvenirs remonter en nombre.

Blankenship avait menti en prétendant qu'il ne la connaissait pas. Il avait menti sur tout. Pour quelle raison ?

Qu'était-il arrivé à Jane ? Qu'avait-elle vécu de si terrible qu'elle en était arrivée non seulement à s'enfuir, mais aussi à refouler les souvenirs d'une vie entière dans les régions les plus reculées de son esprit ?

Quand elle se leva après sa sieste et le rejoignit dans la cuisine, il avait fait griller des steaks hachés et ouvert une boîte de haricots blancs à la tomate pour le dîner. Il posa également un sachet de chips sur la table et ils s'assirent pour manger.

Ils bavardèrent de choses et d'autres : du temps, d'un article dans un magazine qu'elle était en train de lire, de la croissance fulgurante de Kansas City.

Ils ne parlèrent ni de fourgon blanc, ni d'œil omniscient, ni d'amnésie. Bien que la conversation reste plaisante, il cherchait un moyen de lui annoncer qu'il avait atteint ses limites, qu'il était temps de se résoudre à aller trouver les autorités.

Ils débarrassèrent la table ensemble. Une boule se forma au creux de sa poitrine lorsqu'il se retrouva assez près d'elle pour respirer son parfum. Le souvenir de la nuit remonta à sa mémoire. Elle s'était montrée douce, tendre, généreuse. Sexy, désirable… Et merveilleuse.

Tandis qu'elle lui donnait du plaisir, il s'était plu à imaginer un temps prochain où elle ne serait plus enceinte, où elle pourrait se donner entièrement à lui.

— Tu es très silencieux, ce soir, fit-elle observer tandis qu'il rangeait la dernière assiette dans le lave-vaisselle.

C'est moi qui ai fait l'essentiel de la conversation pendant le dîner.

— Je dois être fatigué, j'imagine.

Il s'essuya les mains avec le torchon et se tourna pour la regarder.

Elle dut lire quelque chose dans son expression, car elle s'appuya au comptoir et laissa échapper un soupir.

— Tu n'es pas seulement fatigué, tu es fatigué de Jane, fit-elle doucement.

Son regard exprimait la souffrance, mais aussi la peur.

— C'est à cause de ce qui s'est passé entre nous hier soir ?

— Peut-être en partie, admit-il avec honnêteté. Ne te méprends pas : c'était formidable. Tu as été formidable, mais ça n'aurait pas dû arriver.

— Je suis contente que ce soit arrivé.

Elle leva le menton d'un air de défi.

— C'est au moins un bon souvenir que je garderai toute ma vie.

Cela avait été mémorable pour lui aussi, songea-t-il.

— Il n'empêche que ça n'aurait pas dû se produire. Nous ne savons pas quelle est ta situation dans la vie réelle, mais tu connais la mienne. Plus nous restons ensemble, plus la frontière entre réalité et fantasme devient floue. Je ne peux pas être l'homme qui partage ton existence, Jane. Je ne veux pas que tu sois blessée.

— Je comprends, dit-elle, mais il crut percevoir un soupçon de mélancolie dans sa voix.

Ce qui le conforta dans sa décision.

Il se força à se lancer.

— Quarante-huit heures, Jane. Si tu n'as pas recouvré la mémoire d'ici quarante-huit heures, j'appellerai Wendall et nous irons tout lui expliquer.

De nouveau, il vit la peur poindre dans son regard, mais elle se contenta de hocher la tête.

— D'accord.

Puis elle se détourna et quitta la pièce.

Lucas resta debout près de l'évier, luttant contre le besoin impulsif de la rattraper pour lui dire qu'il avait changé d'avis.

Dans quarante-huit heures, elle ne serait plus sous sa responsabilité. Dans quarante-huit heures, il aurait retrouvé sa liberté.

Ce qu'il ne comprenait pas, c'était pourquoi cette pensée ne lui procurait pas la joie escomptée.

Plus que vingt-quatre heures.

C'était ce que Jane ne cessait de se répéter le lendemain soir, alternant entre peur panique et infinie tristesse.

Une fois que Lucas l'aurait confiée aux mains de la police, elle ne le reverrait plus jamais, elle le savait. Et cette pensée l'emplissait d'une douleur violente, inouïe.

Elle était amoureuse de lui. C'était aussi simple, aussi bêtement cruel que cela. Pourtant, dans vingt-quatre heures, elle devrait lui dire définitivement adieu.

Lui jetant un coup d'œil, elle sentit son cœur devenir gros et les larmes qu'elle n'avait pas versées lui brûler les paupières. Elle était installée sur le canapé. Assis dans le fauteuil à côté, Lucas semblait absorbé par le film policier qui passait à la télévision.

Ne pleure pas, s'ordonna-t-elle avec fermeté. La dernière chose qu'elle souhaitait était de le culpabiliser en pleurant. Il avait déjà tant fait pour elle !

Elle n'avait pas le droit de se sentir blessée, ou de lui en vouloir de souhaiter retrouver sa liberté. Elle ne pouvait être vexée parce qu'il ne l'aimait pas assez pour lui offrir plus qu'il ne l'avait déjà fait.

— Je vais me chercher de quoi grignoter. Tu as besoin de quelque chose ? demanda-t-il en se levant de son fauteuil lorsque le programme fut terminé.

Seulement de toi, murmura une petite voix dans l'esprit de Jane.

— Non, merci. Je vais écouter les actualités un petit moment, puis j'irai me coucher.

Et demain, je serai partie, compléta-t-elle en silence.

Comme il disparaissait dans la cuisine, elle se passa la main sur le ventre en se demandant ce qu'il allait advenir d'elle. La police la placerait-elle dans un centre d'accueil pour femmes jusqu'à ce qu'ils découvrent d'où elle venait ? Que se passerait-il si elle ne recouvrait jamais la mémoire ?

Elle concentra son attention sur la télévision ; spéculer sur son avenir était trop douloureux.

— Encore du temps froid dans les jours à venir, énonça en souriant la présentatrice du journal, une blonde pétillante.

Le sourire s'effaça, et elle se composa une mine grave de circonstance.

— Une fusillade au volant se solde par la mort d'un jeune homme. Enfin, la police fait appel à vos témoignages. Avez-vous vu cette femme ?

Le souffle coupé, Jane vit une photo d'elle s'afficher sur l'écran.

— Lucas ! parvint-elle à articuler d'une voix étranglée.

— Plus de détails après la pause, annonça la blonde.

Une publicité suivit.

Lucas s'encadra sur le seuil.

— Quoi ? Qu'y a-t-il ?

Jane montra du doigt la télévision.

— C'était moi… Ils ont montré une photo de moi aux informations !

Il eut l'air abasourdi.

— Qu'ont-ils dit ?

— Plus de détails après la pause, répondit-elle.

Il se laissa tomber à côté d'elle sur le canapé, les yeux rivés sur l'écran. Le cœur de Jane cognait avec violence dans sa poitrine.

La page de publicité parut durer une éternité ; enfin, le journal commença. L'information principale concernait le décès d'un adolescent ayant reçu une balle tirée d'une voiture. A l'agonie, Jane attendait la suite, l'information qui allait transformer son existence.

Deux autres titres furent développés avant que sa photo n'apparaisse de nouveau à l'écran.

— Des proches inquiets recherchent cette jeune femme, déclara la présentatrice. Son nom est Julie Montgomery. Elle est enceinte de huit mois, et a disparu depuis une semaine. Toute personne disposant d'informations à son sujet est priée de contacter ce numéro spécial.

Elle indiqua le numéro en question, puis ce fut le tour du présentateur météo d'apparaître à l'écran.

Frappée de stupeur, Jane demeura silencieuse. Elle s'appelait Julie Montgomery, et sa famille la recherchait. Elle tournait et retournait ce nom dans sa tête, ne sachant trop si elle devait rire ou pleurer.

— Cela te va bien, fit doucement Lucas. Julie est un joli nom.

Elle se tourna vers lui.

— Et maintenant, que fait-on ?

— Je suppose qu'il ne me reste plus qu'à téléphoner.

Il tira son portable de sa poche.

— Tu as une famille qui tient à toi, Julie. Il est temps de retourner auprès d'elle.

Tout en étant consciente qu'il avait raison, elle était surprise de ne pas se sentir plus soulagée à la perspective de rentrer chez elle — quelle que soit la réalité que recouvrait ce terme.

— Tu essaies de joindre le numéro spécial ? questionna-t-elle.

— Non, j'appelle Wendall. Je veux apprendre le nom des personnes qui ont signalé ta disparition. Avant de te confier à qui que ce soit, je tiens à savoir précisément à qui j'ai affaire. Nous devons être certains que ces gens sont bien ceux qu'ils prétendent être.

Comme il se levait et composait le numéro du chef de la police, elle réfléchit à ce qu'il venait de dire. Il ne lui était pas venu à l'esprit que les individus qui étaient à ses trousses pouvaient se faire passer pour des membres de sa famille.

Elle faisait confiance à Lucas pour s'assurer qu'elle ne courrait aucun danger et que les personnes qui la réclamaient n'étaient animées que de bonnes intentions.

Il lui fut impossible de glaner la moindre information en écoutant la conversation entre Lucas et Wendall Kincaid. Pendant plusieurs minutes, il se contenta d'écouter, puis il mit son interlocuteur au courant de la façon dont il l'avait rencontrée, ainsi que de son amnésie.

Un temps infini sembla s'écouler avant qu'il ne raccroche enfin. Il posa son téléphone sur la table basse et se tourna vers elle.

— Ta disparition a été signalée par un certain Robert Montgomery, qui s'est présenté comme étant ton beau-frère.

— Mon beau-frère ?

Elle posa la main sur son ventre. Elle avait à présent la certitude qu'elle avait un mari quelque part. Elle avait rêvé de lui la nuit où elle avait fait l'amour avec Lucas.

Simplement, elle n'avait pas fait part de ce souvenir à ce dernier.

— A-t-il mentionné mon mari ?

Elle trébucha sur ce dernier mot.

Elle était mariée. Alors pour quelle raison était-ce son beau-frère, et non son époux, qui avait fait état de sa disparition ?

— Wendall ne dispose que de quelques informations sommaires et du numéro de téléphone de Robert Montgomery. Ton mari est peut-être en déplacement, ou bien c'est un militaire. Je vais appeler Robert et lui fixer un rendez-vous pour demain matin. Je demanderai à Troy et à Micah de rester avec toi dans la voiture pendant ce temps. Si Montgomery n'apporte pas la preuve de son lien de parenté avec toi, tu n'auras pas à le rencontrer.

— Je me demande pourquoi je me sens si nerveuse, avoua-t-elle avec un petit rire. C'est le dénouement que nous n'avons cessé d'espérer, et je sais que je devrais être contente, mais pour être vraiment honnête, j'ai peur.

Il prit sa main dans la sienne.

— C'est normal. Même si tu as probablement une famille aimante, tu n'as aucun souvenir d'elle. De plus, nous savons que des personnes malveillantes te recherchent pour une raison inconnue. Il est parfaitement naturel que tu ressentes de l'appréhension.

Elle étreignit sa main, s'appuya contre lui et, fermant les paupières, huma son parfum familier. Une odeur qui évoquait pour elle la sécurité, la chaleur du foyer… et la passion. Une boule se forma dans sa gorge, et de nouveau elle sentit les larmes lui picoter les yeux.

— A partir de demain, je ne te verrai plus, n'est-ce pas ? demanda-t-elle d'une voix douce.

— Je suis sûr que nous nous croiserons à l'occasion, répondit-il.

Ils savaient tous deux que c'était un mensonge, qu'il faisait semblant de croire qu'ils garderaient plus ou moins le contact une fois que tout serait terminé. Elle ne l'en aima que davantage.

Ils restèrent assis longtemps l'un à côté de l'autre, sans parler. Ensemble, simplement. Au bout d'un moment, il se leva et attrapa son téléphone sur la table.

— Je vais appeler Micah et lui demander de faire quelques recherches sur Robert Montgomery. Ensuite, j'organiserai le rendez-vous de demain. Tu ferais aussi bien d'aller au lit, et de prendre une bonne nuit de repos.

Il sourit, mais son regard demeura sombre.

— Dis-toi seulement que demain, à cette heure, tu seras de retour chez toi.

Elle se força à sourire et se mit debout.

— Bonne nuit, Lucas.

Ce qu'elle ne pouvait lui avouer, et qu'elle ressentait pourtant au plus profond de son cœur, de son âme, c'est que sa place était auprès de lui.

Tandis qu'elle longeait le couloir en direction de sa chambre, les larmes qu'elle avait retenues ces dernières heures se mirent à couler. Elle aurait dû être au comble du bonheur : elle connaissait enfin son vrai nom, et demain, elle aurait retrouvé les siens. Mais elle ne songeait plus qu'à une chose : à partir de demain, elle ne reverrait jamais Lucas.

10

Micah et Troy arrivèrent au refuge à 9 heures le lendemain matin. Tous quatre se réunirent autour de la table afin de découvrir quelles informations Micah avait réussi à dénicher sur Robert Montgomery.

Lucas ne put s'empêcher de remarquer que la main de Jane tremblait légèrement tandis qu'elle se servait une tasse de café. Julie, corrigea-t-il mentalement. Elle s'appelait Julie, et il aurait aimé être en mesure de la délivrer de son angoisse manifeste.

Elle était particulièrement jolie, avec ses joues colorées par l'émotion et ses cheveux qui lui tombaient en vagues soyeuses sur les épaules. Elle portait le chemisier bleu qu'il avait choisi à son intention au supermarché, et qui soulignait l'éclat de ses yeux.

Si tout se passait bien, il aurait réintégré son appartement ce soir, et Julie Montgomery ne serait plus pour lui qu'un doux souvenir. Il s'efforça d'éprouver la joie qu'il s'attendait à ressentir à l'idée de recouvrer sa liberté, mais, curieusement, n'y parvint pas.

— Alors, qu'as-tu trouvé sur Robert Montgomery ? demanda-t-il à Micah, bien décidé à se concentrer sur le problème présent, plutôt que sur ses états d'âme.

— C'est un commerçant de quarante-quatre ans qui possède une boutique de souvenirs sur Oak Street. Il est marié depuis dix ans à une femme prénommée Martha. Ils habitent dans une petite maison à l'écart de North Maple Street. Pas d'enfants, et ni l'un ni l'autre n'a de casier judiciaire. Sur le papier, ce sont des citoyens modèles.

Il déplia une feuille de papier, et la posa sur la table devant Julie.

— Son visage vous dit quelque chose ?

Lucas vit qu'il s'agissait d'une copie du permis de conduire de Robert Montgomery. La photo montrait un homme trapu aux cheveux blond-roux et aux yeux d'un bleu saisissant.

Elle étudia longuement le cliché, puis secoua la tête.

— Non, répondit-elle. Son visage ne me parle pas du tout, mais ça ne veut rien dire. Je souffre d'amnésie, acheva-t-elle d'un ton sec.

— Et maintenant, voulez-vous savoir ce que j'ai dégoté sur vous ? questionna Micah.

Elle s'adossa à sa chaise, visiblement surprise. D'une main tremblante, elle ramena une mèche de cheveux derrière son oreille.

— Oui.

— Vous avez trente ans, et vous étiez institutrice dans une école primaire avant d'épouser David Montgomery, le frère cadet de Robert, il y a deux ans.

Il marqua une pause, comme pour lui laisser le temps de digérer l'information.

— Maîtresse de CE2, laissa-t-elle tomber avec un soupçon d'étonnement dans la voix.

Elle se tut, puis hocha la tête et sourit.

— Oui, j'enseignais à des classes de CE2.

Son sourire vacilla tandis qu'elle continuait à fixer Micah.

— Où est mon mari ?

— Il est mort. Je suis navré, Julie. Il a été victime d'une agression voilà presque huit mois, dit doucement Micah.

A cette nouvelle, le cœur de Lucas sombra. Ainsi, elle n'avait pas de mari vers qui se tourner. Elle était seule, comme elle en avait eu l'intuition malgré son amnésie.

Elle soupira, hocha une nouvelle fois la tête, et laissa ses mains descendre le long de son ventre.

— D'une certaine façon, je le savais.

Se tournant vers Lucas, elle ajouta :

— Je t'avais bien dit que j'étais seule avant que toute cette histoire ne commence.

— Vous êtes propriétaire d'une maison non loin de chez Robert et Martha, poursuivit Micah. Mais, après la mort de votre mari, il semble que vous ayez emménagé chez eux et mis votre maison en vente.

Il se carra dans son siège.

— Ce sont les seuls éléments que j'ai pu réunir en si peu de temps.

— J'en sais déjà plus que ce matin à mon réveil. Merci, dit-elle.

— Alors, comment allez-vous procéder ? interrogea Troy.

Lucas consulta sa montre.

— J'ai rendez-vous dans trente minutes avec Robert et sa femme au Calico Café. Hier soir au téléphone, j'ai demandé à Montgomery d'apporter des preuves de son lien de parenté avec Julie : photos, documents, tout ce qu'il pouvait avoir en sa possession. Je lui ai expliqué qu'elle avait des problèmes de mémoire. J'aimerais que Micah et toi restiez avec elle dans l'une des voitures jusqu'à ce que je sois certain qu'elle peut entrer sans risque dans le restaurant. A ce moment-là, je vous appellerai sur le portable et vous me rejoindrez pour qu'elle puisse rencontrer sa famille.

Il se tourna vers elle. L'anxiété de la jeune femme était à son comble. Sa bouche tremblait légèrement. A cet instant, il n'aurait rien désiré davantage que de poser les lèvres sur les siennes et de la tenir serrée contre lui jusqu'à ce que ses tremblements aient cessé.

— Tout ira bien, Julie. Il est temps que tu retournes auprès des personnes qui t'aiment et qui veilleront sur toi.

Il hésita un instant, puis ajouta :

— Tu ne seras pas obligée de les suivre si cela te bouleverse trop. Nous te ramènerons ici.

C'était la dernière chose qu'il souhaitait, se dit-il. Il valait mieux pour tout le monde qu'elle retourne dans son vrai foyer.

— Merci, répondit-elle en relevant le menton. Je suis certaine que tout se passera très bien.

A cet instant, il songea qu'elle était réellement la femme la plus courageuse qu'il ait connue — qu'il connaîtrait jamais.

— Dans ce cas, nous devrions y aller, suggéra Troy.

Ils se levèrent et se rendirent dans le salon pour prendre leurs manteaux. Julie disparut dans le couloir et revint quelques secondes plus tard avec le petit sac de voyage noir qui contenait tout ce qu'elle possédait.

— Je suis prête, déclara-t-elle, la voix chevrotante mais la tête haute.

Quelques minutes plus tard, ils étaient en route, Lucas en tête dans sa voiture de location. Les autres suivaient dans celle de Micah. Tandis qu'il conduisait, le rire de Julie, le plaisir qu'il avait eu à contempler son sourire radieux de l'autre côté de la table en buvant son café le matin lui revinrent à l'esprit.

Sa saveur lui emplit la bouche, son parfum sembla flotter dans l'air. Une vague de tristesse s'abattit sur lui, aussi lourde qu'une chape de plomb.

Il aurait pu l'aimer s'il avait été un homme aimant. *Ce que je ne suis pas*, se rappela-t-il. Il ne pourrait jamais être l'homme qu'elle désirait, celui dont elle avait besoin. Levant la main, il toucha la cicatrice qui sillonnait sa nuque afin de se remémorer d'où il venait. Julie et son bébé seraient beaucoup mieux sans lui.

Sa belle-famille prendrait certainement bien soin d'elle, veillerait à ce qu'elle et son enfant soient heureux et en bonne santé. Il devait s'en persuader. Et puis, un jour, Julie finirait par rencontrer un homme exceptionnel avec qui elle aurait envie de partager sa vie, le genre d'homme qu'elle méritait.

Il tourna dans le parking du café, tandis que Micah continuait tout droit. Ce dernier se garerait un peu plus loin dans la rue en attendant qu'il leur donne son feu vert.

Ayant trouvé une place près de la porte d'entrée, Lucas descendit de voiture. Le vent semblait plus froid, mais il amena jusqu'à lui une riche odeur de bacon, d'œufs et de café corsé.

En entrant, il jeta un rapide coup d'œil aux clients présents : les Montgomery n'étaient pas encore arrivés. Il s'installa à une banquette près d'une fenêtre offrant une vue sur le parking, et réclama une tasse de café à la serveuse. Il aurait commandé un petit déjeuner complet s'il n'avait eu l'estomac si noué.

Quand le café arriva, il enroula les doigts autour de sa tasse et se répéta une fois de plus qu'il s'agissait d'un événement heureux. C'était la conclusion qu'ils avaient tant espérée : retrouver l'identité de Julie et son milieu d'origine.

Il n'était assis que depuis cinq minutes quand une berline beige s'arrêta devant le Calico. Robert Montgomery en descendit, ainsi qu'une séduisante femme brune. Le couple se dirigea vers la porte d'entrée.

Voilà, nous y sommes… Le moment que Lucas avait attendu, l'opportunité de se débarrasser de Julie une fois pour toutes, de retrouver sa vie, étaient enfin arrivés. Fini le refuge, finis les petits déjeuners en tête à tête ou les massages de dos qui allaient trop loin.

Robert et Martha entrèrent et parcoururent la salle du regard. Levant la main, Lucas leur fit signe d'approcher.

— Lucas Washington ?

Robert avait une voix riche, profonde, sonore de personnalité de la radio.

Lucas confirma d'un hochement la tête, et les deux hommes se serrèrent la main. Robert lui présenta sa femme, puis ils prirent place autour de la table. Il posa une chemise en carton devant lui.

— Où est Julie ? questionna Martha en regardant autour d'elle.

— Je tenais à vous rencontrer seul pour commencer, dit Lucas.

Comme la serveuse arrivait, Robert et Martha commandèrent du café. Une fois celui-ci servi, Lucas leur expliqua comment il avait retrouvé Julie, et les mit au courant de son amnésie.

— Oh ! mon Dieu ! s'exclama Martha lorsqu'il eut achevé son récit. Cette pauvre petite ! Est-ce qu'elle va bien ? Et le bébé ?

— Physiquement, ça va, mais elle a toujours des problèmes de mémoire, répondit Lucas. C'est pourquoi je vous ai demandé de m'apporter la preuve que vous êtes bien de sa famille. Etant donné qu'elle est dans l'incapacité de se souvenir de vous, je veux m'assurer que vous êtes bien ceux que vous dites.

— Bien sûr, approuva Robert.

Il ouvrit la chemise placée devant lui et lui tendit une photo. C'était un portrait de mariage représentant Julie en robe de mariée dans les bras d'un bel homme blond. Martha et Robert posaient de part et d'autre du couple.

— C'est le jour où mon frère a épousé Julie, dit-il. Nous étions ravis qu'il ait trouvé une femme aussi adorable avec qui partager sa vie, et impatients de l'accueillir dans la famille.

C'était une très belle mariée, songea Lucas en examinant le cliché. Pourtant, un peu plus d'un an après que cet instant de bonheur avait été fixé sur la pellicule, elle s'était retrouvée veuve, et enceinte. Il rendit la photo à Robert.

— Il y a presque dix jours qu'elle a disparu. Comment se fait-il que vous ne vous soyez pas manifestés plus tôt ?

Micah lui avait dit que, d'après les voisins, Julie vivait avec son beau-frère et sa femme. Pourquoi, dans ce cas, ces derniers avaient-ils mis si longtemps à s'apercevoir de son absence ?

— Elle nous a fait savoir qu'elle avait envie de rester seule quelque temps, qu'elle allait passer quelques jours chez elle, expliqua Robert. Nous nous sommes dit qu'elle avait simplement besoin d'un peu d'espace. Notre maison n'étant pas immense, nous étions un peu les uns sur les autres.

Il fronça les sourcils.

— Elle ne se rappelle donc rien de tout ça ?

— Non.

Lucas n'avait aucune raison de ne pas faire confiance aux deux personnes qui étaient en face de lui ; il ne s'expliquait donc pas le vague sentiment de malaise qui l'étreignait.

Peut-être son appréhension était-elle simplement due au fait qu'il détestait l'idée de voir partir Julie. Ou au fait de savoir qu'elle ne pouvait plus compter sur le soutien de son mari ou du père de son enfant.

C'était indiscutablement plus difficile qu'il ne s'y était

attendu. Il n'avait pas prévu que la confier à d'autres, lui dire adieu, éveillerait en lui un tel sentiment de perte.

Julie faillit s'effondrer nerveusement lorsque le portable de Micah se mit à sonner. Il lui semblait que la demi-heure qui venait de s'écouler avait été la plus éprouvante de toute son existence.

Comme il répondait, elle se pencha en avant sur la banquette, impatiente de connaître son sort. Au bout d'un instant, il raccrocha et la regarda dans le rétroviseur.

— Bouclez votre ceinture, nous avons le feu vert.

Donc Montgomery avait passé avec succès l'épreuve à laquelle Lucas l'avait soumis : elle allait être présentée une seconde fois à une famille dont elle avait été proche avant qu'un événement mystérieux ne lui dérobe ses souvenirs.

Elle s'adossa à son siège et attacha sa ceinture, tandis que Micah quittait le bord du trottoir où il était garé et prenait la direction du café.

— Ça va ? s'enquit Troy.

— Un peu nerveuse, mais ça va, répondit-elle.

Elle avait l'impression que son cœur allait exploser tant il battait fort. Comme s'il ressentait son angoisse, le bébé se retourna brusquement dans son ventre.

— Vous savez que Lucas ne vous mettrait jamais en danger. Il est évident qu'il tient à vous, Micah vous le dira comme moi.

Ces paroles de réconfort lui firent mal. Lucas tenait peut-être à elle, mais pas suffisamment pour avoir envie de faire partie de sa vie. Une fois que sa photo était parue au journal télévisé du soir, il n'avait pas perdu de temps, s'empressant d'arranger son départ pour se débarrasser d'elle au plus vite.

Elle fronça les sourcils. Elle était injuste. Il faisait ce qu'il pensait être le mieux pour elle.

Même si cela lui faisait de la peine, elle était consciente qu'elle devait le chasser de son cœur.

Quand Micah eut garé la voiture, Troy l'escorta jusqu'à l'intérieur du café. D'une main, elle serrait son sac de voyage, et de l'autre, se cramponnait à son bras. Elle était si nerveuse que ses jambes flageolaient sous elle.

Peut-être un coup d'œil à Robert et Martha lui rendrait-il instantanément la mémoire. Elle l'espérait de toutes ses forces. Même si elle connaissait désormais son nom et quelques fragments épars de sa vie, elle voulait, elle *devait* rentrer en pleine possession de son passé.

En pénétrant dans le café, elle repéra immédiatement Lucas. Martha Montgomery se leva à son approche, et l'attira dans ses bras dès qu'elle fut parvenue à son niveau.

— Oh ! Julie, ma chérie ! Nous nous sommes fait un sang d'encre à ton sujet ! s'exclama-t-elle.

Julie se raidit au contact de l'inconnue puis, comme l'étreinte se prolongeait, se détendit peu à peu. Ce n'étaient pas des étrangers, se rappela-t-elle. C'étaient des membres de sa famille.

Lorsque Martha la lâcha, elle se glissa près de Lucas sur la banquette, constatant avec étonnement que Troy s'était éclipsé.

— Julie, mon ange, nous avons conscience que c'est difficile pour toi, déclara Robert. Lucas nous a parlé de tes problèmes de mémoire. Mais je suis sûr qu'une fois à la maison, tout ira bien. Le berceau du bébé est prêt, et nous sommes impatients de t'avoir de nouveau parmi nous.

— Avant cela, il y a quelque chose que vous devriez savoir, intervint Lucas. L'autre jour, des individus ont tenté de s'emparer de Julie et de la jeter à l'arrière d'un fourgon blanc. Avez-vous la moindre idée de qui il pourrait s'agir ?

Martha et Robert échangèrent un regard, et une tension nouvelle s'empara de Julie, lui nouant les entrailles.

— Mon frère, paix à son âme, prononça Robert, était un homme bon mais perturbé, qui avait un faible pour le jeu et la drogue. Lorsqu'il est mort, il devait de l'argent à des individus qui ne ferment pas aisément les yeux sur une dette.

Son regard navigua de Lucas à Julie.

— L'une des raisons pour lesquelles nous avons dû te prendre chez nous est que tu avais reçu des coups de fil de menace de ces gens-là. Je suppose qu'ils ont dû se lasser d'appeler et décider d'opter pour une méthode plus agressive.

Julie baissa les yeux sur la table, s'efforçant d'assimiler ces nouvelles. Son mari avait donc été un drogué et un joueur ? Elle ne pouvait qu'en conclure que leur mariage n'avait pas été heureux. Etait-ce la raison pour laquelle elle l'avait effacé de sa mémoire ?

— L'ennui, poursuivit Robert, c'est que Julie n'a pas d'argent. C'est également en partie pour cela que nous avons décidé qu'elle emménagerait chez nous : afin qu'elle puisse vendre sa maison et rembourser cette fameuse dette. Nous avions envisagé de la garder chez nous jusqu'à la naissance du bébé ; ensuite, elle aurait repris l'enseignement et aurait pu retomber sur ses pieds.

— Son mari n'avait donc pas souscrit d'assurance vie ? s'étonna Lucas.

Robert grimaça.

— Mon frère l'a touchée plusieurs mois avant sa mort. Il n'a rien laissé à Julie.

— Pourquoi ne pas commander un petit déjeuner et bavarder de sujets plus agréables ? proposa Martha.

Julie accueillit avec gratitude cette suggestion. Avec un peu de chance, ce délai supplémentaire lui permettrait de se sentir plus à l'aise avec les gens qui comptaient l'emmener.

Lucas fit signe à la serveuse, et ils passèrent tous leur commande. Tandis qu'ils mangeaient, le couple leur en apprit davantage sur la vie que leur belle-sœur menait avec eux.

Au fur et à mesure, Julie sentait une morne résignation la gagner. Robert et Martha avaient l'air de gens gentils et bien intentionnés. Il n'y avait aucune raison pour qu'elle ne parte pas avec eux.

Sauf qu'elle n'avait aucune envie de quitter l'homme assis à côté d'elle. Lucas demeura silencieux durant tout le repas, comme s'il était déjà détaché de la situation présente, détaché d'elle.

Aime-moi, suppliait-elle dans le secret de son cœur. *Demande-moi de rester avec toi. Ne m'envoie pas chez des gens dont je ne me souviens pas. Ne me renvoie pas, tout court.*

Mais, beaucoup trop vite, le repas s'acheva, et il fut temps pour elle de partir.

Aucun obstacle ne l'empêchait plus de suivre ces inconnus. Ils avaient des documents qui attestaient leur identité, et elle se rendait parfaitement compte qu'elle devait à présent retourner à l'existence qui était la sienne.

Comme ils sortaient sur le trottoir, Robert et Martha se dirigèrent vers leur voiture. Lucas saisit Jane par le bras.

— Elle vous rejoint dans une minute, dit-il aux Montgomery en leur faisant signe de continuer.

Elle leva les yeux vers lui, souhaitant de toutes ses forces qu'il lui accorde ce qu'il ne pouvait lui donner, une fin différente de celle qui lui était proposée.

— Ils ont vraiment l'air de gens sympathiques, finit-elle par dire.

Il hocha la tête, la fixant avec intensité, et l'espace d'un instant, elle crut déceler quelque chose de merveilleux au fond de ses yeux, quelque chose de chaud, de tendre, quelque chose qui ressemblait à l'amour.

— Tout ira bien pour toi, Julie.

Il prononça ces mots avec énergie, comme s'il cherchait à s'en convaincre lui-même. Il leva la main et repoussa tendrement une mèche de ses cheveux derrière son oreille. Puis il recula d'un pas.

— Le moment est venu de nous dire au revoir, je crois.

Submergée par l'émotion, Julie sentit sa gorge se serrer. Enfin, elle fut libre de prononcer les mots qui lui brûlaient les lèvres et le cœur.

— Je t'aime, Lucas.

La mâchoire de Lucas se contracta, ses yeux s'assombrirent.

— Je sais que durant toute cette épreuve, j'ai été ta planche de salut, dit-il. Mais une fois que tu auras recouvré la mémoire, tu te rendras compte que ce que tu éprouves pour moi n'est rien d'autre que de la reconnaissance.

Avait-il raison ? Lui inspirait-il des sentiments aussi forts parce qu'elle était perdue dans la tourmente, face à l'inconnu le plus total ? L'amour qu'elle ressentait à son égard n'était-il réellement que de la gratitude, qu'elle prenait à tort pour quelque chose de plus profond ?

— Julie, je t'ai demandé de ne rien attendre de moi. Je t'ai prévenue que je n'étais pas fait pour le rôle de mari et de père.

— Je sais. Seulement, je ne comprends pas pourquoi tu as une telle opinion de toi. Tu as toutes les qualités nécessaires pour être un mari et un père merveilleux.

Elle aurait voulu le toucher, mais le visage de Lucas se ferma, et il fit un autre pas en arrière.

— Tu as mon numéro de portable si tu as besoin de quoi que ce soit. Au revoir, Julie.

Il enfonça les mains dans ses poches — geste ostensible de rejet qui fit s'envoler les derniers espoirs qu'elle aurait pu encore nourrir.

— Au revoir, Lucas, répondit-elle.

Elle serra plus fort la poignée de son sac, puis tourna les talons et marcha vers la voiture de Martha et Robert, avec l'impression que son cœur se muait en bloc de pierre dans sa poitrine.

Avec un sourire rassurant, Robert lui ouvrit la portière arrière, et elle se glissa sur la banquette. Au moment où la voiture sortait du parking, elle se retourna et jeta un dernier regard à Lucas, qui n'avait pas bougé du trottoir.

Il avait l'air seul, aussi seul qu'elle-même l'était, et elle eut soudain la certitude qu'ils avaient commis une erreur, une terrible erreur.

— Tous ces drames ont dû t'épuiser, dit Martha. C'est forcément mauvais pour le bébé. Nous allons veiller à ce que tu te reposes et à ce que tu manges sainement.

Julie lui adressa un faible sourire.

— Je suis fatiguée, admit-elle.

Mais cette lassitude était uniquement due aux éprouvants adieux qu'elle avait dû faire à Lucas.

Tournant la tête vers la fenêtre, elle s'absorba dans la contemplation du paysage qui défilait sous ses yeux, tout en continuant de songer à l'homme qu'elle venait de quitter. Non, il lui était impossible de croire que les sentiments qu'elle éprouvait pour lui n'étaient que de la gratitude. Elle savait ce qu'elle ressentait au plus profond d'elle : c'était de l'amour.

— Tu as assez chaud, derrière ?

La voix de Robert la tira de ses pensées.

Elle croisa son regard d'un bleu perçant dans le rétroviseur.

— Je vais bien, assura-t-elle.

Bien. Tout le monde semblait employer ce mot à profusion lorsqu'il s'agissait d'elle et de son avenir. « Tout ira bien », lui avait promis Lucas. Mais elle avait le sentiment que plus jamais elle n'irait réellement bien.

Elle se redressa sur son siège et fronça les sourcils en s'avisant qu'ils roulaient en direction du nord. Elle aurait pourtant juré que le logement de Robert et Martha était situé au sud par rapport au Calico Café.

— Ne rentrons-nous pas à la maison ? demanda-t-elle, en proie à un effroi soudain.

— Nous te ramenons là où tu dois être, ma chère, dit Martha.

L'effroi de Julie grandit, et une sonnette d'alarme retentit faiblement au fond de son esprit. C'est alors qu'elle la vit devant elle : l'Eglise de la Lumière. Même si elle ne se rappelait pas être venue ici, même si elle ne reconnaissait pas les lieux, elle *savait* ce que c'était.

— Que faisons-nous ici ? questionna-t-elle.

Comme Robert s'arrêtait devant le portail défendant l'accès à la propriété, elle déboucla sa ceinture. Il pressa le bouton de la télécommande posée sur le tableau de bord, et le portail s'ouvrit. Elle essaya de sortir de la voiture, devinant d'instinct qu'elle devait fuir.

Mais la portière était bloquée. La panique s'empara d'elle. Pourquoi l'avait-on enfermée ? Etait-elle prisonnière ? Pourquoi les Montgomery l'avaient-ils emmenée ici ?

Oh ! Seigneur ! Ce n'était pas normal. Il se passait quelque chose de terriblement inquiétant.

A l'instant précis où ils passèrent le portail et où celui-ci se referma derrière eux avec un bruit sourd, ses souvenirs affluèrent en masse à sa mémoire. Et, avec eux, la certitude qu'elle était en danger de mort.

11

En regardant la voiture des Montgomery sortir du parking, Lucas sentit une douleur inconnue lui broyer le cœur. Elle se trouverait mieux sans lui, se dit-il. Robert et Martha avaient l'air de gens respectables et, un jour, Julie rencontrerait un autre homme, quelqu'un qui ferait un mari merveilleux et un père formidable.

Oui, elle serait mieux sans lui, et lui sans elle.

Tout en se répétant cela, il se hâta de regagner sa voiture et de prendre place derrière le volant, mû par une impulsion inexplicable. Il voulait voir la maison où elle allait vivre, le lieu où elle élèverait son enfant.

Il prit garde de laisser plusieurs voitures entre eux, afin qu'elle ne l'aperçoive pas. Il ne tenait pas à ce qu'elle pense qu'il cherchait à la rattraper, qu'il avait changé d'avis et souhaitait la ramener chez lui.

Très vite, il fut déconcerté par la direction que prit le couple, perplexité à laquelle s'ajouta une pointe d'inquiétude.

Au fur et à mesure qu'ils s'éloignaient vers le nord, son inquiétude grandit ; elle se mua en véritable affolement lorsqu'il vit apparaître devant lui l'Eglise de la Lumière.

Il appuya sur l'accélérateur, mais avant qu'il ait pu les rattraper, la berline disparut derrière les portes sécurisées. Il immobilisa la voiture, et contempla l'enceinte apparemment impénétrable qui entourait les bâtiments de la propriété.

Pourquoi avaient-ils emmené Julie ici ? Au cours de leur conversation, personne n'avait mentionné l'Eglise. Julie avait été terrifiée par l'œil omniscient qui servait d'emblème à la congrégation. Pourquoi conduire la jeune femme ici ? Quel lien pouvait-elle bien avoir avec l'Eglise ?

Encore et encore, il se repassa mentalement la conversation qu'ils avaient eue pendant le petit déjeuner, tâchant de se rappeler un détail qu'il aurait omis, un indice qu'il aurait manqué.

A posteriori, le seul élément qui pouvait paraître étrange était l'idée selon laquelle des brutes s'en seraient prises à Julie à cause des dettes de jeu de son mari. Elle n'avait pas d'argent. Ces individus ne gagneraient rien à la pourchasser, et encore moins à tenter de l'enlever en plein jour sur un parking fréquenté.

Elle était en danger, et c'était lui qui l'avait mise dans ce guêpier. Il frappa le volant des deux paumes puis, se ressaisissant, tira son portable de sa poche et appela le chef de la police, Wendall Kincaid. Celui-ci répondit à la seconde sonnerie.

— Wendall, c'est Lucas. J'ai besoin de votre aide.

— Que se passe-t-il ?

— Pouvez-vous me rejoindre d'ici quinze minutes devant l'Eglise de la Lumière ?

Wendall devait avoir perçu l'urgence dans sa voix, car il ne posa pas d'autre question.

— J'y serai.

— Et, Wendall, pourriez-vous amener deux agents avec vous ?

Il y eut un silence.

— Etes-vous en danger ?

— Non, mais je pense que quelqu'un d'autre l'est.

— Je pars immédiatement.

Lucas laissa tomber son portable sur le siège d'à côté

et, reculant, s'éloigna du portail sécurisé. Il se gara devant l'église, le cœur battant, au bord de la nausée.

Que faisait Julie ici ? Ça n'avait pas de sens. Il jeta un coup d'œil à sa montre. Chaque minute passée à attendre les renforts lui semblait durer une heure.

Ce qu'il voulait, c'était parler à Julie, s'assurer qu'elle allait bien. Il aurait voulu prendre d'assaut la clôture, soit en fonçant dedans avec sa voiture, soit en l'escaladant. Mais s'il se faisait arrêter pour violation de propriété ou destruction de biens d'autrui, il ne serait d'aucune aide à Julie, il le savait. *Si* elle avait réellement besoin d'aide, rectifia-t-il mentalement.

Il se pouvait que les Montgomery l'aient emmenée voir un ami, ou soient venus se recueillir avant de rentrer chez eux. Il tâcha de se convaincre que ces scénarios étaient plausibles, sans y parvenir.

Encore une fois, il consulta sa montre. Ciel, était-il possible que les minutes s'écoulent plus lentement ? Sur les charbons ardents, il déboutonna son manteau et posa la main sur la crosse de son revolver.

Il était prêt à tuer pour elle.

Cette idée lui causa un choc. En tant qu'ancien commando des marines, il avait déjà ôté la vie, mais dans un contexte de guerre : c'était soit l'ennemi, soit lui. Il n'y avait pas pris plaisir, et ne se serait jamais attendu à devoir commettre un tel acte dans la vie civile.

Néanmoins, pour protéger Julie et son enfant à naître, il aurait fait n'importe quoi, y compris tuer de nouveau.

Il poussa un soupir de soulagement quand un véhicule de patrouille se gara à côté de lui et que Wendall en sortit. Brun, séduisant, celui-ci était le chef de la police le plus jeune et le plus populaire de l'histoire de Kansas City.

Tout en n'approuvant pas complètement les méthodes

employées par Recovery Inc., il s'était lié d'amitié avec les trois associés.

— Qu'est-ce que nous avons ? s'enquit-il.

Tandis qu'il le mettait au courant de ce qui se passait, Lucas vit Wendall se rembrunir de plus en plus.

— Qu'attendez-vous de moi, Lucas ? demanda ce dernier lorsqu'il lui eut tout raconté. Julie est une adulte consentante, et elle a décidé librement de suivre ces gens. Je n'y peux pas grand-chose.

— Mais ils m'ont dit qu'ils l'emmenaient chez eux ! protesta Lucas.

Wendall haussa les épaules.

— Ils ont modifié leurs projets, et alors ? Ce n'est pas un crime !

Lucas lui posa une main sur l'épaule.

— Pas pour l'instant, peut-être, mais je vous garantis que quelque chose cloche. Julie ne serait jamais venue ici de son plein gré. Je vous demande seulement de vérifier. Obligez-les à me l'amener ici pour que je lui parle. Si elle m'assure qu'elle est bien là où elle est, je m'en irai et je ne vous dérangerai plus.

Wendall fronça les sourcils.

— Allons vérifier, dit-il.

Lucas laissa retomber sa main et poussa un soupir de soulagement.

— Merci, mon vieux. Je vous revaudrai ça.

Quelques instants après, ils s'approchaient du portail, accompagnés de l'agent Ben Branigan. Wendall dénicha un Interphone que Lucas n'avait pas remarqué auparavant. Il appuya sur le bouton et, au bout de quelques secondes, une voix d'homme répondit :

— C'est une propriété privée, veuillez, s'il vous plaît, indiquer la raison de votre présence.

— Je suis Wendall Kincaid, le chef de la police.

J'aimerais parler à Robert Montgomery, fit Wendall d'une voix pleine d'autorité.

La poitrine comme enserrée dans un étau, Lucas respirait avec difficulté. Il s'enjoignit de se calmer, en vain ; il ne pourrait se détendre avant d'acquérir la conviction absolue que Julie allait bien.

Le silence qui suivit parut durer une éternité ; finalement, la voix profonde, familière, de Robert résonna dans le haut-parleur invisible.

— Que puis-je pour vous ?

— Je souhaite parler à Julie ! cria Lucas par-dessus l'épaule de Wendall.

— Je crains que, de son côté, Julie ne souhaite pas vous parler, monsieur Washington, répliqua Robert d'une voix onctueuse.

— Je me vois dans l'obligation d'insister, reprit Wendall.

Une fois encore, ses paroles furent suivies d'un long silence. Le sang de Lucas battait à ses tempes. Etait-il possible que Julie ne veuille pas le voir ? Qu'il l'ait blessée en la renvoyant dans son prétendu milieu d'origine, alors que la dernière chose qu'il souhaitait était de lui faire du mal ?

— Tout va bien pour Julie, sinon qu'elle est stressée et a besoin de calme et de repos. Je vois que vous avez un agent avec vous, dit Robert. Je l'autorise à entrer et à s'entretenir avec Julie. Peut-être réussira-t-il à la convaincre de sortir pour vous parler mais, en tout état de cause, je ne la forcerai pas à faire quoi que ce soit contre son gré.

Wendall regarda Lucas, qui à son tour regarda l'agent Branigan. Ce dernier haussa les épaules.

— Je veux bien y aller, dit-il. Ça ne me pose pas de problème.

— O.K., dit Wendall dans l'Interphone. L'agent Branigan va venir parler à Julie.

Quelques minutes plus tard, un homme à forte carrure vint à leur rencontre, un sourire amical aux lèvres, comme si avoir le chef de la police à sa porte était une affaire de routine.

— Agent Branigan ? Veuillez me suivre.

Il ouvrit le portail, fit entrer le policier, puis referma derrière eux.

Tout en s'éloignant, Branigan se tourna vers Lucas et Wendall, et leva le pouce en signe de victoire. Lucas essayait de se convaincre que si, vraiment, il y avait eu anguille sous roche, les occupants des lieux n'auraient pas laissé pénétrer dans leurs murs un flic armé.

Il regarda Wendall.

— Ne trouvez-vous pas louche qu'ils ne nous laissent pas entrer ?

— Peut-être, admit son compagnon. Mais je ne suis pas habilité à faire irruption chez eux. Ils ont autorisé mon agent à lui parler, c'est déjà ça.

Malgré tout, Lucas ne parvenait pas à se défaire de l'impression que Julie courait un grave danger, et qu'elle avait besoin de son aide.

Assise sur le bord du lit, Julie détaillait sa jolie chambre avec salle de bains. En d'autres circonstances, elle aurait sans doute apprécié les meubles raffinés en acajou et les magnifiques tapisseries pendues aux murs.

Mais, aussi belle soit-elle, cette chambre n'était rien d'autre qu'une cage dorée. Et elle l'avait déjà été pendant un mois avant que Lucas ne la retrouve frissonnante à l'arrière d'une voiture.

Elle se souvenait de tout, à présent : de son mariage avec David, de la mort brutale de ce dernier… et du fait que son beau-frère et sa belle-sœur étaient des monstres.

Robert était un prophète, une figure paternelle qui œuvrait en coulisse, prêchant le dimanche sous le couvert de l'anonymat à une congrégation qui souhaitait désespérément avoir foi en autre chose qu'en ce que leur offrait la religion traditionnelle.

Mais, surtout, elle se rappelait qu'ils voulaient son bébé. Elle entoura son ventre de ses bras et parcourut la pièce du regard pour la centième fois depuis qu'elle était enfermée.

La chambre était située au deuxième étage. Bien qu'elle soit pourvue de deux fenêtres, il était hors de question qu'elle tente de sauter : elle se tuerait probablement. Pire encore, elle blesserait le bébé.

Il n'y avait rien autour d'elle qui puisse servir d'arme ; elle n'avait aucun moyen de combattre les gens qui la retenaient prisonnière. Elle serra de toutes ses forces les paupières pour retenir les larmes qui menaçaient de couler. Elle refusait de s'apitoyer sur son sort, et elle refusait de penser à Lucas, sachant très bien que si elle s'y risquait, elle se mettrait à pleurer et ne pourrait plus s'arrêter.

Son mari, David, était mort. Sur ce point, au moins, les Montgomery avaient dit vrai. Il avait été agressé par une crapule qui l'avait poignardé. Et, effectivement, Robert et Martha l'avaient bel et bien recueillie chez eux quelques jours après l'enterrement. Les deux mois suivants, tout s'était bien passé : le couple leur avait apporté, à elle et à son enfant à naître, soutien et affection. Du moins le croyait-elle.

Lorsqu'il l'avait épousée, David lui avait confié que son frère ne pouvait concevoir d'enfant, qu'une maladie infantile l'avait rendu stérile. Robert et Martha semblaient tous deux s'être réconciliés avec l'idée qu'ils n'auraient jamais d'enfant. Mais, au début du septième mois de grossesse de Julie, la situation avait changé du tout au tout, après qu'elle avait évoqué devant Martha la possibilité de déménager dans une autre ville après la naissance du bébé. Voire dans un autre état. Elle aspirait en effet à un nouveau départ.

C'était à ce moment qu'ils l'avaient conduite dans cet endroit, l'y retenant prisonnière. Robert l'avait alors mise au courant des projets qu'il avait formés pour elle et son fils.

Elle se leva d'un bond en entendant la porte s'ouvrir. Robert entra en compagnie d'un officier de police. Au lieu de se sentir soulagée, comme elle aurait dû l'être, par la présence de l'agent, elle éprouva une peur plus grande encore.

Elle l'avait déjà vu. Ici, dans sa prison. Il était membre du clan malfaisant de Robert. Ce qu'il recherchait était avant tout la richesse et le pouvoir ; en tout cas, il n'était certainement pas du côté de la loi et de la justice.

— Nous avons un petit problème, annonça Robert. Il semble que ton petit ami ait fait venir ici le chef de la police pour qu'il s'assure que tu allais bien.

Le cœur de Jane se gonfla d'espoir. Ainsi, Lucas était ici ? Oh ! Dieu merci, il était venu à son secours !

— Laissez-moi partir, Robert. Je ne dirai rien à personne. Je ne porterai pas plainte contre vous. Laissez-moi partir, et vous n'entendrez plus jamais parler de moi.

Robert lui sourit avec indulgence.

— Je travaille depuis trop longtemps sur ce projet pour accepter une chose pareille, Julie. L'enfant que tu portes m'appartient. Il sera le messager qui annoncera l'avènement d'un nouveau monde, le règne de l'Eglise de la Lumière. Il est destiné à devenir le nouveau prophète, celui qui mettra de l'espoir dans tous les cœurs.

— Pourquoi ne dites-vous pas les choses telles qu'elles sont, Robert ? répliqua-t-elle avec colère. Il ne s'agit pas de l'Eglise, ni d'espoir. Ce qui vous intéresse, c'est l'argent et le pouvoir.

Le sourire de Robert s'élargit.

— Ce n'est pas complètement faux, admit-il. C'est fou, les sommes que les gens sont disposés à lâcher dès le moment où ils sont convaincus que cela peut leur apporter le salut éternel ! Pour le nouveau prophète, ils donneront avec joie leurs biens immobiliers et leur fonds de retraite. Nous bâtirons notre petite communauté ici grâce aux fidèles qui travailleront pour nous, et nous deviendrons riches. N'est-ce pas, Ben ?

L'officier de police acquiesça d'un signe de tête.

— Vous brûlerez en enfer ! s'écria Julie.

— Ça se peut, reconnut Robert de bonne grâce. Mais quelle vie j'aurai avant de mourir ! Le père du nouveau prophète mérite le meilleur.

Son sourire mourut, ses yeux bleus prirent une expression glaciale.

— Mais avant cela, nous avons un petit détail à régler : ton Roméo et son ami, qui sont en train de faire le siège devant le portail.

— J'ai l'impression qu'ils ne partiront pas avant de s'être assurés en personne qu'elle va bien, fit observer Ben. Il faut qu'elle le leur dise elle-même.

— Ce que je me garderai bien de faire, décréta-t-elle avec force.

Lucas ! criait son cœur. *Je t'en prie, sauve-moi de ce cauchemar !*

— Tu le feras, la contredit Robert avec assurance. Tu vas descendre et aller leur dire que tu as recouvré la mémoire, que tu te trouves très bien ici.

— Pourquoi le ferais-je ?

Robert tira une photo de sa poche et la lui tendit. Elle la prit à contrecœur, et poussa un cri étouffé.

C'était une photographie de Loretta, constata-elle, affolée. Elle avait été prise alors que la jeune femme pénétrait dans l'hôpital où elle travaillait.

— Il est en notre pouvoir de l'enlever n'importe où, et à n'importe quel moment. Même chose pour ton petit ami. Aucun d'eux ne sera en mesure de se défendre : ils ne verront pas venir le danger. Si tu ne coopères pas, Loretta Washington est une femme morte. Et, après lui avoir réglé son compte, nous nous occuperons de Lucas. Nous avions prévu de venir te chercher plus tôt chez Loretta, mais le temps que nous nous organisions, tu avais disparu. D'ailleurs, c'est beaucoup mieux ainsi. Inutile d'avoir des ennuis avec la police.

Un grondement sourd emplit sa tête. Cet avertissement était à prendre au sérieux. Au mot près. Ils trouveraient Loretta et la tueraient, avant de s'attaquer à son frère.

Elle tenait la vie de Loretta et de Lucas entre ses mains, et il était hors de question qu'elle les sacrifie à son profit. Ils avaient tous deux été si bons pour elle, une simple inconnue ! Elle n'allait pas les remercier en les mettant en danger.

— D'accord, dit-elle enfin en faisant la grimace. Je ferai tout ce que vous voulez, mais laissez-les tranquilles.

Robert lui prit des mains la photo de Loretta et la remit dans la poche de sa chemise.

— J'étais sûr que tu verrais les choses ainsi.

Il la saisit par le bras. Elle frissonna de dégoût à ce contact.

— N'oublie pas : un pas de travers, et c'est comme si tu leur tirais une balle dans la tête. Fais en sorte de régler le problème, Julie.

Tandis qu'il la guidait hors de la pièce, elle sentit son cœur battre violemment contre ses côtes. Il n'y aurait pas de sauvetage miracle pour elle. Elle allait mettre son bébé au monde ici, et Robert veillerait à ce qu'elle ne survive pas à l'accouchement, elle en était sûre.

En parcourant le long couloir qui menait aux escaliers, elle reconnut le corridor de son cauchemar. C'était par là qu'elle s'était enfuie la nuit de son évasion.

Tandis qu'elle marchait d'un pas lent, flanquée de Robert et de Ben, le souvenir de cette fameuse nuit lui revint à la mémoire. On l'avait informée des projets de Robert concernant son bébé, et quand Gemma Walker, la vieille femme qui lui portait ses repas, était venue la servir ce soir-là, elle avait tenté de forcer le passage en la bousculant.

Gemma l'avait frappée à la tête avec le plateau, la blessant au front, mais Julie avait tout de même réussi à lui échapper. Elle était parvenue à sortir de la maison et, par une chance inouïe, avait trouvé le portail ouvert.

Elle n'aurait plus l'occasion de s'enfuir.

Quand ils furent parvenus devant la porte d'entrée, Robert lui fit enfiler un manteau et en passa un lui-même.

Peu lui importait d'être couverte pour affronter le froid de l'après-midi, songea-t-elle. Aucun vêtement ne pourrait jamais la réchauffer, tant elle était glacée intérieurement.

Comme ils quittaient la maison et traversaient la vaste étendue de béton qui menait au portail, Robert lui écrasa le bras.

— Dans l'intérêt de tout le monde, affiche une mine réjouie.

Elle hocha imperceptiblement la tête. Inutile de lui dire ce qu'elle avait à faire : elle le savait déjà. Pourtant, à la seconde où elle aperçut Lucas derrière la barrière, elle dut faire appel à tout son sang-froid pour ne pas crier son nom, pour ne pas escalader le portail et s'élancer dans ses bras.

Robert desserra son emprise, et elle rassembla ses forces pour pouvoir affronter l'épreuve des prochaines minutes.

— Julie !

La voix de Lucas était empreinte d'une farouche inquiétude. Il fit un pas vers elle. L'homme brun de haute taille qui se tenait à ses côtés le retint par le bras.

— Julie, je suis Wendall Kincaid, le chef de la police, déclara ce dernier. Lucas, ici présent, semble penser que vous avez des ennuis.

Le cœur battant la chamade, elle plaqua un large sourire sur son visage

— Des ennuis ?

Elle regarda Lucas.

— Non, je n'ai pas d'ennuis. En fait, je ne m'étais pas sentie si bien depuis des jours. J'ai recouvré la mémoire, Lucas. C'est incroyable : à la seconde où j'ai passé ces portes, tout m'est revenu en bloc.

Lucas l'étudia avec attention, une expression sceptique dans le regard.

— Et tu penses que ta place est ici ?

— Je suis en sécurité dans cette maison, répondit-elle, soulagée que sa voix ne tremble pas, de réussir à conserver un ton uni, naturel. Martha et Robert m'ont amenée ici pour me protéger des bandits auxquels David devait de l'argent.

— Vraiment, monsieur Washington, vous avez trop d'imagination, fit doucement Robert.

— Lucas, j'apprécie vraiment tout ce que tu as fait pour moi. Mais ça va, à présent.

Elle espéra que son sourire ne semblait pas aussi faux qu'il l'était en réalité.

Wendall regarda Lucas, qui continuait à la fixer avec une déchirante intensité.

— Et tu es heureuse de te trouver là ? insista-t-il.

— Absolument, assura-t-elle, tout en levant la main et en enroulant délibérément une mèche de ses cheveux autour de son doigt.

— En avons-nous fini ? s'enquit Robert avec une pointe d'impatience. Il fait froid, et Julie est fatiguée.

Il lui entoura l'épaule de son bras, et elle réprima le frisson de dégoût que lui inspirait ce contact.

— Je suppose que oui, fit Lucas d'une voix neutre. Navré d'avoir dérangé tout le monde. Julie, j'espère que tout ira bien pour toi.

Il pivota sur ses talons et regagna sa voiture, suivi de Wendall et de Ben.

— Tu t'es très bien débrouillée, ma chère, la félicita Robert en la reconduisant vers la maison.

Elle l'entendit à peine ; son dernier espoir venait de s'envoler. Elle avait tenté de faire comprendre à Lucas qu'elle mentait en tripotant une mèche de ses cheveux mais, à l'évidence, il n'avait pas reçu le message.

Jetant un dernier regard en arrière avant de pénétrer dans la maison, elle vit la voiture de Lucas qui s'éloignait. C'était fini, terminé… Elle était désormais à la merci de Robert et de ses sbires.

Elle n'avait pu sauver sa propre vie mais, au moins, elle avait sauvé celle de Lucas et de sa sœur, se dit-elle tandis qu'on la ramenait dans sa chambre. Malgré cette pensée consolante, elle se mit à pleurer pour Lucas, pour son bébé et pour elle-même.

12

Elle avait menti, Lucas en était sûr.

En prétendant aller bien, être heureuse de se trouver là, elle avait menti. Elle avait touché à ses cheveux en prononçant ces mots.

Ma mère disait toujours qu'elle savait quand je lui racontais des histoires, parce que je tortillais nerveusement une mèche de mes cheveux.

Les paroles de Julie résonnaient sous son crâne, encore et encore. Elle avait essayé de lui envoyer un signal, de lui faire savoir qu'elle était en danger.

Lucas n'avait pas encore parcouru la moitié d'un pâté de maisons qu'il arrêta la voiture. Il prit son portable et composa un numéro.

— Rendez-vous chez moi dans quinze minutes, dit-il à Micah.

— Que se passe-t-il ?

— Je te le dirai quand tu seras là. Et appelle Troy. Je veux qu'il vienne aussi.

Il raccrocha, jeta le téléphone sur le siège à côté de lui et écrasa l'accélérateur, impatient d'arriver chez lui et de mettre au point un plan d'action.

Il était inutile qu'il parle à Wendall : Julie était adulte, elle était libre de ses mouvements, et elle avait déclaré devant tout le monde qu'elle souhaitait demeurer dans l'enceinte de l'église. Sans preuve du contraire, Wendall avait les mains liées.

Et, de toute façon, passer par le circuit officiel pour solliciter de l'aide pourrait prendre des jours. Sans compter qu'il faudrait d'abord persuader Wendall que cette mimique avec la mèche était un signal, pas un geste banal.

Mais Lucas n'était, lui, nullement soumis à ces contraintes légales. Ce qu'il avait vu constituait une preuve suffisante à ses yeux. Il fut pris de rage à la pensée que Julie avait peur, qu'elle était seule avec des gens qui lui voulaient du mal.

Il ne comprenait toujours pas ce qu'ils lui voulaient, pourquoi ils avaient conduit la jeune femme dans leur résidence protégée et l'y gardaient contre sa volonté ; mais il n'avait pas besoin d'une raison pour s'introduire dans l'enceinte et la sortir de là.

Il ne savait pas non plus si elle avait menti en déclarant avoir recouvré la mémoire. Cela n'avait pas d'importance. Rien n'avait d'importance en dehors du fait qu'il devait l'emmener loin de cet endroit et de ces gens.

La culpabilité le tenaillait. Il l'avait livrée à ces bandits. Il l'avait jetée dans la gueule du loup.

Il était presque 14 heures lorsqu'il parvint chez lui. Micah et Troy l'attendaient déjà sur le parking.

Ils n'ouvrirent pas la bouche avant d'être dedans, installés à la table de la cuisine. Il leur fit part alors de ce qu'il avait découvert à l'église.

— J'ignore ce qui se passe là-bas et pour quelle raison ils la séquestrent, mais nous devons la faire sortir de là. Je *sais* qu'elle est en danger, je le sens ! assura-t-il, en se frappant la poitrine du poing.

Il fut reconnaissant à ses amis de ne pas chercher à le convaincre qu'il se trompait. Dans le cas contraire, ils auraient de toute façon perdu leur temps. Avec ou sans eux, il était décidé à aller délivrer Julie.

— Qu'as-tu en tête ? questionna Micah en se penchant en avant sur sa chaise.

L'appel du combat faisait briller ses prunelles. Rien de tel que le feu de l'action aux yeux de cet ancien commando de marine.

— Une opération discrète, répondit Lucas. Nous pénétrons dans les lieux à la faveur de la nuit. Et nous n'en ressortons pas avant d'avoir récupéré Julie.

Fronçant pensivement les sourcils, Micah se radossa à son siège.

— Que sais-tu sur la maison où elle est séquestrée ?

— Pas grand-chose, sinon qu'elle comporte deux étages. J'ignore combien de personnes se trouvent à l'intérieur, et si Julie est ou non sous surveillance armée. Je ne sais pas dans quoi nous mettons les pieds.

Troy sourit.

— Ce ne sera pas la première fois.

— Je vais me débrouiller pour me procurer une copie du permis de construire, et peut-être aussi un plan au sol du bâtiment, annonça Micah.

— De mon côté, je vais procéder à une petite reconnaissance du terrain, et essayer de repérer combien de personnes vivent là-dedans et si elles sont armées, ajouta Troy.

Le cœur de Lucas se gonfla de gratitude. Il hocha la tête.

— Pourquoi ne pas nous retrouver ici à 19 heures ce soir pour faire le point et arrêter un plan d'action définitif ?

Troy et Micah prirent congé sans tarder, tandis que Lucas restait dans sa cuisine à faire les cent pas, l'esprit entièrement absorbé par Julie.

Ce n'est que maintenant qu'il mesurait pleinement la profondeur de ses sentiments pour elle.

Il l'aimait.

Il ne s'était jamais autorisé à tomber amoureux d'une femme, mais Julie était parvenue, d'une façon ou d'une autre, à s'insinuer à travers ses défenses, à atteindre des régions de son cœur inviolées jusque-là.

Il ne se berçait pas d'illusions. Il n'y aurait pas de conclusion heureuse pour eux. L'amour de sa Julie ne l'absoudrait pas miraculeusement des difficultés qui faisaient, et feraient à jamais de lui un homme solitaire.

Mais il tenait à ce qu'elle soit sauve et en bonne santé. Et, un jour — il l'espérait —, heureuse. Or, rien de tout cela ne serait possible tant qu'elle resterait dans cette maison, il le sentait au plus profond de ses tripes. Il fallait qu'il la sorte de là ; alors seulement il pourrait se détacher d'elle sans regret.

L'après-midi et les premières heures de la soirée s'écoulèrent avec une insoutenable lenteur. S'étant installé devant son ordinateur, il s'efforça de trouver un maximum d'informations sur l'Eglise de la Lumière, cherchant les réponses à des interrogations qui n'avaient même pas de forme claire dans son esprit.

Il tapa dans le moteur de recherche les quelques noms qu'il connaissait ayant un lien avec l'Eglise : Charles Blankenship, Robert Montgomery, Martha Montgomery et, bien sûr, Julie. Charles Blankenship tenait un site consacré à sa famille qui ne recelait rien d'inhabituel ou de suspect. Et il n'y avait rien sur Robert et Martha, à part quelques lignes sur la boutique de souvenirs de Robert dans une feuille de chou locale.

En revanche, il tomba sur un article traitant du meurtre de David. Celui-ci avait eu lieu alors que l'homme venait d'effectuer un retrait à un distributeur automatique. L'affaire n'avait jamais été résolue. La notice nécrologique signalait qu'il laissait derrière lui un frère aîné, Robert, et une épouse, Julie — mais, cela, Lucas le savait déjà.

Globalement, ces recherches sur l'ordinateur avaient été une perte de temps. Il recommença à faire les cent pas dans la cuisine. De folles pensées, des émotions inconnues tourbillonnaient dans sa tête.

Quand 7 heures sonnèrent, il était comme un lion en cage, en proie à une énergie fébrile qui ne demandait qu'à se traduire par l'action.

Il changea de tenue, optant pour un jean noir et un pull à manches longues et col roulé de même couleur qui lui permettraient de se fondre dans la nuit.

Troy et Micah s'étaient habillés de façon identique, et ils n'arrivèrent pas les mains vides : ils amenaient des matraques électriques, de la corde et des grappins. Plus important encore, ils apportaient leur discrétion et leur rapidité, leur savoir-faire d'anciens commandos entraînés à pénétrer dans un lieu et à en ressortir sans se faire repérer.

Ils passèrent les quatre heures suivantes à élaborer et parfaire leur stratégie. Micah ayant réussi à se procurer le plan au sol de la maison, ils tâchèrent de déterminer dans quelle pièce Julie avait pu être enfermée.

D'après les estimations de Troy, huit hommes circulaient dans la propriété, et ils étaient probablement armés. Mais pour quelle raison une église aurait-elle besoin de surveillants armés ?

A minuit, tous trois piaffaient d'impatience, prêts à s'attaquer à une armée entière pour sauver une jolie femme enceinte en détresse.

Il fut convenu qu'ils gareraient leurs voitures à un kilomètre de la maison, en bordure des champs qui s'étendaient derrière le bâtiment. Puis ils escaladeraient la haute clôture grillagée de l'enceinte.

Ils se déploieraient et, chacun de leur côté, chercheraient un moyen de s'introduire dans la maison. Inutile de planifier ce point en détail : tous avaient les compétences nécessaires pour se frayer un chemin à l'intérieur.

Le but était d'entrer et de ressortir sans rencontrer quiconque ; dans le cas contraire, ils savaient comment éliminer une menace sans faire un seul bruit.

Ils pénétreraient dans les lieux à minuit et demi et, avec un peu de chance, se retrouveraient tous — Julie y compris — au refuge à 1 heure et demie.

— Je tiens simplement à vous dire combien j'apprécie votre aide à tous les deux, dit Lucas alors qu'ils quittaient l'appartement.

Personne n'avait évoqué le fait qu'ils risquaient de se retrouver en prison, ou morts, avant la fin de la nuit.

Troy lui donna une claque sur l'épaule.

— Ensemble jusqu'au bout !

C'étaient les mots qu'ils avaient l'habitude de prononcer lorsqu'ils combattaient côte à côte. A cet instant précis, Lucas se rendit compte à quel point il était chanceux d'avoir ces deux hommes pour amis.

Ils quittèrent la résidence dans des véhicules séparés, et au bout de quelques minutes seulement, avaient rejoint le point de ralliement, à un kilomètre de l'enceinte.

Aucun d'eux ne parla tandis qu'ils couraient en direction de leur objectif. Ils escaladèrent la clôture, laquelle, heureusement, n'était pas électrifiée.

Dès l'instant où ils se séparèrent et où Troy et Micah disparurent dans l'obscurité, Lucas n'eut plus que Julie en tête.

Etait-elle toujours en vie ? Lui était-il arrivé quelque chose, depuis que Wendall et lui s'étaient présentés au portail pour s'assurer de son bien-être ? Tant d'heures s'étaient écoulées depuis ! Il était peut-être déjà trop tard.

Mais il ne pouvait s'autoriser de telles pensées. Le seul

fait de l'imaginer blessée — ou morte — le réduirait à néant.

Il se déplaçait telle une ombre dans la nuit froide, ses pieds survolant sans bruit la terre gelée. Troy gagnerait le côté gauche du bâtiment, Micah le flanc droit, et lui-même s'occuperait de l'arrière. D'une façon ou d'une autre, ils entreraient. C'était ce qu'ils étaient entraînés à faire.

A chaque nouvelle foulée, l'image de Julie surgissait dans son esprit : il la revoyait, triturant sa mèche dorée, les lèvres étirées en un sourire aimable tandis qu'elle lui assurait qu'elle était heureuse de se trouver là.

Je t'en prie, Julie, reste en vie.

Les mots résonnaient dans sa tête avec la même violence que les battements de son cœur et, alors qu'il courait vers la maison, en proie à l'angoisse, il fut frappé une nouvelle fois par la profondeur de ses sentiments pour elle.

C'était la femme qu'il aurait souhaité avoir s'il avait été quelqu'un d'autre, un homme différent de celui qu'il craignait d'être. Avec de la chance, il parviendrait à lui sauver la vie, à la mettre définitivement à l'abri, et à l'aimer suffisamment pour renoncer à elle.

Ils avaient de la chance : la lune s'était cachée derrière une épaisse couche de nuages. Cela leur faciliterait la tâche. Alors qu'il approchait du bâtiment sombre, silencieux, les battements de son cœur ralentirent, et son anxiété s'estompa.

C'était ce qu'il appelait « passer en mode action » : toute pensée consciente l'abandonnait, un grand calme l'envahissait, ses émotions faisaient place à la froide et implacable détermination du soldat.

Aucune lumière ne filtrait de la maison mais, malgré cela, et en dépit du fait que la lune était dissimulée derrière les nuages, l'obscurité n'était pas complète.

Où es-tu, Julie ?

Avec Micah et Troy, ils étaient convenus qu'elle était probablement enfermée au premier ou au deuxième étage.

Parvenu devant la maison, il leva les yeux. Mais impossible de deviner derrière quelle fenêtre la jeune femme se trouvait parmi la douzaine que comptait la façade.

Un faible crissement parvint à ses oreilles : quelqu'un foulait l'herbe couverte de givre sur le côté de la maison. Il s'aplatit contre le mur au moment précis où une haute silhouette étroite se profilait à l'angle du bâtiment.

Un gardien, se dit aussitôt Lucas. Il avançait d'un pas nonchalant, contournant la maison en décrivant un large cercle : il ne se doutait pas que leur système de sécurité était compromis.

Néanmoins, il était plus sûr de le neutraliser. Les yeux étrécis, Lucas le regarda approcher.

Si l'homme se rendait compte de sa présence, il risquerait d'avertir les autres avant que Lucas n'ait eu le temps de le mettre hors circuit. Lucas retint son souffle, priant pour que l'autre ne l'aperçoive pas.

Se ramassant sur lui-même, il attendit que le gardien ait le dos tourné ; alors il bondit.

Il lui fallut moins de cinq secondes pour saisir l'homme par le cou et lui faire perdre connaissance. Ce dernier s'écroula sur le sol. Sans perdre de temps, Lucas le bâillonna à l'aide d'un morceau de bande adhésive, lui ligota les pieds et les mains, puis le traîna jusque dans le champ qui bordait la propriété.

Quelques instants plus tard, il était de retour et étudiait de nouveau la façade.

Et maintenant, trouver un accès, songea-t-il.

En pensant à Julie, il sentit son sang-froid l'abandonner, et pria pour qu'ils n'arrivent pas trop tard.

*
* *

Etendue sur son lit dans l'obscurité, Julie n'avait pas la moindre envie de dormir. Elle avait conscience que cette soirée était la dernière qu'elle passerait sur terre.

En la laissant plus tôt ce soir-là, Robert l'avait informée qu'elle subirait une césarienne le lendemain. Ils lui prendraient son bébé ; ensuite, elle mourrait, elle le savait. Il n'y avait aucune chance pour qu'ils lui laissent la vie sauve. Elle n'était qu'un poids inutile, une entrave à leur projet délirant.

Fermant les yeux, elle caressa son ventre.

Robert élèverait son fils comme s'il était le sien, le préparerait à devenir celui qui transformerait un honnête groupe religieux en une secte puissante et dangereuse.

En apprenant ce qu'il avait en tête, elle lui avait demandé pourquoi il fallait que ce soit son fils qui joue ce rôle. Il avait répondu que c'était une question de sang. Si quelqu'un dans la congrégation mettait un jour en doute sa parenté avec l'enfant, il serait en mesure de l'attester par des tests ADN. Il avait promis à ses fidèles qu'il aurait une descendance, et un neveu ferait très bien l'affaire.

Pendant les longues heures qu'elle avait eues pour réfléchir, l'idée lui était venue que c'était peut-être Robert qui avait assassiné David.

En effet, celui-ci était mort peu après qu'elle était tombée enceinte et avait décidé de s'en aller. Robert avait dû craindre qu'elle ne quitte David et ne disparaisse dans la nature avec le bébé. Or, il voulait cet enfant.

Si cette théorie était exacte, il avait pris un gros risque, car elle aurait pu faire une fausse couche en apprenant la mort de son mari. Et, dans ce cas, il n'aurait pu mettre la main sur l'enfant dont il avait si désespérément besoin pour réaliser son projet.

Cela n'avait plus d'importance, désormais. La partie était terminée. Il avait gagné, elle allait mourir.

Au moins, elle n'avait guère de regrets à avoir.

Si le fait de savoir qu'elle ne verrait jamais son fils, ne tiendrait pas dans ses bras sa petite forme douce, ne le verrait pas grandir, lui causait une douleur intolérable, dans d'autres domaines de sa vie, en revanche, il n'y avait pas grand-chose à regretter.

Elle avait aimé.

L'image de Lucas s'imposa à son esprit. Maintenant que la mémoire lui était revenue, elle savait que ce qu'elle ressentait à son égard n'était pas que de la gratitude. Ses sentiments pour lui avaient une autre envergure, une autre profondeur que ceux qu'elle avait pu éprouver pour l'homme qu'elle avait épousé.

Et elle avait été aimée.

Peu importait ce que Lucas avait dit : il l'avait aimée en retour. Pas assez, malheureusement.

La faute à son père et aux mauvais traitements qu'il avait subis durant son enfance. Il était impossible de traverser ce genre d'épreuves sans être fondamentalement transformé.

Si seulement il avait pu se voir à travers ses yeux à elle, s'accepter comme l'homme qu'il était réellement : un homme aimant, généreux, qui aurait pu la rendre heureuse.

Le seul regret de Julie était de n'avoir pas eu l'occasion de faire l'amour avec lui pour de vrai. Elle ne sentirait jamais ses hanches se presser contre les siennes, son corps peser sur elle tandis qu'il entrait profondément en elle.

Il était trop tard, à présent.

Elle ferma les yeux, priant pour que le sommeil vienne et lui apporte l'oubli. Elle commençait à s'assoupir quand elle perçut un bruit étouffé juste devant sa porte.

Elle se redressa d'un coup, le cœur battant. Qu'est-ce que c'était ? Venaient-ils la chercher ? Avaient-ils décidé de lui prendre son bébé, là, tout de suite ?

Le sentiment de résignation lasse qui l'avait habitée jusque-là disparut subitement, et une bouffée inattendue d'adrénaline l'envahit. Elle prit conscience à cet instant qu'elle n'était nullement décidée à se laisser faire sans réagir.

Elle se défendrait bec et ongles, elle se débattrait à coups de pied et de poing, elle crierait au meurtre de toute la force de ses poumons, même si cela ne devait servir à rien. Elle veillerait à les faire payer avant qu'ils ne lui règlent son compte.

Elle se glissa hors du lit, empoigna la lampe de chevet, la débrancha en tirant d'un coup sec sur le cordon. C'était un objet léger, en aucun cas une arme mortelle ; néanmoins elle se dirigea à pas de loup vers la porte et la brandit au-dessus de sa tête, attendant que quelqu'un entre.

Ses bras tremblaient et son cœur battait avec tant de violence qu'elle fut bientôt hors d'haleine. Comme les secondes s'écoulaient, elle commença à se dire qu'elle avait rêvé le bruit dans le couloir.

C'est alors qu'elle entendit le son métallique d'une clé tournant dans la serrure, puis le grincement du bouton de porte qui tournait lentement sur lui-même. Elle se figea. Le battant s'ouvrit en gémissant. Elle resserra les doigts autour du pied de lampe.

Au moment où une silhouette sombre pénétrait dans la pièce, elle abattit la lampe sur l'intrus. Un cri de frustration lui échappa lorsqu'elle s'aperçut qu'elle l'avait seulement atteint à l'épaule, manquant la tête.

Il fit volte-face et la saisit par les épaules. Les doigts puissants s'enfoncèrent durement dans sa chair tendre. Elle hurla, et reçut immédiatement une gifle qui faillit la faire tomber à genoux.

— Tais-toi, ordonna Robert. Si tu cries encore, je t'assomme !

Il lui arracha la lampe et l'empoigna par le bras.

— Notre dispositif de sécurité n'est plus fiable. Nous partons.

Il la poussa rudement dans le couloir plongé dans la pénombre. Elle reconnut alors la vision qu'elle avait eue en dormant : le long couloir, l'éclairage lugubre assuré par de simples veilleuses. Sauf que, cette fois, elle ne fuyait pas seule, elle était entraînée malgré elle par l'homme qui voulait sa mort.

Ce fut seulement en sortant de la chambre qu'elle s'aperçut qu'il était armé. Une fois encore, son cœur s'emballa, et elle sentit l'air lui manquer.

— Si tu fais un seul bruit, je te tire une balle dans la tête, chuchota-t-il en la tirant brusquement vers lui.

Que se passait-il ? s'interrogea-t-elle. Pourquoi l'emmenait-il hors de sa chambre au milieu de la nuit ? Et pourquoi sous la menace d'une arme ?

Ils avançaient lentement, passant devant des pièces obscures aux portes béantes. Où la conduisait-il ? Apparemment, il se dirigeait vers l'escalier du fond, qui menait aux vastes cuisines de la demeure. Celles-ci communiquaient avec le garage.

Allaient-ils sortir de la maison ? L'emmenait-il dans un autre endroit, où un docteur attendait de lui ouvrir le ventre pour lui prendre son enfant, avant d'abandonner son corps sans vie dans une rue déserte ?

Dans son désespoir, elle se serait laissée tomber à terre si, en passant devant une autre pièce, elle n'avait aperçu dans l'embrasure une ombre furtive et silencieuse.

Son cœur manqua un battement, et une minuscule lueur d'espoir s'alluma en elle. Lucas ? Elle formula son nom en silence, l'appelant de toute son âme. Se pouvait-il qu'il ait compris le message lorsqu'elle avait touché ses cheveux en guise d'appel à l'aide ?

S'était-il rendu compte qu'elle mentait en prétendant que tout allait pour le mieux ? Ou souhaitait-elle si désespérément être secourue qu'elle avait imaginé cette forme noire ? A moins qu'il ne s'agisse simplement d'un des hommes de main de Robert ?

Ils se rapprochaient peu à peu de l'escalier qui les mènerait au rez-de-chaussée, à l'extérieur de la maison. Comprenant que, s'il parvenait à l'emmener dehors, personne ne saurait plus où elle était passée, elle fit exprès de traîner les pieds pour ralentir leur progression.

C'est alors qu'ils passèrent devant une autre pièce obscure, et que, de nouveau, elle crut apercevoir la silhouette d'un homme. Etait-elle en train de perdre l'esprit ? Le stress lui donnait-il des visions ? Voilà qu'elle se mettait à voir des fantômes…

Elle ne les entendit pas venir. Les fantômes parurent soudain surgir des boiseries, leur barrant le chemin. Il y en avait deux derrière eux, et un autre devant.

Elle ne vit pas non plus arriver le coup qui fit voler l'arme de Robert dans les airs. Tout se passa en un clin d'œil. L'une des ombres s'empara d'elle, et à l'instant où son dos heurta le torse de l'homme, elle sut qu'il s'agissait de Lucas.

Des larmes jaillirent de ses paupières. Elle aurait pleuré de soulagement si un bruit de cavalcade n'avait retenti à l'autre bout du couloir.

Lucas la poussa derrière lui et se tourna pour affronter la menace. Quelqu'un alluma les lumières. Julie se recroquevilla contre le mur tout en protégeant son ventre des deux mains, tandis qu'à côté d'elle, c'était un déchaînement de violence.

Lucas et ses compagnons firent front contre Robert et les deux nouveaux arrivants. Voyant que Robert plongeait pour récupérer son revolver, Lucas fondit sur lui, pendant que Troy et Micah entamaient un combat à mains nues avec les autres.

— Emmène-la, pars ! cria Micah.

Il étourdit son adversaire avant de se jeter sur Robert.

Les traits figés en une expression farouche, Lucas se redressa, saisit Julie par la main et l'entraîna vers l'escalier. Ils coururent aussi vite que l'état de Julie le permettait, conscients qu'ils ne seraient pas en sécurité tant qu'ils ne seraient pas hors de la maison, hors de l'enceinte.

Ils dévalèrent les deux volées de marches, traversèrent la cuisine et se précipitèrent dehors par la porte de service. Ce ne fut qu'en sentant l'air froid de la nuit fouetter ses joues mouillées qu'elle s'aperçut qu'elle pleurait.

— Attends ! dit-elle en s'arrêtant brusquement.

Tout en sachant qu'il était vital qu'ils déguerpissent le plus vite possible, elle était trop essoufflée pour continuer. Elle se pencha légèrement en avant et aspira l'air à pleins poumons.

Un hoquet de surprise lui échappa tandis que Lucas la soulevait dans ses bras et poursuivait sa course à travers champs, en direction de la haute clôture qui se dressait au loin. Elle enfouit sa tête dans le creux de son épaule, sidérée par sa force, par les risques qu'il avait pris en venant la chercher.

Il ne la reposa à terre qu'une fois arrivé devant la clôture. Troy et Micah leur sourirent depuis l'autre côté du grillage.

— Tu en as mis, du temps ! lança Micah, en écartant les pans de maillage métallique que Troy et lui avaient pris soin de découper.

— C'est que je me suis arrêté en chemin pour respirer le parfum des roses, répliqua sèchement Lucas.

Julie se faufila dans le trou de la clôture, et il la suivit.

— Je l'emmène immédiatement au poste de police,

déclara-t-il. Quant à vous, je suggère que vous fassiez profil bas jusqu'à ce qu'on sache comment tout ça va tourner. Il y a eu de la casse ?

— Rien que le temps et quelques bandages ne puissent guérir, répondit Troy.

— Appelle Wendall et dis-lui de me retrouver au poste, lui enjoignit Lucas.

Troy acquiesça d'un signe de tête.

Les deux hommes rejoignirent leurs véhicules tandis que Julie et Lucas se hâtaient vers le leur. Quelques minutes après, ils étaient en route et Julie, soulagée, voyait s'éloigner son cauchemar. Pendant le trajet, elle fit part à Lucas de tout ce dont elle se souvenait, y compris des noirs desseins de Robert.

Lucas ne dit rien, se contentant d'écouter jusqu'à ce qu'elle ait terminé. Au même moment, ils arrivèrent au commissariat.

Comme il éteignait le moteur, elle posa une main sur son bras.

— Lucas, avant que nous entrions, j'ai quelque chose à te dire.

— Je t'écoute.

Il se tourna vers elle, le visage éclairé par les lumières du commissariat. L'expression de son regard était énigmatique.

— Ce soir, j'ai vu la mort en face, dit-elle. Pendant ces heures terribles, la seule chose qui m'a permis de garder courage a été l'amour que j'éprouve pour toi. Pas la gratitude, Lucas. L'amour. Je t'aime, Lucas Washington, et si tu interroges ton cœur, je suis sûre que tu te rendras compte que tu m'aimes aussi.

— Peu importe ce que dit mon cœur, trancha-t-il.

Ses traits paraissaient soudain plus durs, plus aiguisés que de coutume. Un muscle tressaillait sur sa mâchoire.

— Je t'ai fait savoir dès le début que je ne voulais pas me marier.

Il fit mine d'ouvrir la portière, mais elle le retint par le bras.

— Est-ce à cause du bébé ? Tu ne peux pas aimer un enfant qui n'est pas le tien ?

— Bien sûr que si, répondit-il sans hésitation. Je pourrais aimer l'enfant d'un autre — ton enfant —, mais, comme je te l'ai dit, je ne souhaite pas devenir père.

— Pourquoi ? De quoi as-tu peur, Lucas ? Pourquoi renoncer à la joie d'avoir une femme qui t'aime ? Une famille qui te comble ?

— Nous n'avons pas le temps de discuter de ça, coupa-t-il d'un ton impatient.

— Je m'en suis rendu compte alors que je m'apprêtais à mourir… S'il y a une chose sur cette Terre à laquelle nous devons accorder du temps, c'est l'amour ! s'exclama-t-elle.

Il se raidit.

— Je ne reproduirai pas les mêmes erreurs que mon père, prononça-t-il d'une voix tremblante d'émotion contenue.

— En effet, appuya-t-elle. Parce que tu ne lui ressembles en rien. Oh ! Lucas ! Pourquoi ne peux-tu donc te voir comme je te vois, comme ta sœur te voit ? Combien de temps encore laisseras-tu l'ombre de ton père priver ton cœur de soleil ?

Les phares d'une voiture arrivant en face inondèrent le visage de Lucas d'une lumière crue.

— Voici Wendall. Allons à l'intérieur.

Avant qu'elle n'ait pu l'en empêcher, il ouvrit sa portière et sortit de la voiture.

Elle passa les heures suivantes assise à la table d'une salle d'interrogatoire en compagnie du chef de la police et du procureur. Elle leur raconta tout, depuis le meurtre de son mari jusqu'aux derniers événements de la soirée. Elle savait maintenant pourquoi elle avait eu si peur de se rendre à la police, et elle révéla à Wendall l'implication de l'agent Ben Branigan dans le complot monté par Robert.

Lucas avait disparu. Elle en avait conclu qu'il était interrogé dans une autre pièce. A diverses reprises, Wendall s'éclipsa et demeura absent plusieurs minutes, ne revenant que pour poser de nouvelles questions.

Elle était complètement exténuée quand il décida enfin que l'entretien avait assez duré.

— Je vous ai fait réserver une chambre dans un hôtel voisin pour les deux prochains jours, dit-il. Vous serez sous protection policière jusqu'à ce que l'affaire soit résolue.

Pour la première fois depuis le début de l'interrogatoire, il lui sourit.

— Ne vous inquiétez pas, Julie. A partir de maintenant, nous allons veiller à ce que vous et votre bébé à naître soyez en sécurité.

Elle hocha la tête avec lassitude.

— Puis-je voir Lucas, à présent ?

Il eut l'air surpris.

— Lucas est parti il y a déjà un petit moment. Il m'a chargé de vous dire au revoir. Maintenant, occupons-nous de vous installer pour la nuit.

Hébétée, elle suivit Wendall qui l'escorta hors de la pièce et lui présenta l'agent Clay Samuels. Ce dernier la conduirait à son hôtel et monterait la garde devant sa porte pendant les douze prochaines heures.

Lucas était parti sans lui dire au revoir, se répétait-elle. Il s'était chargé de la mettre à l'abri, l'avait écoutée lui dire qu'elle l'aimait, mais, pour finir, avait fait le choix de se détourner d'elle.

Elle avait l'horrible impression qu'elle n'entendrait plus parler de lui, que jamais elle ne le reverrait.

13

— Tu en veux encore ? demanda Loretta en se levant pour se verser une autre tasse de café.

— Non, merci, répondit Lucas. Qu'as-tu prévu de faire aujourd'hui ? s'enquit-il lorsqu'elle l'eut rejoint à table.

— Je vais faire les boutiques et m'acheter une robe pour le mariage de Micah. Ensuite, j'ai rendez-vous avec Joe pour le déjeuner.

Joe était le collègue avec qui elle sortait — et qui, suspectait Lucas, finirait probablement par devenir son beau-frère. Dès qu'elle prononçait son nom, ses yeux prenaient un éclat particulier.

— Quand aurai-je le droit de faire la connaissance de ce type ? demanda-t-il avec une pointe d'impatience.

— Je ne sais pas, pas encore en tout cas. Nous verrons comment les choses évoluent ces deux prochaines semaines, répondit-elle avec un sourire. Et toi, que vas-tu faire aujourd'hui ?

Il jeta un coup d'œil par la fenêtre. Une autre journée de grisaille l'attendait.

— Je n'ai encore rien fixé. J'avoue que je suis un peu désœuvré.

Pendant la semaine qui venait de s'écouler, Micah, Troy et lui avaient fait profil bas, évitant même de se rendre au bureau. Ils attendaient que les choses se tassent après leur expédition surprise à l'Eglise de la

Lumière. Le procureur avait finalement décidé ne pas engager de poursuites contre les personnes qui avaient secouru Julie.

— J'ai appris qu'ils ont procédé à d'autres arrestations hier, dit Loretta, semblant lire dans ses pensées.

Il hocha la tête et reporta son attention sur elle.

— Cela fait quatorze en tout. J'ai parlé à Wendall hier soir. Selon lui, ils ont maintenant tous ceux qui ont trempé dans l'affaire.

— Et ils seront tous inculpés pour enlèvement ?

— Oui, entre autres.

Il porta sa tasse à ses lèvres et but une gorgée de café, s'efforçant de ne pas penser à Julie. Il ignorait où elle se trouvait à présent ; toutefois, savoir qu'elle était en sûreté lui suffisait, se persuada-t-il.

D'après ce que lui avait confié Wendall la veille au soir, la police avait collecté suffisamment d'informations dans l'ordinateur de Robert Montgomery pour l'envoyer derrière les barreaux jusqu'à la fin de ses jours. Le malfaiteur avait en effet tenu un journal, dans lequel il avait noté ses projets ainsi que les sermons dont il abreuverait ses fidèles au moment de souhaiter la bienvenue au nouveau petit prophète.

Lucas ne laissait pas d'être surpris par la stupidité des criminels, s'agissant de leur ordinateur et de ce qu'ils y inscrivaient ; ils étaient persuadés qu'ils ne seraient jamais pris, que personne ne tomberait un jour sur ces preuves compromettantes.

La police avait également réussi à retrouver le médecin véreux qui devait enlever son bébé à Julie et la laisser mourir. Quant à Martha Montgomery, elle était un maillon faible dans l'organisation ; d'après Wendall, elle s'était mise à table sans se faire prier, dans l'espoir de conclure un accord avec l'accusation.

— Troy a demandé à Brianna de l'épouser, dit Lucas, dans un nouvel effort pour chasser de son esprit la femme qui hantait ses pensées depuis une semaine.

— Je suis contente pour lui, déclara Loretta. Ont-ils fixé la date du mariage ?

— Pas encore, mais il aura probablement lieu dans le courant du printemps.

Ils vécurent heureux et eurent beaucoup d'enfants. La fameuse conclusion des contes de fées effleura l'esprit de Lucas.

Micah ferait bientôt de Caylee sa femme, Troy et Brianna suivraient et fonderaient une famille ; enfin, Loretta épouserait son Joe.

S'il y a une chose sur cette Terre à laquelle nous devons accorder du temps, c'est l'amour.

Les paroles de Julie tourbillonnaient dans sa tête.

— As-tu invité tout le monde pour Thanksgiving ? demanda Loretta.

Il hocha la tête et se mit debout avec brusquerie.

— Il faut que j'y aille, déclara-t-il, éprouvant le besoin urgent de faire quelque chose — n'importe quoi, pourvu que cela lui évite de penser.

Il porta sa tasse dans l'évier. Au même instant, le téléphone de sa sœur se mit à sonner.

Elle répondit tandis qu'il rinçait sa tasse et la plaçait dans le lave-vaisselle. Lorsqu'il se tourna vers elle, elle avait déjà raccroché.

— C'était Julie, annonça-t-elle. Le travail a commencé, elle est en route pour l'hôpital.

Elle le considéra, attendant manifestement une réaction de sa part.

Il fut soudain assailli par une foule d'émotions.

Vous n'aurez pas seule ce bébé. J'y veillerai.

N'était-ce pas ce qu'il lui avait dit ? Ce qu'il lui avait promis ?

Ce n'était pas une vraie promesse, essaya-t-il de se justifier en son for intérieur. Ce n'étaient que des paroles en l'air prononcées sous l'impulsion du moment.

Tandis qu'il restait là, comme statufié, le visage de Loretta trahit une légère déception.

— Tu es un idiot, Lucas. Je sais que tu l'aimes, et je sais ce qui te retient. Jamais, tu m'entends, jamais tu ne lui ressembleras, quelles que soient les circonstances.

Elle attrapa son sac sur le comptoir.

— Tu es mon héros, tu l'as toujours été. Mais un héros n'a pas peur d'aimer une femme. Je me rends à l'hôpital, parce que Julie a besoin de quelqu'un auprès d'elle. Ce n'est pas moi qu'elle veut vraiment, mais il faudra bien qu'elle fasse avec.

Elle sortit d'un pas furieux, sans un regard en arrière. Un instant plus tard, il entendit claquer la porte d'entrée. Il demeura immobile dans le silence, seul comme il l'avait toujours été, comme il devait l'être.

Julie sentit monter une nouvelle contraction, et tâcha de respirer lentement, régulièrement, tandis que la douleur la submergeait. Puis, peu à peu, la vague reflua.

— Vous avez des contractions toutes les trois minutes. Ce ne devrait plus être très long, dit l'infirmière avec entrain. Vous vous en sortez très bien, Julie. Je vais faire le point avec le docteur, je reviens tout de suite.

Comme elle sortait, Julie tourna la tête pour regarder par la fenêtre de l'hôpital. La vue du ciel gris et couvert ne parvenait pas à ternir sa joie : dans peu de temps, elle tiendrait son bébé dans ses bras.

Les seules pensées qui auraient pu gâcher un peu son

bonheur concernaient Lucas. Elle s'efforça désespérément de les écarter.

Ces cinq derniers jours, alors qu'elle était seule dans sa chambre d'hôtel, elle n'avait pu penser à rien d'autre qu'à lui. Elle en arrivait presque à souhaiter redevenir amnésique et oublier tout ce qui s'était passé, depuis le moment où Lucas l'avait découverte à l'arrière de la voiture jusqu'à celui où il était sorti sans se retourner du commissariat.

Malheureusement, elle n'avait pas ce pouvoir, et le regret de ce qui aurait pu être l'avait hantée tout au long de ces journées et de ces nuits.

Après les arrestations de la veille, Kincaid, le chef de la police, était d'avis qu'elle n'était plus en danger. Toutes les personnes qui, d'après le témoignage de Julie, avaient participé au complot visant à lui enlever son fils, étaient désormais en prison.

La veille au soir, elle s'était donc réinstallée dans la maison où elle avait vécu avec David. Elle y resterait jusqu'à ce qu'elle soit vendue ; avec un peu de chance, le produit de la vente couvrirait ses frais de subsistance pendant quelques mois. Elle prévoyait de recommencer à enseigner dès l'automne suivant.

L'avenir s'ouvrait devant elle comme un livre ouvert empli de promesses. Tout ce qu'il lui restait à faire, c'était d'oublier l'homme aux cheveux de jais et au regard sombre qui lui avait volé son cœur.

Elle avait appelé Loretta plusieurs fois pendant la semaine, puisant du réconfort dans l'amitié qui s'était tissée entre elles durant la brève période de temps qu'elles avaient passée ensemble. Pas une fois le nom de Lucas n'avait été évoqué au cours de ces conversations.

Comme une nouvelle contraction arrivait, ses doigts se crispèrent sur les draps, sa vue se brouilla de larmes. Ce n'étaient pas des larmes de douleur, mais de déception. Elle avait appelé Loretta, mais celle-ci n'était toujours pas là.

Je ne peux pas affronter cela seule, se dit-elle tandis qu'un gémissement lui échappait. Elle se savait forte, peut-être plus forte que bien des femmes. Elle venait de traverser une épreuve que peu de gens avaient à affronter dans leur vie, et elle s'en était sortie indemne.

A la torture, elle ferma les yeux et poussa un nouveau gémissement, plus fort celui-là. Elle eut vaguement conscience que quelqu'un entrait dans la pièce, et soudain, une grande main forte s'empara de la sienne.

Rouvrant brusquement les paupières, elle émit un hoquet de surprise en apercevant Lucas, ses prunelles sombres reflétant sa propre souffrance.

— Respire, Julie, dit-il avec douceur.

Elle referma les yeux, serra fort la main qui la tenait et essaya de maîtriser son souffle. Le savoir près d'elle l'aida à supporter plus facilement la vague.

Dès que la contraction fut passée, elle le regarda de nouveau. Etait-il venu sur l'insistance de Loretta ? Ou parce qu'il lui avait fait une promesse et qu'il était un homme de parole ?

Elle n'osait espérer davantage.

— Je vais l'appeler Luke, déclara-t-elle sur un ton de défi. Que cela te plaise ou non.

Haussant le sourcil, il la gratifia d'un sourire taquin.

— Que cela me plaise ou non ?

— Exactement. Que fais-tu ici, Lucas ?

Il tira une chaise près du lit, s'assit, et lui reprit la main.

— Quelqu'un de très sage m'a dit un jour que la seule chose sur Terre qui vaille qu'on y accorde du temps, c'est l'amour.

Le cœur battant, elle le considéra d'un œil circonspect.

— Cela ne répond pas à ma question.

Le sourire de Lucas faiblit, et c'est avec une profonde gravité qu'il plongea son regard dans le sien.

— Aussi fou que cela puisse paraître, je crois que je suis tombé amoureux de toi à la minute où je t'ai trouvée dans cette voiture. Tu savais que je t'aimais. Loretta savait que je t'aimais. Même moi, je le savais. Mais j'étais terrorisé.

— Tu es un ancien commando de marine. Rien ne devrait t'effrayer, protesta-t-elle.

— Ne pas être celui que je voudrais être est quelque chose qui m'a toujours fait peur.

— Mais tu es l'homme que *je* veux, celui avec qui je désire passer le reste de ma vie. Oh ! Lucas, ne le vois-tu pas ?

Sa voix monta d'une octave sur les derniers mots tandis qu'une nouvelle contraction s'emparait d'elle.

Celle-là sembla ne jamais vouloir se terminer ; une autre lui succéda presque immédiatement. Le docteur fit irruption dans la chambre, et sourit à Lucas.

— Ah, je vois que le papa est là ! Bientôt, la famille sera au complet !

Julie savait qu'elle aurait dû détromper le docteur, lui dire que Lucas n'était pas le père, qu'il était là uniquement parce qu'il avait fait une promesse imprudente ; qu'il resterait assez longtemps pour assister à la naissance du bébé, puis qu'il disparaîtrait de nouveau de sa vie.

Mais elle ne dit rien, incapable de prononcer une parole : une douleur intolérable venait de l'engloutir. Lucas saisit sa main, le regard brillant d'un éclat trop vif tandis que le docteur prenait position au bout du lit et lui ordonnait de pousser.

— Poussez, Julie. Faites naître cet enfant.

Elle obtempéra, et un long cri sourd lui échappa. Des larmes de douleur et de joie obscurcirent sa vision.

Allez, mon fils, supplia-t-elle en silence, cessant de pousser pour reprendre sa respiration.

— C'est très bien, Julie, l'encouragea Lucas en ramenant sur son front une mèche humide de transpiration. Allez, mon ange, ce petit garçon a envie de sortir !

— Encore, lui enjoignit le médecin. Poussez !

Ce qu'elle fit. Encore et encore, suant et ahanant, elle mobilisa toute son énergie pour donner naissance à son bébé.

— C'est parfait ! s'exclama Lucas. Tu es si belle… Tu es la femme la plus courageuse que je connaisse !

— Je n'en peux plus ! haleta-t-elle, à bout de forces.

— Tu vas y arriver, répliqua-t-il. Je t'aime, Julie, et j'aime ce bébé. Maintenant, pousse !

Même si ses paroles et ses gestes d'amour étaient bienvenus, Julie savait au fond d'elle qu'elle ne devait pas les prendre au sérieux.

Bientôt, elle ne fut plus capable de réfléchir, livrée tout entière à la douleur de l'expulsion. Seule demeurait la certitude que ce moment avec Lucas ne durerait pas toujours.

La nuit était tombée et, par la fenêtre de sa chambre, elle voyait le ciel piqueté d'une myriade d'étoiles. C'était comme si les nuages s'étaient écartés pour dévoiler la splendide voûte céleste en l'honneur du petit Luke.

Niché dans ses bras, il dormait profondément, rassuré par le bruit régulier de son cœur. Un élan d'amour envahit Julie, et elle déposa un baiser sur sa petite tête chauve.

Elle avait dormi la majeure partie de l'après-midi, épuisée par le travail. Une infirmière l'avait réveillée un peu plus tôt pour l'avertir qu'il était temps de nourrir son fils.

La naissance lui semblait désormais aussi irréelle qu'un rêve : le souvenir de la douleur avait disparu. Un sentiment de bonheur infini avait tout recouvert. Avait-elle imaginé la présence de Lucas pendant les affres de la naissance ?

Juste après que le petit Luke avait fait son apparition dans le monde, Lucas s'était volatilisé, et elle ne l'avait pas revu depuis. Elle ne s'attendait pas à autre chose. Il avait tenu sa promesse : elle n'avait pas accouché seule. A présent, il ne lui devait plus rien.

— Tout ira bien, chuchota-t-elle à Luke. Nous allons avoir une vie formidable ensemble.

De nouveau, elle tourna la tête vers la fenêtre et la nuit étoilée. Inutile de faire un vœu, d'espérer quoi que ce soit de la part d'un homme qui refusait tout engagement, même après lui avoir avoué son amour.

Elle préféra former le souhait d'une existence longue et heureuse avec son fils — une existence remplie de rires et d'amour. Elle lui offrirait cela. Elle lui donnerait tout l'amour qu'elle possédait.

Un léger bruit sur le seuil attira son attention. Elle tourna la tête pour voir de qui il s'agissait, et retint brusquement son souffle.

Lucas se tenait dans l'entrée, un énorme bouquet de fleurs dans une main, et le plus gros ours en peluche qu'elle ait jamais vu coincé sous l'autre bras.

— Je pensais ne jamais te revoir, dit-elle.

— Moi non plus.

Il posa les fleurs sur une table, l'ours sur un siège, puis s'approcha du lit. Elle vit briller ses yeux dans la pénombre.

— Je pensais pouvoir te quitter — et quitter Luke

— mais j'en suis incapable. Pour la première fois de ma vie, l'amour que j'éprouve est plus fort que ma peur.

Il se laissa tomber sur une chaise à côté d'elle, comme si ses jambes ne le portaient plus. Elle ne dit mot, craignant de briser l'instant.

— Depuis que je t'ai laissée au commissariat, il y a une semaine, je n'ai rien fait d'autre que penser à toi. Cela a été la semaine la plus longue de toute ma vie, mais j'étais déterminé à garder mes distances. Puis Loretta m'a appris que le travail avait commencé, et j'ai su que ma place était auprès de toi.

Il marqua une pause et lui prit la main.

— Je ne suis pas mon père, et en aucun cas je ne pourrais lui ressembler. J'ai gaspillé beaucoup trop d'années à avoir peur de celui que je risquais de devenir, au lieu de me voir tel que j'étais.

— C'est ce que j'ai essayé de te dire, déclara-t-elle, plus heureuse qu'elle ne l'avait jamais été.

Il sourit d'un air penaud.

— Tu devrais savoir que je suis une vraie tête de mule, maintenant.

Son sourire s'effaça, et il s'inclina en avant, les yeux embués par l'émotion.

— Je t'aime, Julie, et je souhaite partager mon existence avec toi, avec Luke. J'aimerais faire partie de vos vies.

— Si tu ne m'embrasses pas immédiatement, Lucas Washington, je crois que je vais défaillir ! s'exclama-t-elle.

Son cœur se gonfla de joie à la vue de son sourire radieux, si sexy… Il se pencha au-dessus d'elle et captura ses lèvres, lui faisant entrevoir tout un monde de promesses.

Ensuite, il se recula légèrement et ramena tendrement une mèche de ses cheveux derrière son oreille.

— Tu seras à la maison pour Thanksgiving, Julie. Toi et Luke, vous allez venir habiter avec moi.

Tandis que, dehors, les étoiles clignotaient dans le ciel, Julie eut l'impression qu'une comète traçait une ligne de feu dans son âme — mais ce n'était rien d'autre que la douce chaleur de l'amour.

CYNTHIA EDEN

Un cruel dilemme

BLACK *ROSE*

éditions HARLEQUIN

Titre original : SHARPSHOOTER

Traduction française de CHRISTINE BOYER

83-85, boulevard Vincent-Auriol, 75646 PARIS CEDEX 13.
Service Lectrices — Tél. : 01 45 82 47 47

Prologue

Au mépris du danger, Sydney traversa en courant le camp ennemi. La fusillade faisait rage. Armés de kalachnikovs, les rebelles se défendaient avec opiniâtreté. Les balles fusaient de tous côtés. Mais elle n'avait pas le choix.

Dans son dos, des voix l'appelèrent, lui ordonnant de revenir. Non, elle ne le pouvait pas.

La gorge serrée, elle se jeta aux côtés d'un homme qui gisait au cœur de ce cauchemar.

— Slade !

Touché à la poitrine, il saignait abondamment. Ses yeux — ses yeux noirs dans lesquels elle s'était si souvent noyée — étaient clos.

Ce n'était pas possible ! Il ne pouvait pas mourir. Ils avaient prévu de se marier dès leur retour aux Etats-Unis.

— Je vais te sortir de là, Slade.

Elle allait l'arracher à ce traquenard, le porter jusqu'à l'hélicoptère. Ils trouveraient un médecin qui le soignerait, le sauverait, et tout irait bien.

Les mitraillettes continuaient à arroser la zone et une balle atteignit Sydney à la clavicule. Elle poussa un cri de douleur. Le sang gicla, et l'angoisse la saisit. Si elle était gravement blessée, comment parviendrait-elle à mettre Slade à l'abri ?

Sans perdre de temps, elle le prit par les bras et le traîna sur le sol. Il fallait faire vite. Mais autour d'elle, les tirs redoublaient de violence. A découvert, au milieu du champ de bataille, Slade et elle devenaient une cible trop facile.

Un projectile la foudroya dans le dos, lui arrachant un nouveau hurlement Mais elle se ressaisit aussitôt. Elle n'allait pas s'effondrer, ni renoncer. Slade avait besoin d'elle. Avec l'énergie du désespoir, elle se remit à le tirer.

— Sydney !

C'était Gunner, le frère aîné de Slade. Il s'élançait vers elle.

Les deux frères pouvaient bien être complètement différents — Gunner, toujours sombre et sérieux, Slade, drôle et facile à vivre —, jamais l'un n'abandonnerait l'autre, songea Sydney.

— Viens m'aider ! cria-t-elle à Gunner.

Mais, épuisée, elle s'écroula contre Slade.

Que lui arrivait-il ? Pourquoi ses jambes ne la portaient plus ? Pourquoi avait-elle si froid ? La jungle péruvienne était une vraie fournaise.

Parvenu à leurs côtés, Gunner s'allongea sur elle et la protégea avec son corps des projectiles qui pilonnaient le sol.

Un piège, s'emporta Sydney intérieurement. Ils étaient tombés dans un piège. Ils s'étaient retrouvés dans cet enfer parce qu'ils étaient venus libérer Slade.

Quelques semaines plus tôt, celui-ci s'était écrasé dans la montagne avec son petit avion et avait été fait prisonnier par des guérilleros. Sydney avait alors contacté ses collègues des services secrets américains : Gunner, bien sûr, mais aussi Cale et Logan. Ils avaient décidé d'agir seul, sans en référer à leurs supérieurs. Après tout, ils avaient l'habitude des missions de sauvetage. Cela ne devrait pas être bien difficile d'infiltrer la zone rebelle pour arracher Slade à ses ravisseurs.

En fait, si.

Gunner se mit à palper son frère et poussa un juron. Sydney se sentit blêmir.

Non, non.

Les rafales des kalachnikovs redoublaient de vigueur et Gunner la plaqua plus étroitement sous lui.

Un instant plus tard, il tressaillit, touché à son tour, comprit-elle.

Il avait pris une balle qui lui était destinée…

— Je t'en prie, Gunner, il faut l'emporter loin d'ici ! Aide-moi à le traîner jusqu'à l'hélicoptère !

— Slade est mort, grommela-t-il. *C'est fini.*

Refusant de le croire, elle secoua la tête.

Les roquettes et les mortiers ennemis explosaient autour d'eux et, saisissant son arme, Gunner riposta. Puis il murmura à l'oreille de Sydney.

— Il faut nous replier. Nous sommes à découvert. Ils nous tirent comme des pigeons.

— Non, je ne m'en irai pas. Pas sans Slade.

Son dos la faisait horriblement souffrir. Mais il n'était pas question de flancher. Elle tiendrait bon, il le fallait. Ils devaient sortir Slade de cet enfer, le sauver. Ils étaient venus dans ce but et ils n'avaient jamais raté une mission.

— Aide-moi à le tirer de là.

Gunner la dévisagea, l'air inquiet.

— Combien de balles t'ont-elles touchée ?

Deux, trois ? Quelle importance ?

— Slade…, murmura-t-elle.

Des rugissements de moteurs se firent entendre. Des Jeep s'approchaient. D'autres rebelles débarquaient dans le camp pour prêter main-forte à leurs comparses.

Ils n'avaient plus le temps. Avec effort, elle se redressa.

— Emporte-le, Gunner. Je t'en prie.

Elle se sentait extrêmement faible. Pourrait-elle courir

jusqu'à la jungle, regagner l'hélicoptère ? Elle n'en était pas sûre du tout. Ses jambes étaient en coton, de longs frissons la parcouraient et, malgré la chaleur ambiante, elle claquait des dents. Elle avait perdu beaucoup de sang.

— Emporte-le, répéta-t-elle. Je t'en supplie.

A bout de forces, elle s'effondra, la tête dans le sable.

Relève-toi, s'ordonna-t-elle. *Ce n'est pas le moment de faiblir. Tant que Slade n'est pas en sécurité, tu dois continuer. Un soldat reste debout.*

Gunner la prit dans ses bras, mais elle hurla et se débattit. Il devait se charger de Slade, pas d'elle !

Gunner ne l'écouta pas. L'étreignant contre lui, il repartit dans la tourmente. Les balles sifflaient à leurs oreilles, s'écrasaient sur le sol. Ils étaient seuls sous les feux de l'ennemi. Leurs renforts n'étaient pas là alors que les rebelles sortaient de plus en plus nombreux de la jungle pour les encercler.

Rien ne se passait comme prévu, la mission partait en vrille. L'opération avait été mal préparée. Ils étaient tombés dans un piège.

De nouveau, elle tenta de protester.

— Gunner, non. Nous ne pouvons abandonner Slade…

Une balle la toucha encore, et elle s'abattit contre Gunner, le souffle court, le visage ruisselant de sueur.

— Il est mort, lâcha-t-il, les mâchoires serrées. Mais toi, tu vas t'en sortir.

Sydney aurait voulu lutter, supplier, mais elle n'en avait plus la force. Gunner aussi était blessé. Pourtant, il continuait d'avancer comme si rien, personne, ne pouvait l'arrêter.

Tout en la portant, il traversa le camp sous une grêle de balles. Il courait, courait, la serrant contre lui. Il ne ralentit qu'après s'être enfoncé sous les arbres. Dans la jungle, ils étaient à l'abri. Les Jeep de leurs ennemis ne pourraient les suivre ici.

Sourd à ses exhortations, Gunner marchait d'un pas déterminé, le regard fixe, sans prononcer un mot.

Et Slade resta derrière eux, au milieu du cauchemar.

Mort, se maudit-elle.

Gunner parvint à la sortir de la jungle, et elle le laissa la soigner, hébétée. Il parvint à juguler l'hémorragie, puis à extraire les balles. Mais elle s'en fichait.

Elle avait vu mourir son fiancé, le piège se refermer sur lui. Et son chagrin se teintait de culpabilité. Avant que Slade ne soit capturé par les rebelles, tous deux s'étaient disputés. Slade était parti sans qu'ils aient pu faire la paix.

Elle se sentait extrêmement faible. Dans un état second, elle balbutia.

— Slade…

— Il est mort.

Elle se crispa de douleur.

— Mais toi, tu vivras, Syd, maugréa Gunner. Tu as perdu beaucoup de sang, mais tu vas t'en remettre et je prendrai soin de toi.

Brisée, elle explosa en sanglots. Ils avaient échoué. Ils n'avaient pas assez bien préparé l'opération et Slade l'avait payé de sa vie.

Gunner l'étreignit, lui qui ne lui avait jamais témoigné de tendresse auparavant.

Elle finit par s'abandonner contre lui et pleura jusqu'à ce que ses larmes se tarissent.

1

Deux ans plus tard…

L'œil dans le viseur, Gunner cessa de respirer. A quelques mètres de lui, le ravisseur pressait son revolver sur la tempe de Sydney. Ils étaient près d'une cabane entourée de buissons et Hall menaçait de la descendre.

Mais Sydney ne semblait pas avoir peur. Aucune lueur de frayeur ne troublait ses beaux yeux verts, nota Gunner. Comme si elle savait qu'il était à quelques mètres d'eux.

Gunner ne put s'empêcher de l'admirer un peu plus. Ses traits délicats, si parfaits, son petit nez finement ciselé, ses lèvres pleines… Tout chez elle le ravissait.

— Es-tu prêt à tirer ? chuchota une voix dans son oreillette.

Ultra sophistiqué, l'appareil était pratiquement invisible mais d'une acoustique parfaite. L'armée américaine ne lésinait pas sur les moyens pour que ses soldats puissent opérer à tout moment, sur tous les terrains. Et provoquer un maximum de dégâts sans attirer l'attention de l'ennemi. Leur matériel bénéficiait toujours des dernières avancées de la technologie.

Mais Gunner ne pouvait pas faire feu, pas encore.

— Non, Alpha One, répondit-il à Logan, son chef. Je risquerais de toucher Sydney.

Il transpirait à l'idée de la blesser, lui qui n'avait jamais éprouvé la moindre peur. En mission, les émotions étaient interdites.

Les membres de la Section d'Elite travaillaient dans la clandestinité la plus totale. Officiellement, ils n'apparaissaient nulle part et pour le gouvernement américain, ils n'existaient pas. Leurs équipes se chargeaient de missions secrètes dont personne ne savait rien. Et leur groupe — dont le nom de code était « les Agents de l'Ombre » — avait la réputation d'être d'une efficacité mortelle. Leur connaissance du terrain, leur capacité à s'y fondre comme celle de recueillir et de transmettre des informations vitales les rendaient indispensables lors d'opérations sensibles. Tireurs d'élite confirmés, ils ne rataient jamais leurs cibles et atteignaient toujours leurs objectifs.

Jonathan Hall, l'homme qui menaçait Sydney, n'avait plus que quelques instants à vivre. Une semaine plus tôt, il avait kidnappé la fille d'un ambassadeur pour toucher une grosse rançon. L'argent lui avait été livré et pourtant, il avait assassiné la jeune fille.

Il croyait pouvoir échapper à la justice.

Il avait tort.

Les recherches menées par Sydney leur avaient permis de le débusquer. Il se planquait non loin de la frontière mexicaine.

Sydney s'était portée volontaire pour approcher le ravisseur et s'assurer qu'il ne retenait pas d'autres personnes en otage.

Maintenant, elle était entre ses griffes.

— Il est exclu qu'il s'en sorte, lâcha Logan dans son oreillette. Vous connaissez les ordres.

Les ordres étaient clairs, oui. Ils devaient réussir à maîtriser Hall ou l'abattre. Ce criminel avait tué la fille de l'ambassadeur, il ne reculerait pas devant un nouveau meurtre. On ne pouvait laisser dans la nature un homme aussi dangereux.

Gunner continua de fixer Hall et Sydney.

Tu ne la tueras pas.

Sydney restait impassible. Son visage était dénué d'expression. Ces traits figés ne lui ressemblaient pas. Elle débordait toujours de vie, d'émotion.

Mais en mission, elle se blindait.

Combien d'opérations supplémentaires accepterait-elle encore avant de décrocher ? Elle semblait vouloir s'exposer de plus en plus, multiplier les prises de risque. Gunner *détestait* ce comportement.

Il se reconcentra sur Jonathan Hall. Celui-ci ne pouvait le voir, il était trop loin.

Gunner aurait pu en profiter pour abattre ce fumier. Sa spécialité était le tir à distance. Il ne manquait jamais sa cible. Mais c'était risqué : Hall pouvait appuyer par réflexe sur la détente, et Sydney être blessée ou pire.

— J'attends qu'il écarte son arme de Sydney, murmura-t-il dans son micro.

Hall inspectait du regard les alentours. Il n'était pas idiot. Depuis des mois, il était parvenu à échapper à toutes les polices parce qu'il connaissait leurs rouages. Il se doutait certainement que Sydney n'était pas venue seule.

Celle-ci profita de l'inattention de Hall pour articuler à l'intention de Gunner : « *Tire.* »

Mais il ne lui ferait pas courir ce danger. Il décida d'attirer sur lui l'attention du ravisseur.

Il fit deux pas de côté, et le soleil se refléta sur son fusil. Aussitôt, Hall l'aperçut et fit feu sur lui.

Trop tard.

Gunner avait appuyé le premier sur la détente, et Sydney envoya un violent coup de coude dans le ventre de Hall, puis plongea à terre.

La balle de Gunner avait atteint Hall en plein cœur. Il s'écroula à quelques centimètres de Sydney.

— En avant ! ordonna Logan.

Les autres membres de l'équipe sortirent des broussailles derrière lesquelles ils s'étaient dissimulés et s'élancèrent vers la cible.

Cale Lane, la nouvelle recrue de l'équipe, s'agenouilla près du cadavre de Hall, tandis que Sydney se redressait, indemne.

Gunner étouffa un soupir de soulagement et porta la main à son cœur : celui-ci battait la chamade, et ses paumes étaient moites.

Mince. En mission, un tireur d'élite n'était pas censé ressentir quoi que ce soit. Mais quand il s'agissait de Sydney, il avait du mal à contenir ses émotions.

Il rangea son fusil et se hâta de la rejoindre. Il était fou de cette femme. Jour et nuit, elle occupait toutes ses pensées, elle le hantait. Elle l'obsédait.

Lorsqu'il parvint devant la cabane de Hall, Cale avait déjà sécurisé la scène et Logan détachait les liens d'une rouquine qui sanglotait. Sydney ne s'était donc pas trompée. Hall avait déjà kidnappé une nouvelle victime. S'ils n'étaient pas intervenus, la malheureuse aurait sans doute été abattue avant la tombée de la nuit.

Sydney se tourna vers lui, l'air impassible.

— Tu as fait du bon boulot, Gunner. Mais tu aurais pu descendre ce type bien plus tôt.

Il se tendit. Non, il n'aurait pas pu. Hall la menaçait, son arme sur sa tempe !

Aussi, il s'approcha d'elle, l'attrapa par les poignets et l'attira à lui.

— Tu as pris trop de risques, Sydney.

Les joues de la jeune femme s'enflammèrent. De colère, ou de gêne ? se demanda Gunner.

— Je n'ai fait que mon travail, répliqua-t-elle en relevant le menton. Mon indic m'avait prévenue de la présence d'un autre otage. Il l'avait enfermée. Si je n'étais pas entrée dans la cabane…

— Il aurait pu te tuer !

Et qu'aurais-je fait alors ? se demanda-t-il, ravagé.

Elle baissa la voix.

— Comme si j'avais de l'importance pour toi…

Ignorait-elle donc à quel point elle comptait pour lui ?

— Sydney…, commença-t-il.

— Tu m'as fait bien comprendre que je ne t'intéressais pas. Alors laisse-moi tranquille, maintenant !

Il la lâcha, désespéré.

— Nos chemins se séparent ici, poursuivit Sydney en redressant les épaules. La mort peut me faucher à tout moment. En attendant qu'elle se présente, je refuse de m'enterrer vivante. Comme je te l'ai déjà dit, je suis jeune, j'ai envie de profiter de l'existence. Pas de rejoindre Slade dans sa tombe.

Elle le lui avait dit, oui, lors de leur dernière mission… Quand il avait commis l'erreur de se rapprocher d'elle. Surpris par une tempête, ils avaient été contraints de se réfugier dans un chalet. Tandis que l'orage se déchaînait au-dehors, il n'avait fait que penser au désir qui le torturait.

Elle l'avait embrassé, et il avait failli céder à la tentation. De justesse, il avait réussi à se maîtriser. Il savait se dominer tout de même.

Malheureusement, sa volonté s'affaiblissait de jour en jour.

*
* *

— Je vais désormais vivre *comme il me plaira*, reprit Sydney. Te voilà prévenu.

Puis, tournant les talons, elle se dirigea vers Cale et la jeune rouquine. Les renforts étaient arrivés, d'autres membres de la Section d'Elite venus apporter leur soutien à l'opération envahissaient la scène.

Gunner la suivit des yeux tandis qu'elle s'éloignait. Il se sentait totalement perdu.

Près de lui, Logan s'éclaircit la gorge.

— J'ai déjà vu ce regard chez Sydney, il n'augure rien de bon. Tu ferais mieux de faire attention si tu ne veux pas la perdre.

Gunner se tourna vers lui. Logan était peut-être le chef des Agents de l'Ombre et un ami, mais il n'avait pas voix au chapitre. Il ne pouvait pas comprendre.

Sydney n'a jamais été mienne. Je ne peux donc pas la perdre.

Le bar était trop bruyant, trop enfumé. Trop de gens s'y bousculaient, et Sydney pesta intérieurement : elle n'aurait jamais dû se rendre dans un endroit pareil.

Avec un gros soupir, elle repoussa le verre auquel elle avait à peine touché. Revenue sur le sol américain dans la matinée, elle était retournée directement en Louisiane pour profiter de quelques jours de repos dans sa maison de Baton Rouge, celle qu'elle avait héritée de ses parents.

Mais elle ne s'y sentait plus chez elle.

Elle avait effectué tant de missions, été envoyée dans tant d'endroits différents, elle y avait affronté tant d'ennemis, y avait tant de fois croisé la mort, qu'elle avait fini par perdre ses repères.

— Une jolie fille comme vous ne devrait pas rester seule dans son coin, lança une voix près d'elle.

Tournant la tête, Sydney découvrit un grand blond au sourire charmeur. Agé d'une trentaine d'années, il était plutôt mignon et il n'avait sans doute aucun mal à séduire les femmes.

Alors pourquoi s'intéressait-il à elle ?

En réalité, elle avait poussé la porte de ce bar dans l'espoir de trouver un type comme lui. Depuis deux ans, elle avait l'impression de tourner à vide et cherchait désespérément à renouer avec ses semblables, avec la vie normale, à éprouver de nouveau des émotions, des sentiments.

D'un mouvement de menton, l'homme désigna le verre devant elle.

— Vous n'aimez pas ce que vous avez commandé ?

— Ce n'est pas ce que je voulais.

Il se rapprocha d'elle.

— Dites-moi ce qui vous ferait plaisir.

Ce blondinet était un inconnu, il ne la connaissait pas du tout. Pourtant, il la regardait avec plus de chaleur que ne l'avait jamais fait Gunner.

Ne pense pas à lui, s'ordonna-t-elle.

Elle ne devait plus rien espérer de Gunner. Il lui fallait renoncer à lui, maintenant. Passer à autre chose.

Elle s'obligea à sourire. Gunner était à des milliers de kilomètres de Baton Rouge. D'ailleurs, il avait toujours été à des années-lumière d'elle, sur une autre planète. Le blondinet, lui, était en face d'elle. Puisqu'elle cherchait à recommencer à vivre, ce type était sans doute sa chance.

— Je ne sais plus trop ce qui me ferait plaisir, répondit-elle avec sincérité.

De quoi avait-elle envie en réalité ?

De Gunner.

Mais il n'était pas pour elle, bon sang ! Qu'attendait-elle pour tourner la page ?

***

Le blond lui tendit la main.

— Et que diriez-vous de danser ? Cela vous aidera peut-être à décider de la suite.

Depuis combien de temps ne s'était-elle pas trémoussée sur une piste de danse ? Une éternité.

— Je m'appelle Colin, ajouta-t-il avec un grand sourire. Et promis, je suis très gentil.

Comme si elle pouvait croire sur parole un parfait inconnu ! Elle avait rencontré trop de types dangereux, trop de menteurs, pour accorder si vite sa confiance.

— Et moi, Sydney

Elle se leva pour le suivre, mais se pétrifia aussitôt. Un homme venait d'entrer dans le bar, un homme qui n'avait *rien* à y faire. Un homme dont les yeux étaient plus brûlants que des braises.

Colin suivit son regard.

— Un problème ?

Oui, non… Peut-être…

Gunner était-il venu lui annoncer une nouvelle mission ? Certainement. Il n'avait aucune autre raison d'être là. Il était censé récupérer de leur dernière opération à Washington.

Mais, dans ce cas, pourquoi Logan ne l'avait-il pas appelée directement ?

Comme Gunner s'avançait vers elle, Colin murmura.

— Je croyais que tu étais venue seule.

— C'est le cas.

Il la tenait toujours par la main et Gunner fixait leurs doigts enlacés en serrant les mâchoires.

— Alors peux-tu m'expliquer pourquoi ce type a l'air de vouloir me réduire en charpie ? insista Colin.

En effet, Gunner semblait animé par des envies de

meurtre. Cela dit, songea Sydney, il arborait en permanence une expression menaçante. Contrairement à Colin, dont le visage était fin, harmonieux et souriant, Gunner avait la mine patibulaire, un visage coupé au couteau, le regard sombre.

Et pourtant, il l'attirait comme un aimant.

— C'est un ami, répondit-elle avec un haussement d'épaules. Un vieil ami.

Gunner se dressa devant eux.

— Sydney.

Sa voix profonde, grondeuse, contrastait avec celle, douce et charmeuse de Colin. Gunner savait-il au moins flirter ? Elle en doutait.

— Je dois te parler.

Une mission. Il était venu l'avertir qu'ils devaient repartir en mission. Comme elle l'avait subodoré.

Elle se tourna vers Colin.

— Peux-tu m'accorder un instant ?

Le blondinet leva un sourcil étonné mais hocha la tête.

— Très bien. Je t'attends.

Il avait l'air nettement moins assuré que quelques minutes plus tôt, nota Sydney.

Sans attendre que Colin s'éloigne, Gunner la tira par le poignet et l'entraîna dans un coin sombre.

— Gunner, explosa-t-elle. Que fais-tu ici ?

— Et toi ?

Elle était coincée, dos au mur, Gunner la bloquant de sa haute stature.

— Je prenais un verre, je m'apprêtais à danser.

Intelligent comme il l'était, avait-il besoin qu'elle lui explique ?

Il se pencha vers elle.

— Tu sais très bien ce que veut ce type.

Elle secoua la tête.

— De quoi s'agit-il ? De quelle mission sommes-nous chargés ? Et pourquoi Logan ne m'a-t-il pas…

— Il n'y a pas de mission, tonna Gunner.

Elle en resta sans voix. S'il n'y avait pas de mission, que fabriquait-il ici ?

— Je lis en toi comme dans un livre ouvert, grommela-t-il.

— Et que lis-tu alors ?

— A la fin de notre dernière opération, j'étais certain que tu ferais quelque chose comme ça.

Il jeta un coup d'œil par-dessus son épaule, probablement vers Colin, puis reporta son attention sur elle.

— Si je comprends bien, tu es prête à t'abandonner dans les bras de n'importe qui. Tu…

Elle réprima le désir de le gifler avec force.

— Pas un mot de plus, répliqua-t-elle, glaciale. Je ne tolérerai pas un seul commentaire. De quel droit me juges-tu ?

Elle l'avait désiré, lui. Et ces derniers mois, elle l'avait laissé prendre une place trop importante dans sa vie. Cette ambiguïté n'avait que trop duré.

— Slade est mort. J'ai décidé de tourner la page, d'avancer. C'est mon droit et tu n'as rien à dire, ajouta-t-elle en le repoussant.

Il recula, et elle s'éloigna sans un regard pour lui.

D'un pas décidé, elle rejoignit Colin qui se leva de sa chaise.

— J'ai envie de danser, lui lança-t-elle en le poussant presque sur la piste.

Elle ne savait pas à quoi Gunner jouait mais elle refusait de prendre part à ses petits jeux malsains. Il ne voulait pas d'elle. Il avait été très clair sur le sujet lorsqu'elle avait tenté de l'embrasser au Texas. Alors, à présent, il n'avait pas à venir l'ennuyer.

Sans un mot, Colin posa les mains sur ses hanches. Elle portait des sandales aux talons vertigineux, et Colin était moins grand que Gunner. Mais…

— Je vous conseille de nous laisser sans faire d'histoires.

C'était Gunner. Il revenait à la charge, écartant Colin sans ménagement. Avait-il perdu l'esprit ? se demanda Sydney.

— Suis-moi, lui ordonna-t-il.

Colin secoua la tête.

— Ecoutez mon vieux, vous êtes peut-être son ami, mais je suis en train de…

— C'est ce que je suis pour toi, Sydney ? s'étrangla Gunner. Ton *ami* ?

Il l'avait été. Après le cauchemar qu'ils avaient vécu au Pérou, deux ans plus tôt, il était devenu son roc, l'homme sur qui elle pouvait s'appuyer. Celui qui l'avait empêchée de sombrer.

Mais elle avait espéré plus.

Et il avait refusé, il l'avait repoussée.

— Je ne sais pas qui tu es, tempêta-t-elle, mais tu ferais mieux de t'en aller.

Elle était lasse de vivre exclusivement pour son travail. Elle avait envie d'être heureuse. Comme tout le monde. Elle rêvait d'un véritable foyer, de fonder une famille.

De cesser d'enchaîner les missions.

Elle voulait que quelqu'un l'attende quelque part : un homme qui l'aimerait, qui la désirerait.

— Vous avez entendu ce qu'elle vient de dire, reprit Colin.

Mais Gunner refusa de bouger. Il fusilla Colin du regard.

— Allez-vous-en, répliqua celui-ci en posant la main sur Gunner. Laissez-nous tranquilles.

Aussitôt, Gunner s'empara du poignet de Colin et le lui tordit. Colin poussa un cri de douleur.

Alertés, les couples qui dansaient à proximité s'interrompirent, les yeux rivés sur les deux hommes.

En un clin d'œil, Gunner mit Colin à genoux. La prise qu'il lui infligeait était très douloureuse, s'alarma Sydney. Il allait lui casser le bras. La scène tournait au cauchemar

— Gunner, lâche-le ! cria-t-elle en tentant de l'écarter. Tu te montres en spectacle.

— Il m'a provoqué. Il n'avait pas à me toucher.

Mais il finit par lâcher Colin.

Celui-ci s'écarta, les joues rouges, les yeux écarquillés de frayeur. Sans demander son reste, il s'éloigna vers la sortie le plus vite possible.

Sydney soupira.

Bon, elle ne pourrait pas danser ce soir. Encore moins passer la nuit dans les bras d'un inconnu pour tout oublier. Tournant les talons, elle se dirigea à son tour vers la porte. De toute façon, son plan était stupide. Comment avait-elle pu imaginer trouver le prince charmant dans ce bar ?

Elle sortit dans l'air glacé de la nuit, fit deux pas et… s'immobilisa.

— Gunner… Ne me dis pas que tu as l'intention de me suivre jusqu'à chez moi.

Il savait se déplacer sans faire aucun bruit. Voilà pourquoi, entre autres, il était si efficace en mission. Mais elle, elle devinait sa présence. Toujours.

— Je dois te parler, marmonna-t-il.

— Nous n'avons plus rien à nous dire. Tu as eu la possibilité de t'exprimer à Whiskey Bridge. Et j'ai reçu le message cinq sur cinq.

Elle avait alors oublié son amour-propre pour lui avouer sa flamme et il était resté de marbre.

Il avait mis entre eux le souvenir de Slade : il n'avait pas le droit de convoiter la femme que son frère avait aimée. Et il brandirait toujours cet argument, avait-elle alors compris.

Elle en avait eu le cœur brisé.

Enfin, c'est ce qu'elle avait cru sur le moment. Elle avait déjà survécu à tellement de choses !

— Que veux-tu de moi ? lui demanda Gunner.

Tout.

Elle se tourna vers lui.

— Que tu me voies comme une femme. Pas comme un fantôme.

Il serra les mâchoires.

— Tu vas trop loin.

Elle secoua la tête.

— Pas du tout. C'est toi qui es venu ici, dans ma ville, sur *mes terres*. C'est toi qui as surgi dans ce bar. Comment m'as-tu trouvée, d'ailleurs ? ajouta-t-elle avec un soupir frustré. As-tu remonté ma trace à l'aide du GPS de mon portable ?

Tous les agents de la Section d'Elite avaient des téléphones équipés de puces. Mais si Gunner s'en servait pour la suivre, il y avait un très gros problème.

— Maintenant, laisse-moi. J'ai envie d'être seule.

Elle s'éloigna de quelques pas, mais la main de Gunner s'abattit sur son épaule. Il l'obligea à se tourner vers lui.

— Quand je ferme les yeux, je vois ton visage.

A ces mots, elle frissonna.

— Je ne vois pas un fantôme, reprit-il. Mais toi. Tu me rends fou, Sydney. Je ne vis plus. J'ai tenté d'être fort, de m'éloigner de toi. Mais je n'y arrive pas. Les autres femmes ne m'intéressent pas.

Elle ne parvenait plus à respirer. Parce qu'elle éprouvait exactement la même chose. Il la hantait, lui aussi.

Et elle non plus n'avait pas envie d'un autre.

— Gunner…

— Une fois le Rubicon franchi, il est impossible de revenir en arrière, Sydney. Il faudra en assumer les conséquences, tout assumer. En es-tu consciente ?

— Je ne veux pas revenir en arrière, lui avoua-t-elle.

Car il n'y avait rien d'autre que la mort derrière elle.

Gunner était la vie.

— Je ne pourrai plus te laisser partir, insista-t-il.

Elle aussi, elle en serait incapable.

Avant qu'il ne puisse ajouter un mot, elle noua les mains autour de son cou et l'attira à elle.

Ce baiser ne fut ni léger ni tendre. Mais dur, profond, exigeant, et Sydney eut aussitôt l'impression d'être la proie d'un feu dévorant. Comme elle étreignait Gunner avec force, tout le désir accumulé depuis des mois explosa en elle tel un volcan.

Elle ne rêvait pas. Gunner la serrait contre lui, l'embrassait avec passion, avec rage.

Aucun retour en arrière ne serait plus possible.

Il aurait dû la laisser tranquille, se reprocha Gunner. Il avait eu tort de la suivre jusqu'à Baton Rouge, il le savait. Mais il avait eu peur.

Il ne voulait pas la perdre.

Sydney Sloan. La femme qu'il désirait depuis leur première rencontre, depuis la toute première fois qu'il avait posé les yeux sur elle. Ils étaient arrivés devant sa maison. Les marais s'étendaient à perte de vue derrière l'ancienne ferme des Sloan. Les stridulations des criquets emplissaient la nuit.

Sydney se mit à grimper les marches du perron, mais

soudain Gunner hésita. Il était encore temps de faire demi-tour, de se comporter correctement.

Sauf qu'il ne savait plus où était le bien, où était le mal. Slade était mort, son corps reposait quelque part dans la jungle d'Amérique latine. Sydney vivait, elle. Elle se tenait à quelques pas de lui, et, merveille des merveilles, elle le désirait.

Elle connaissait son côté sombre, elle n'ignorait rien de la noirceur de son âme, des fautes dont il s'était rendu coupable… mais elle le voulait quand même.

Aussi la suivit-il à l'intérieur, dans cette maison qu'elle avait tant aimée, jusqu'à ce que sa famille disparaisse et la laisse seule.

Gunner avait l'impression de faire un rêve. Mille fois, il avait vu Sydney en songe lui sourire ainsi, l'inviter à entrer chez elle, à la suivre jusqu'à sa chambre. Mais chaque fois, il s'était réveillé … seul.

Arrange-toi pour que tout se passe bien. Donne-lui du plaisir.

Elle avait trop souffert dans sa vie.

Il franchit le seuil, referma la porte. Il n'y avait plus de retour en arrière possible.

Le souffle court, Sydney se balançait d'un pied sur l'autre.

Il était déjà venu dans cette maison, il savait où se trouvait la chambre.

Au bout du couloir, à droite.

Pouvait-il aller si loin ?

— Gunner…

Il adorait la façon dont elle prononçait son prénom. Avec avidité, avec fièvre.

Il l'attira à lui et la prit dans ses bras.

— Tu me rends fou.

— Tant mieux.

Il captura sa bouche, et leurs langues entamèrent une danse sensuelle. Il crut exploser de bonheur.

Il avait eu si peur à la fin de leur dernière mission. Elle était partie sans un regard pour lui : il était sur le point de la perdre, avait-il alors senti, et elle était trop importante à ses yeux pour qu'il prenne ce risque. A présent, il ne pouvait retirer ses mains d'elle.

Et elle, elle se serrait contre lui, pressant ses seins rebondis contre son torse.

Il l'aurait voulue nue pour promener les lèvres sur chaque parcelle de sa peau.

Il le ferait. Plus tard.

Mais là, il se sentait incapable de ralentir le rythme. Submergé par un désir ardent, il ne maîtrisait rien. Il la caressait comme un affamé tout en lui arrachant les vêtements.

Sans cesser de s'embrasser, ils tombèrent ensemble sur le canapé. Il enfouit son visage dans son cou, s'enivrant de ses fragrances de vanille. Puis il essaya de lui retirer délicatement sa culotte, mais dans sa hâte, il la déchira.

Elle éclata de rire.

Il adorait son rire.

Après leur tragique mission au Pérou, il avait cru qu'elle ne parviendrait plus jamais à sourire.

Non. Il repoussa ce souvenir, refusant de laisser le fantôme de son frère revenir le hanter. Sydney était là, toute chaude, toute douce sous ses mains. Elle murmurait son nom. Le reste n'existait plus.

Il planta ses yeux dans les siens.

— Je n'ai jamais rien vu de plus beau que toi.

Elle sourit.

Il se glissa alors entre ses cuisses et la pénétra. Elle s'arqua sous lui en gémissant.

Le plaisir qu'il éprouva au creux de son ventre fut si

intense qu'il serra les mâchoires pour ne pas crier. Il n'avait rien connu de meilleur.

De plus juste.

De plus beau.

Sydney incarnait le paradis terrestre, un rêve merveilleux, et il l'embrassa comme un fou.

Elle se tendit sous la jouissance, s'envolant avec lui.

Incapable de se retenir, il accéléra le mouvement. Mêlant ses doigts aux siens, il plongea les yeux dans ses émeraudes.

La regarder jouir le combla.

Quand il s'abattit sur elle, foudroyé, il crut toucher le ciel.

J'aimerais que ce moment ne finisse jamais.

Il se promit de couvrir son corps de baisers avant que le jour ne se lève.

2

La sonnerie du téléphone réveilla Sydney. Sans ouvrir les yeux, elle chercha à tâtons l'appareil. Mais sa main heurta le corps chaud et nu d'un homme.

Elle n'avait donc pas rêvé…

Elle battit des paupières : Gunner la dévisageait. Il n'avait pas l'air endormi mais affamé.

D'elle.

Sans un mot, il s'empara du téléphone portable et le lui tendit. Lorsqu'elle prit l'appel, Gunner laissa ses doigts courir sur son dos et elle frissonna au souvenir de la nuit, de ce qu'il lui avait fait, de ce qu'elle lui avait fait.

Encore, je t'en prie.

— Sydney ? aboya Logan. Sydney, m'entendez-vous ?

Elle s'assit et, du drap, recouvrait ses seins.

— Oui, oui. Je… dormais.

Gunner ne cessait de la caresser.

Logan poursuivit.

— Je sais que vous êtes en congé et que vous avez bien mérité un peu de repos, mais nous avons été mis sur une mission impossible à refuser. Je vous ai réservé une place sur un vol pour Lima, aujourd'hui, à 15 heures.

Lima… Le Pérou.

— Je vais contacter Gunner et Cale, ajouta Logan. Ils vous retrouveront là-bas.

Si cela vous arrange, je peux prévenir Gunner. Il est collé à moi, en train de m'embrasser.

Elle s'éclaircit la gorge.

— De quelle mission s'agit-il ?

Elle n'était pas retournée au Pérou depuis deux ans, depuis que Slade y était mort.

— Un groupe de rebelles détient un Américain en otage.

Elle hocha la tête. Exfiltrer les otages était la spécialité de leur équipe.

— Cet homme a besoin de nous, conclut Logan. Alors arrangez-vous pour prendre cet avion.

— Comptez sur moi.

Elle faillit raccrocher, mais Logan n'allait-il pas ensuite appeler Gunner ? Il devrait alors lui réserver une place dans un avion au départ de Baton Rouge, et il comprendrait tout… Autant ne pas perdre de temps. La vie d'un civil était en jeu.

— Ne quittez pas, reprit-elle. Je vous passe Gunner.

Celui-ci lui décocha un regard surpris, mais prit l'appareil.

— Gunner.

Sydney se leva, préférant ne pas entendre les commentaires que Logan ne manquerait pas de faire. Elle aurait tellement aimé rester avec Gunner. Tout était déjà fini, soupira-t-elle.

Non, elle avait tort. Rien n'était fini. Au contraire, tout commençait entre eux. La veille au soir, ils avaient passé un cap et aucun retour en arrière n'était possible.

A quelques mètres d'elle, Gunner terminait sa conversation avec Logan.

— J'y serai, lança-t-il.

Puis il raccrocha et se tourna vers elle.

Aucun homme n'était plus sexy que lui au saut du lit, songea-t-elle. Avec ses cheveux ébouriffés, ses mâchoires bleutées de barbe et ses yeux brillants, il aurait fait fondre n'importe quelle femme.

— Il nous reste six heures, calcula-t-il en consultant sa montre. Viens, j'ai envie de toi.

— Encore ? demanda-t-elle en riant.

— Toujours.

Elle n'aurait osé l'espérer. Laissant tomber son peignoir, elle le rejoignit au lit.

Tout se passerait bien en Amérique latine, se rassura-t-elle. La dernière fois qu'elle s'était rendue au Pérou, son fiancé y avait trouvé la mort.

Mais pas cette fois. Elle avait enfin sa chance avec Gunner. Il n'était pas question de la laisser filer.

Logan considéra le téléphone portable qu'il tenait à la main avec perplexité. Gunner était donc en couple avec Sydney ?

Etant leur chef depuis plusieurs années, il avait été témoin de leur attirance mutuelle. Il avait compris depuis longtemps que Gunner désirait la jeune femme mais qu'il s'interdisait de céder à la tentation. Par loyauté envers son frère.

Finalement, il semblait avoir franchi le pas…

Avec un soupir, Logan glissa l'appareil dans sa poche et reporta son attention sur une série de photos étalées devant lui. Les soupçons de son indic n'étaient peut-être pas fondés. Il l'espérait. Parce que Gunner était son ami, qu'il avait connu l'enfer et qu'il méritait d'être heureux.

Mais si son informateur avait raison, et jusqu'ici, il ne s'était jamais trompé, Gunner allait être anéanti.

— Profite d'elle tant que tu le peux, vieux, murmura-t-il.

L'avion atterrit à l'aéroport de Lima et Sydney sortit avec Gunner sur le tarmac. Le Pérou était aussi chaud que dans ses souvenirs : une vraie fournaise.

Cale les attendait à l'intérieur de l'aérogare. Gunner s'avança vers lui, la main posée sur la taille de Sydney.

Aux yeux d'un observateur extérieur, ils étaient un couple en vacances. Comme souvent dans le passé, ils se faisaient passer pour des amoureux.

Sauf que cette fois, il ne s'agissait pas uniquement d'une couverture. Cette fois, ils n'avaient pas à faire semblant.

Cale les héla et s'approcha d'eux, un grand sourire aux lèvres. Lui aussi jouait son rôle, le rôle de l'ami, venu les accueillir. Il donna une grande claque dans le dos de Gunner et embrassa Sydney.

— Prêts ? leur demanda-t-il à mi-voix.

Elle l'était toujours.

En riant et en plaisantant, ils sortirent de l'aéroport et empilèrent leurs sacs dans le coffre de la Jeep.

Sydney s'installa à l'avant, à côté de Cale. Gunner prit place à l'arrière. Ils démarrèrent.

— Où est Logan ? demanda Gunner. Je pensais qu'il serait là.

— Il est allé faire un tour de reconnaissance, répondit Cale.

Cale avait longtemps appartenu aux rangers avant d'intégrer les Agents de l'Ombre. Au départ, il avait été accusé à tort d'avoir tué trois agents de la Section d'Elite mais il avait réussi à prouver son innocence et il faisait désormais partie de l'équipe.

— As-tu vu une photo de la cible ? demanda Sydney.

Elle s'efforçait de ne pas regarder Gunner mais elle était consciente de chacun de ses gestes.

Avaient-ils vraiment passé la nuit ensemble ? Elle avait du mal à le croire, tellement elle en avait rêvé. Ne prenait-elle pas ses désirs pour la réalité ? Ne s'agissait-il pas d'une illusion ?

Incapable de s'en empêcher, elle se retourna vers lui.

Tant de chaleur brillait dans les yeux de Gunner qu'elle en fut troublée.

Avec effort, elle s'obligea à reporter son attention sur Cale.

— Non, je n'ai vu aucune photo de lui, répondit-il. Je sais seulement que l'ordre d'intervention vient d'en haut. Bruce Mercer estime que le sauvetage de cet otage est une priorité. Il a exigé que les Agents de l'Ombre — et personne d'autre ! — viennent le libérer.

Les Agents de l'Ombre. Bien sûr, il y avait d'autres équipes au sein de la Section d'Elite, mais *la leur* avait gagné son surnom parce qu'elle travaillait dans la plus totale clandestinité. Ils débarquaient sans crier gare, passaient à l'action avant que l'ennemi n'ait le temps de se douter de quoi que ce soit et, une fois leur mission accomplie, ils disparaissaient comme ils étaient apparus, s'évanouissant dans la nature comme des ombres.

Gunner était particulièrement doué pour se rendre invisible. S'il ne voulait pas être repéré, personne ne devinait jamais sa présence.

Il tenait cela de son grand-père, se rappela Sydney. Le vieil homme lui avait également enseigné à pister et chasser les animaux dans la réserve indienne. Gunner était le meilleur chasseur qu'elle n'ait jamais vu. Son frère Slade n'avait pas sa dextérité.

Slade… dont le cadavre était resté quelque part, dans la jungle péruvienne …

Elle ne cessait d'y penser. Depuis le drame, deux ans plus tôt, des équipes de la Section d'Elite étaient revenues à plusieurs reprises sur les lieux du drame et avaient tenté de retrouver son corps. Elles avaient interrogé les populations locales, entrepris des fouilles. En vain. Manifestement, les rebelles avaient emporté son cadavre avec eux et l'avaient fait disparaître. Slade n'avait donc jamais pu être enterré dans son pays.

Une pierre tombale avait été dressée dans un cimetière militaire américain pour rendre hommage au soldat qu'il avait brièvement été. Mais le caveau était vide.

Tout en conduisant, Cale reprit :

— Logan m'a dit que Gunner et toi étiez déjà venus au Pérou.

— Euh, oui … à quelques rares occasions.

— Logan nous a installés dans un village de vacances près de la plage. Il veut que vous passiez, Gunner et toi, pour des jeunes mariés en voyage de noces.

Sydney acquiesça. Il était souvent plus discret de séjourner au milieu des touristes, au vu et au su de tous, que dans une hutte au fond de la jungle.

— Et moi, poursuivit Cale, je suis l'un de vos copains célibataires, en vacances.

La route était cahoteuse et la Jeep sautait sur les nids-de-poule.

— Quand est prévue l'extraction de l'otage ? demanda Gunner, à l'arrière.

Il avait posé la main sur le siège de Sydney et jouait discrètement avec ses cheveux.

— Cette nuit, répondit Cale. D'après Logan, il s'agira d'une opération éclair. Nous devons libérer l'otage et quitter le pays avec lui en moins de vingt-quatre heures.

Sydney opina de nouveau. Cette mission ne présentait pas de difficultés particulières. Dès que Logan les rejoindrait, elle commencerait son propre travail de reconnaissance. Elle établirait une liaison satellite pour obtenir des cartes aériennes de la zone, puis déterminerait la meilleure approche pour mener l'opération. Tant qu'elle disposait d'un ordinateur puissant, elle avait accès à tous les éléments nécessaires. La technologie avait toujours été sa spécialité.

La Jeep parvint à l'entrée du village de vacances et Sydney se surprit à sourire. Il ne lui serait pas difficile de jouer sa partition, de se faire passer pour une femme en voyage de noces, nageant dans un bonheur pur. Avec Gunner auprès d'elle, elle se sentait profondément heureuse, même si de douloureux souvenirs tentaient de remonter à sa mémoire. Dans le passé, elle avait vécu un cauchemar au Pérou, mais l'histoire ne se reproduirait certainement pas.

Le gardien se précipita vers eux pour les accueillir.

Gunner sortit de la Jeep et ouvrit la portière de Sydney. Il mêla ses doigts aux siens, l'embrassa d'un air possessif. Jouait-il son rôle ou était-il sincère ? se demanda Sydney.

Cale, lui, plaisantait et éclatait de rire à tout propos. Gunner lui répondait sur le même ton.

Sydney se sentait un peu perdue.

Elle aurait aimé que cette scène soit la réalité, être venue réellement avec Gunner pour leur lune de miel.

Elle se ressaisit presque immédiatement. Ils étaient en mission, pas en vacances ! Il leur fallait libérer un otage, un civil qui avait besoin d'eux. Ils avaient un travail à accomplir.

Gunner l'enlaça par les épaules pour l'entraîner vers le village. Avec une profonde inspiration, elle lui sourit et entra à son tour dans son personnage.

*
* *

Allongé sur le sol, Logan observait avec ses jumelles le petit camp des rebelles. Ils s'étaient installés au pied de la montagne et, apparemment, ils étaient armés jusqu'aux dents. Il y avait des dizaines de kalachnikovs, bazookas et fusils-mitrailleurs. Trois hommes montaient la garde devant une tente, certainement celle qui abritait l'otage.

Il n'aurait pas dû se rendre sur place seul, mais avant d'y envoyer Sydney et Gunner, il tenait à identifier leur cible avec certitude.

Comme l'un des guérilleros entrait dans la tente, il retint son souffle.

Le rebelle en ressortit quelques instants plus tard, poussant l'otage devant lui.

Logan se crispa sur ses jumelles. Il étudia avec attention le visage du prisonnier. Il avait les cheveux longs et une barbe épaisse. Il boitait légèrement. Manifestement, il n'avait pas été capturé depuis quelques jours. Ses ravisseurs le détenaient depuis longtemps, très longtemps.

Logan se focalisa sur ses traits.

Cette mission allait être une affaire personnelle…

Gunner tendit un pourboire à l'homme qui avait porté leurs bagages jusqu'à leur chambre et referma la porte. Puis il se tourna vers Sydney. Debout devant le grand lit, ses cheveux blonds flottant sur ses épaules, elle le regardait fixement mais elle ne souriait pas.

Elle semblait tendue et il en fut surpris. D'habitude, elle ne montrait jamais la moindre nervosité.

Qu'y avait-il ?

— Sydney ?

Elle se mit soudain à rire, de ce rire qu'il adorait.

— C'est dingue, mais j'ai vraiment l'impression d'être en voyage de noces.

Qu'il aimerait que ce soit le cas ! Des centaines de fois, il s'était imaginé marié avec elle. Trop souvent. Même à l'époque où Sydney pensait épouser son frère, il s'était dit…

Elle devrait être ma femme.

Puis Slade était mort, et il s'était maudit de l'avoir si souvent jalousé.

— Cela… cela ne te pose-t-il pas de problèmes de retourner dans ce pays ? demanda-t-elle doucement.

Il s'approcha de la fenêtre et contempla le village de vacances. A l'intérieur des murs d'enceinte, tout était beau, luxueux, parfait. Mais à l'extérieur, il en était autrement. Le Pérou était un pays sauvage, dangereux. Dès qu'on quittait la ville pour s'aventurer dans la jungle, il n'y avait plus de civilisation.

— J'y suis revenu plusieurs fois depuis sa mort.

— Vraiment ? s'étonna Sydney.

Elle avait tout fait pour éviter ce pays, il le savait. Mais lui s'était senti moralement obligé d'y retourner.

— Pour y chercher le corps de Slade. Mon grand-père aurait voulu l'enterrer correctement.

Et moi aussi.

— Mais je n'ai jamais pu le retrouver, ajouta-t-il.

Sydney s'approcha et lui posa les mains sur les épaules. Elle faisait preuve d'une telle douceur qu'il ne put s'empêcher de se remémorer leur nuit ensemble. Il mourait d'envie de la reprendre dans ses bras, de lui refaire l'amour.

Elle était à lui, à présent, et il n'était pas question de la laisser partir.

Il se tourna vers elle, lui caressa tendrement la joue. Depuis deux ans, il n'avait cessé de veiller sur elle, de la protéger de tous les dangers.

Il n'avait jamais connu de femme plus belle, plus

forte ou plus douée que Sydney. Elle était dotée d'une intelligence prodigieuse. Avec son ordinateur, elle était capable de trouver n'importe quel renseignement. Avant d'intégrer la Section d'Elite, elle avait longtemps fait partie de l'armée de l'air et elle pouvait prendre les commandes de n'importe quel avion. D'ailleurs, elle les avait déjà pilotés au gré de ses missions.

Slade aussi avait été pilote. Pas au sein de l'armée de l'air, cela dit. Son frère n'avait fait qu'un bref passage sous les drapeaux et il n'avait appris à piloter qu'ensuite. Pour organiser des voyages en charters vers l'Amérique Latine.

Alors qu'il transportait des touristes au Pérou, son appareil était tombé au mauvais endroit au mauvais moment. Il avait été fait prisonnier par les rebelles.

Refusant de se plier aux ordres, Gunner et Sydney avaient décidé d'aller le chercher. Et de le ramener à la maison.

Mais ils avaient échoué.

En revanche, Gunner avait réussi à sortir Sydney de la jungle péruvienne. Il avait eu si peur qu'elle ne meure. Gravement blessée, elle avait perdu beaucoup de sang. Alors qu'elle-même était à l'agonie, elle n'avait cessé de lutter, de crier, de le supplier de sauver Slade.

Il n'avait rien pu faire pour Slade, mais il était parvenu à ramener Sydney saine et sauve aux Etats-Unis. Il serait toujours là pour elle.

Il lui sourit, lui qui ne souriait pas souvent. Il ne ressemblait pas à Cale ou à Logan qui n'avaient jamais aucun mal à rire, à plaisanter, à charmer. Lui, il renvoyait une image sombre, dangereuse, et il en était conscient. Il faisait peur à beaucoup de gens.

Mais Sydney n'avait pas l'air effrayé.

Incapable de s'en empêcher, il lui lança.

— Pourquoi moi ?

Sans doute avait-il tort de lui poser la question, mais il avait besoin de comprendre. Il n'avait rien d'une gravure de mode. Son corps était couvert de cicatrices, son visage marqué par les combats qu'il avait menés dix ans durant. Au cours des opérations de la Section d'Elite, il avait été touché par leurs ennemis un nombre incalculable de fois. Et souvent, il avait cru ne pas survivre à ses blessures.

Il avait appris à résister aux plus extrêmes souffrances, à tout endurer au bénéfice de la réussite des missions qui lui avaient été confiées.

Un jour, il avait été capturé et ses ravisseurs l'avaient torturé dans l'espoir de le faire parler. Ils avaient besoin de renseignements d'une importance vitale à leurs yeux et semblaient prêts à tout pour les obtenir, même à l'amputer, voire pire. Mais Gunner n'avait pas craqué et il était parvenu à leur échapper. Ces types avaient ensuite payé leur cruauté de leur vie.

Ces épreuves répétées avaient tout de même fini par assombrir son caractère. Gunner avait perdu depuis longtemps sa gaieté, sa légèreté.

Alors pourquoi, diable, Sydney avait-elle jeté son dévolu sur lui ? Belle comme elle l'était, elle aurait pu séduire n'importe qui.

— Que veux-tu dire, Gunner ?

— Pourquoi moi et non un autre ?

Pourquoi l'avait-elle préféré au blondinet qui l'avait draguée dans le bar de Baton Rouge ?

Depuis deux ans, Sydney aurait pu nouer une relation amoureuse avec n'importe quel membre des services secrets. Mais elle était restée célibataire.

Et si elle avait connu un autre homme, comment aurait-il réagi ?

Il préférait ne pas se poser la question.

Avec Sydney, il faisait attention à se maîtriser. Mais

si elle s'était tournée vers un autre, peut-être n'aurait-il pas pu rester de marbre. Sans doute se serait-il opposé à ce rival.

Elle lui sourit.

— Parce que, avec toi, je me sens vivante. Avec toi, je vibre, j'ai faim, soif, peur, envie. Avec toi, j'ai l'impression de renaître.

Il éprouvait exactement la même chose avec elle. C'était dangereux. Pour eux deux.

— Il ne m'est pas facile de revenir au Pérou, poursuivit-elle. Mais je suis contente d'y être avec toi. J'espère t'aimer très longtemps, ajouta-t-elle en l'embrassant.

Il la souleva pour l'allonger sur le lit. Cette fois, il prit le temps de la déshabiller lentement, suavement, et comme il se l'était promis, de parcourir son corps de baisers brûlants. Il la caressa de ses mains, de sa bouche, jusqu'à ce qu'elle le supplie de mettre fin à cette délicieuse torture. Il tenait à lui donner du plaisir, à la rendre heureuse.

Il avait toujours eu peur que Slade soit un fantôme entre eux, mais Sydney lui prouvait qu'il n'en était rien. C'était bien lui qu'elle embrassait, caressait, c'était à lui qu'elle s'offrait, c'était lui qu'elle aimait.

Lorsque la jouissance s'empara d'elle, que son visage se crispa, que ses yeux le supplièrent, une immense satisfaction le gagna : il avait réussi. Malgré le feu qui cisaillait ses reins, il s'obligea à se maîtriser, à se retenir.

Quand avec un grand cri, elle l'étreignit plus fort, il contempla ses yeux brillants, le rouge qui envahissait ses joues. Alors seulement, il s'abandonna à son tour.

Le plaisir le foudroya et il s'abattit sur elle.

Il avait toujours su que Sydney était une femme dangereuse mais maintenant qu'elle l'avait fait entrer dans le paradis terrestre qu'était son corps, il ne pourrait plus jamais s'en éloigner.

Une heure plus tard, alors que Sydney sortait de sa douche, les cheveux encore humides, quelqu'un frappa à la porte.

— C'est certainement Logan, dit-elle.

Logan comprendrait immédiatement qu'ils avaient fait l'amour, songea Gunner. Même s'ils avaient refait le lit à la hâte, il suffirait à son chef de planter ses yeux dans les siens pour savoir.

Son ami avait la capacité de lire en lui comme dans un livre ouvert. Mais Logan était aussi discret et il ne dirait pas un mot, n'esquisserait pas un sourire, pour ne pas risquer de mettre Sydney mal à l'aise.

Gunner lui ouvrit la porte et l'invita à entrer, mais Logan semblait tendu à l'extrême. Il les salua tous les deux, les gratifiant d'un bref sourire. Puis son regard s'arrêta un instant sur le lit, et il se tourna vers Gunner, puis vers Sydney. Mais il ne montra aucune réaction, ne fit aucun commentaire.

Sydney s'approcha de lui.

— Avez-vous repéré le lieu de l'intervention ? Mais peut-être faut-il aller chercher Cale ? Je suis sûre qu'il a besoin d'entendre…

— J'aimerais d'abord vous parler à tous les deux.

Gunner sentit son ventre se nouer.

— Bruce Mercer… qui a organisé cette mission… avait insisté pour que ce soit nous et *personne d'autre* qui nous chargions de l'opération.

— Normal. Nous sommes les meilleurs, répondit Sydney avec un sourire.

Logan ne lui rendit pas son sourire.

— Le patron avait des informations sur l'endroit où les rebelles retenaient l'otage, mais nos indics lui avaient surtout transmis leurs soupçons. Voilà pourquoi je tenais à identifier moi-même notre cible afin de vérifier si ces renseignements étaient exacts. Je préférais le faire avant d'en parler aux autres.

— De quels soupçons s'agit-il ? demanda Gunner en croisant les bras sur sa poitrine.

Sydney s'approcha de lui. Elle ne souriait plus du tout. Logan reprit.

— Mercer a appris que les guérilleros retenaient prisonnier un pilote américain, un homme qui avait des liens avec l'armée américaine.

— Quels liens exactement ? s'enquit Sydney.

— Des liens avec une équipe chargée d'opérations sous couverture. Avec nous…

Le cœur de Gunner s'accéléra dans sa poitrine.

— Je viens de voir l'otage de mes propres yeux, poursuivit Logan.

Il serrait les poings, remarqua Gunner. Ce n'était pas bon signe, pas bon signe du tout.

Logan se tourna vers lui.

— J'ai ainsi eu la confirmation de ce que nous subodorions depuis le départ.

Pourquoi ne disait-il pas simplement de quoi il retournait ?

— Leur otage n'est autre que … Slade.

Instinctivement, Gunner enlaça Sydney.

Puis il se pétrifia.

Slade ?

— Il a maigri, ses cheveux ont beaucoup poussé, il porte la barbe, il boite mais… c'est bien lui.

— Slade est mort, balbutia Sydney.

Logan se tourna vers elle.

— Non, manifestement pas.

Gunner déglutit. Un grand froid envahissait ses veines.

— Mais j'ai vu mon frère gisant dans une mare de sang. J'étais là. J'ai cherché son pouls. En vain. Il ne bougeait plus, ne respirait plus, son cœur avait cessé de battre… Il était mort, j'en suis sûr.

Il ne l'aurait jamais laissé s'il n'avait pas eu la certitude absolue qu'il n'y avait plus rien à faire !

Logan se passa la main dans les cheveux.

— Je sais, mais je l'ai vu, Gunner. Je l'ai vu, de mes yeux vu.

Il secouait nerveusement la tête, les lèvres serrées.

— Ecoute, Gunner, il nous faudrait son ADN pour être sûr à cent pour cent. Mais si l'otage n'est pas Slade, c'est son portrait craché. L'indic de Mercer l'a reconnu, moi aussi…

— Gu… Gunner ? balbutia Sydney, totalement perdue.

Il n'osait pas la regarder en face. Il avait peur de ce qu'il verrait dans ses yeux.

Il venait de lui faire l'amour, de la prendre…

Alors que son frère était retenu par ses ravisseurs à quelques kilomètres de là.

Sydney était la fiancée de Slade.

Logan l'interrompit dans ses sombres pensées.

— Il est exclu de retourner au camp des rebelles pour un autre tour de reconnaissance ce soir. Nous n'avons pas de temps à perdre. Nous devons profiter de l'obscurité pour passer à l'action. Sydney, je veux que vous travailliez sur les liaisons satellites, que vous examiniez la zone sous tous les angles. Nous nous rendrons sur place à l'aube.

Il s'agira d'une opération éclair. Il doit être exfiltrer en un temps record.

Un lourd silence tomba dans la pièce.

— Gunner, j'aimerais te dire un mot en tête à tête, poursuivit Logan d'un ton de commandement.

Gunner sursauta presque : il fixait leur chef mais ne le voyait pas. Obtempérant, il l'entraîna dans la pièce voisine. Il n'osait toujours pas regarder Sydney. Il avait peur des regrets dans ses yeux.

Elle aimait Slade, elle l'avait toujours aimé. Pas lui. Et découvrir que son fiancé n'était finalement pas mort devait la déchirer.

Logan referma la porte sur eux. Ils étaient seuls. Ils n'entendaient aucun bruit.

Rien du tout.

— Vas-tu pouvoir gérer la situation, Gunner ? murmura-t-il.

Quelle situation ? Retrouver mon frère ? Perdre Sydney ?

Il opina.

— J'effectuerai la mission, comme d'habitude.

Logan lui prit le bras.

— J'ai vu la façon dont tu la dévorais des yeux, je sais que tu étais avec elle à Baton Rouge. Je suis désolé, vieux.

Désolé que Slade soit en vie ? Ils devaient au contraire se réjouir, fêter le miracle. Sydney aurait dû se mettre à danser.

Et bien sûr, lui aussi était heureux : son frère avait finalement survécu à ses blessures.

Depuis deux ans, la mort de Slade lui pesait tellement. Ils s'étaient disputés juste avant l'accident d'avion dont Slade avait été victime. Sydney était à l'origine de ce conflit. Son frère avait compris que Gunner était amoureux d'elle. Mais Gunner avait appris que Slade la trompait.

Il lui en avait fait le reproche, estimé qu'il ne la méritait pas. Il l'avait menacé d'en informer Sydney.

En vérité, aucun d'eux ne la méritait.

Gunner releva la tête. Logan semblait désorienté.

— Mercer tenait à ce que nous nous chargions de cette mission parce que Slade est ton frère. Mais à part moi, personne ne se doute que Sydney et toi…

— Il n'y a rien entre Sydney et moi, s'obligea-t-il à répondre.

Ce n'était plus possible, plus concevable. Plus maintenant. Peut-être après la mission, quand…

Cesse de te raconter des histoires.

Son rêve venait de prendre fin. Il l'avait toujours su. Il aurait simplement voulu rester un plus longtemps avec elle.

Un peu plus longtemps.

— Gunner…

— Nous mènerons à bien l'opération, l'interrompit-il. Nous le tirerons des mains des rebelles. Qu'il s'agisse de Slade ou de quelqu'un d'autre, cela ne change rien. Nous l'exfiltrerons.

C'était leur travail.

La pitié qui brillait dans les yeux de Logan lui donnait la nausée.

— Elle est amoureuse de toi, murmura son chef.

Il se raidit.

— Non, c'est lui qu'elle aime, c'est lui qu'elle voulait épouser.

Et puis peut-être Logan se trompait-il, peut-être l'otage n'était-il pas Slade.

Mais leur chef ne leur en aurait pas parlé s'il n'avait pas été certain de ce qu'il avançait.

Logan poussa un gros soupir.

— Nous levons le camp dans une heure.

Gunner hocha la tête.

— Gunner, je…

Ce dernier leva les mains pour faire taire son chef.

— Libérons-le, le reste ne compte pas.

Il s'interdisait de penser à autre chose. Dans l'immédiat, ils avaient une mission à accomplir, ils devaient sauver l'otage.

— Très bien, acquiesça Logan. Tu seras chargé de protéger l'équipe de loin, d'accord ?

Comme d'habitude. Il tirerait, tuerait, à distance.

— Il faudra rester sur nos gardes, reprit son chef. Quand j'ai terminé mon tour de reconnaissance, j'ai eu le sentiment qu'ils attendaient des renforts. Parviendras-tu à maîtriser la situation ?

— Oui.

Il ne mentait pas. Il était déterminé à se comporter en militaire, en professionnel. Il s'arrangerait pour que tout se passe bien, oui.

Logan quitta la pièce, et au lieu de regagner le salon où se trouvait Sydney, Gunner sortit de la maisonnette.

Je n'aurais pas dû la toucher. J'aurais dû m'interdire de l'approcher.

Parce que maintenant, il savait ce qu'il perdait.

Bien sûr, il retrouverait sous peu son frère.

Je suis désolé, Slade.

Désolé d'avoir pris ta femme, celle que tu aimes.

L'oreille collée à la porte, Sydney avait écouté l'échange entre Logan et Gunner.

Il n'y a rien entre Sydney et moi.

Les mots lui firent mal. Mais depuis que Logan leur

avait appris que Slade était toujours vivant, elle était plongée dans un état second.

Comment pouvait-il être vivant ? Comment avait-il pu survivre ? Gunner avait vérifié qu'il était mort et elle-même avait vu la gravité de ses blessures. Son corps était criblé de balles, il avait été touché au ventre, à la poitrine, il avait perdu trop de sang.

Slade avait été tué deux ans plus tôt. Elle en avait été certaine. Il était mort.

S'il ne l'était pas…

Nous l'aurions donc abandonné aux mains des rebelles ? Pendant deux ans ?

Une larme coula sur sa joue tandis que les mots de Gunner revenaient la hanter.

Il n'y a rien entre Sydney et moi.

3

Sydney progressait sans bruit dans la jungle. Dans ses vêtements kaki, elle se fondait totalement dans le paysage. Le silence de Gunner qui marchait derrière elle devenait assourdissant. Depuis les révélations de Logan, il ne lui avait pas adressé la parole et il évitait son regard.

Ils se rendaient dans la zone d'intervention par l'ouest, Logan et Cale par l'est.

Sous les arbres, les bruits de la faune nocturne comme les stridulations des insectes étaient incessants. Mais Gunner n'avait pas prononcé un mot depuis qu'ils avaient quitté le village.

A bout de patience, elle prit une profonde inspiration et se tourna vers lui.

— Dis quelque chose.

Le clair de lune l'empêchait de distinguer ses traits, encore moins son expression. Comme Logan, Gunner était passé maître dans l'art de dissimuler ses sentiments et émotions.

— Es-tu content ? Stupéfait ? Parle-moi !

Ignorait-il donc qu'il était son meilleur ami ? Lorsqu'elle avait envie de partager un secret, c'était toujours à lui qu'elle le confiait.

Il était son roc.

Son… amant.

Slade est vivant.

— C'était une erreur, grommela Gunner.

A ces mots, son cœur manqua un battement.

— Tu crois que l'otage n'est pas Slade ? Que Logan s'est trompé et que…

— Non. C'est nous deux qui avons commis une erreur. Toi et moi.

Glacée, elle releva pourtant le menton et soutint son regard. Elle refusait de flancher là, au cœur de la jungle. Devant lui.

— C'est vraiment ce que tu penses ?

Elle ne partageait pas son opinion. Dans ses bras, elle avait eu l'impression d'être à sa place, que tout était juste. Il s'était passé quelque chose de si fort entre eux que non, il ne s'agissait certainement pas d'une erreur.

Mais Gunner opina.

— Cela ne se reproduira plus, nous ne nous toucherons plus.

Une balle lui aurait sans doute fait moins de mal que ces mots.

— Si ça se trouve, ce n'est même pas lui, répliqua-t-elle d'une voix rauque.

De toute façon, elle avait renoncé à Slade, elle en avait fait son deuil depuis des mois et elle avait décidé d'avancer, de tourner la page. Qu'il soit en vie n'y changerait rien.

— Mais si c'était bien lui ? s'interrogea-t-elle. Je le croyais mort…

Elle s'arrêta un instant.

— Si, en réalité, il était encore vivant, imagines-tu l'enfer qu'il a connu auprès de ses ravisseurs pendant deux ans ?

Elle préférait ne pas y penser. Elle ne pouvait pas y songer. Ce n'était pas le moment.

— Je suis son grand frère, répondit Gunner. J'étais

censé veiller sur lui. Pas lui piquer sa fiancée, ajouta-t-il d'un air écœuré.

La colère envahit Sydney.

— Est-ce ce que tu as fait ? Moi, j'avais le sentiment que nous avions fait l'amour.

Manifestement, elle s'était trompée.

— Nous devons terminer notre travail de reconnaissance afin de sécuriser la zone, la coupa Gunner. Le reste attendra.

Il avait raison, évidemment. Mais aurait-il envie de revenir plus tard sur le sujet ? Elle en doutait.

— Je pensais à voix haute, conclut-elle.

Puis elle se tut et tendit l'oreille. Le glapissement des animaux qui profitaient de la nuit pour chasser avait cessé. Autour d'eux, la jungle était devenue étrangement silencieuse. Des nuages couvraient la lune. L'obscurité s'épaississait. Et la forêt était si dense qu'il était impossible de distinguer quoi que ce soit.

Elle leva son fusil-mitrailleur. Gunner en faisait certainement autant.

Tendue, elle avança. Quelque chose avait changé. Comme si elle était devenue une proie.

Pourtant, le camp des guérilleros se trouvait à une bonne heure de marche. Il ne devait y avoir personne à proximité.

Elle continua d'avancer prudemment. Des gouttes de sueur perlaient à son front.

Soudain, des bruits de pas résonnèrent derrière elle. Les brindilles qui recouvraient le sol crissaient sous des semelles. Sur la gauche. D'autres craquements se firent ensuite entendre sur la droite.

Ils étaient dans de sales draps. Cernés.

Le souffle court, elle parvint à murmurer dans le micro à l'intention de Logan.

— Alpha One… Il y a du mouvement dans notre périmètre.

Elle eut à peine le temps de finir sa phrase : le groupe d'hommes était à quelques mètres eux.

Elle s'apprêta à faire feu. Mais les rebelles poussèrent l'otage devant eux. Il avait un sac de jute sur la tête. Ses mains étaient ligotées devant lui et le canon d'un fusil touchait sa tempe. Ses ravisseurs l'éclairaient d'une torche, comme pour bien montrer leur prise !

— *Deje caer sus armas !* cria l'un d'eux. Laissez tomber vos armes.

Sydney le mit en joue.

— *Deje caer sus armas* ! répliqua-t-elle.

Un autre type armé surgit de l'ombre.

Mais elle ne pouvait pas tirer, et Gunner non plus. Il n'était pas question qu'un civil innocent soit blessé ou pire pendant une opération.

Mais il était également exclu d'être fait prisonnier.

Le grésillement d'une radio brisa le silence. Le nouvel arrivant appelait des renforts. Si Gunner et elle ne réagissaient pas très vite, la mission risquait d'échouer.

Je n'aurais pas dû me laisser distraire. C'est ma faute. J'étais chargée de surveiller la zone. Mais j'étais plus intéressée par ce que disait Gunner que par mon travail.

Et maintenant…

L'homme qui tenait l'otage ricana en secouant la tête.

— *Voy a disparar contra él.*

« Je vais le buter. »

Et ce ne serait pas sa première victime, songea-t-elle.

— Je vous en prie ! hurla le prisonnier. Aidez-moi !

— Comptez sur nous, répondit Sydney.

Mais elle n'avait pas l'intention de baisser son arme.

Pourtant, un fusil tomba sur le sol. Surprise, elle se retourna : Gunner levait les mains en l'air. Que fabriquait-il, bon sang ? Les Agents de l'Ombre n'avaient pas l'habitude de se rendre.

— Sydney ?

Cale lui parlait dans l'oreillette. Et Gunner l'entendait aussi. Ils étaient tous reliés au même réseau.

— Tenez bon. Nous venons à votre secours.

Mais arriveraient-ils à temps ?

Gunner s'avança, se mettant devant elle pour la protéger d'une attaque éventuelle. Et peut-être aussi pour l'empêcher de tirer.

— *No dispare*, lança Gunner.

« Ne tirez pas. »

Lui aussi portait un micro, se rappela Sydney : Cale et Logan les entendaient et pouvaient suivre l'échange avec les guérilleros.

— *Puede tener tres rehenes en lugar de dos.*

« Vous pourrez ainsi avoir trois otages au lieu d'un. »

Devenait-il fou ?

Le métal glacé d'une mitraillette posée contre sa nuque la coupa dans ses réflexions. Ils n'avaient plus l'embarras du choix.

Vaincue, Sydney lâcha son arme et leva les mains, en signe de reddition.

Dépêche-toi, Cale. Il ne nous reste plus beaucoup de temps à vivre.

Gunner ne décolérait pas contre lui-même. Il avait commis une grave erreur, une erreur fatale.

Les rebelles l'avaient ligoté sur une chaise branlante, les mains nouées derrière lui, les pieds entravés par une corde. Il ne pouvait pas faire le moindre mouvement, et un sac de toile lui recouvrait la tête. Il ne voyait rien.

Pourtant, il y avait quelqu'un d'autre dans la pièce, il le sentait.

— Sydney ?

— Oui.

Dans la jungle, il s'était laissé distraire par la jeune femme. Au lieu de surveiller les alentours, il l'avait regardée, elle. L'ennemi en avait profité.

Il s'était fait surprendre comme un débutant.

A présent, l'otage avait disparu, les guérilleros le retenaient dans une autre tente. Quant à eux deux, ils allaient être interrogés.

La dernière fois qu'il avait subi un interrogatoire en Amérique du Sud, il en était sorti avec le corps zébré de cicatrices. L'infirmier d'une mission humanitaire l'avait recueilli et soigné alors qu'il errait, blessé, exsangue, dans la jungle. Mais l'infirmier n'avait ni anesthésie, ni antalgique.

Gunner avait hurlé de douleur. Et crié le nom de Sydney.

Il ne le lui avait jamais dit. Pour quoi faire ?

— C'était sa voix, grommela-t-il en tirant sur ses liens. C'était Slade, tu le sais.

Des hommes montaient la garde devant la tente, des gardes qui croyaient bêtement qu'ils avaient vraiment rendu les armes, toutes leurs armes.

De toute façon, Gunner n'en avait pas besoin. Il avait été entraîné à tuer à mains nues. Comme l'avaient appris, trop tard, les derniers à lui avoir fait subir un interrogatoire.

— Je suis incapable de me remémorer sa voix, répondit Sydney. Voilà trop longtemps que je ne l'ai entendue.

Il se figea. Il s'agissait de son frère, non ? Il n'aurait jamais laissé tomber son fusil s'il en avait douté.

Il aurait pu neutraliser les guérilleros sans problème.

Mais en tirant, il aurait mis en péril la vie de l'otage. Celle de Slade !

Il s'éclaircit la gorge.

— Es-tu ligotée ?

— Comme un saucisson. Et ils m'ont collée un sac sur la tête.

— Nous allons sortir d'ici.

Ils n'avaient plus ni micros ni oreillettes sur eux. Leurs ravisseurs les leur avaient arrachés et les avaient jetés.

En plus, le camp ne se trouvait pas là où ils s'y attendaient. Ils avaient été mal renseignés. Soit Logan avait un mauvais indic, soit les guérilleros avaient une autre base, plus importante. Les rebelles les avaient fait marcher longtemps dans la jungle, avant de les hisser dans des Jeeps. Il lui était difficile de savoir avec précision où ils étaient.

Heureusement, Sydney et lui étaient équipés d'une puce microscopique avec GPS incorporé, dissimulée sous la peau. Logan et Cale n'auraient pas de mal à les localiser et à venir les tirer de là. Il n'y avait qu'à attendre.

A l'extérieur, des voix résonnèrent. Le chef des rebelles était là, celui qui avait menacé l'otage dans la jungle, tout à l'heure.

— Manifestement, les festivités vont commencer, murmura Sydney.

Si la perspective d'un interrogatoire musclé la terrifiait, elle n'en laissait rien paraître, remarqua Gunner. Elle aussi était en mode « mission ».

— Nous allons nous en tirer, Sydney.

Deux hommes entrèrent dans la tente. L'un d'eux s'installa derrière lui, l'autre prit la parole.

— Vous n'auriez jamais dû venir dans ma jungle.

Il s'exprimait en anglais, mais avec un accent à couper au couteau. C'était sans doute le chef, songea Gunner. A travers le sac de jute, sa silhouette apparaissait vaguement.

— Venir ici était une terrible erreur de votre part, insista l'homme.

Puis il pointa une arme sur la tête de Sydney.

— Ne la touchez pas ! hurla Gunner, le cœur battant.

Un rire gras, sinistre, lui répondit. L'homme posté derrière lui ne broncha pas.

Pour quelle cause se battaient les rebelles ? D'après Logan, ces guérilleros étaient surtout des trafiquants de drogues et d'armes.

— Je ne vais pas tirer sur la *señorita*, reprit le chef. Pas encore. Mais vous allez tout me raconter, d'accord ? Vous allez me parler de votre équipe, de vos hommes qui pensent pouvoir envahir ma jungle comme s'ils étaient chez eux et qui veulent me voler ce qui m'appartient.

Gunner tira sur ses liens mais ne réussit qu'à les resserrer.

— Il n'y a pas d'équipe. Juste nous deux.

Un silence tomba, puis le chef des rebelles lança, menaçant :

— Je peux commencer par lui exploser le genou, si vous voulez.

— Il n'y a personne d'autre ! cria Sydney.

Mais Gunner ne répondit pas. Les mots de l'homme le terrifiaient.

Je peux commencer par lui exploser le genou.

— Vous portiez tous les deux des micros, des oreillettes. Vous communiquiez donc avec d'autres.

— Il n'y a pas d'équipe, répéta Gunner.

C'était la seule réponse valable. On le lui avait appris : au sein des services secrets, lorsqu'on est fait prisonnier, il n'est pas question de mettre les autres en danger.

Tous les agents respectaient cette règle tacite et faisaient preuve d'une solidarité indéfectible entre eux. Dans tous les cas, même les plus graves, ils se protégeaient.

— Dommage que vous ne vous montriez pas plus coopératifs, poursuivit le chef. La *señorita* va souffrir...

Gunner tira de nouveau sur ses liens. En vain.

Le chef poussa un soupir exagéré.

— Je n'aime pas faire du mal à une femme, ce n'est pas mon genre, mais... si vous ne répondez pas à mes questions, je vais y être obligé.

— Laissez-la ! cria Gunner avec fureur.

— J'ai besoin d'en savoir plus sur votre équipe... sur la Section d'Elite.

L'esprit de Gunner travaillait à plein régime. Comment les rebelles avaient-ils entendu parler d'eux ? Les membres de la Section d'Elite n'apparaissaient nulle part, n'avaient aucune existence légale. Ils travaillaient toujours dans la clandestinité, sur des opérations dont personne n'entendait jamais parler.

L'homme reprit.

— Combien d'agents de la Section d'Elite se trouvent au Pérou ?

— J'ignore de quoi vous parlez.

Le guérillero derrière lui poussa un grognement et lui plaqua une lame contre la gorge.

— Je crains que mon compagnon ne soit encore moins patient que moi, maugréa le chef.

A ces mots, Gunner tiqua. Normalement, le chef aurait dû réprimander son « compagnon » : celui-ci n'avait pas à le menacer. C'était le rôle du chef.

A moins que ... A moins que le chef ne soit pas celui qu'il croyait, mais celui qui était derrière lui et n'avait pas prononcé un mot ?

— La vie de cette femme ne compte-t-elle pas pour vous ? insista le « chef ». Et la vôtre ? Allez-vous nous en dire plus sur la Section d'Elite ou préférez-vous mourir ?

— Nous ne comprenons pas de quoi vous parlez ! lança Sydney. Que voulez-vous que nous vous disions si nous ne savons rien ?

Sydney avait été entraînée, elle aussi. Elle avait appris à ne pas craquer, à tenir.

Mais lui, serait-il capable de rester silencieux si ces types s'en prenaient à elle ?

Un frisson d'angoisse le parcourut. S'il l'entendait crier de douleur, il perdrait la maîtrise de lui-même, il en était certain.

Il tira un peu plus sur ses liens. Ils commençaient à se détendre un tout petit peu.

— Nous avons un informateur..., poursuivit le « chef ». C'est ainsi que vous nommez ceux qui vous renseignent, non ? Nous savons très bien qui vous êtes. Nous vous avons capturés parce que nous avons... des intérêts... qui concernent les agents de la Section d'Elite. Vous ne le voyez pas, *señorita*, mais la gorge de votre ami commence à saigner. Une lame est sur sa jugulaire et si vous ne répondez pas très vite à mes questions, je demanderai à mon associé de le tuer.

Sydney étouffa un gémissement, et Gunner lui lança d'un ton rassurant :

— Il ne s'agit que d'une égratignure. Je me suis coupé plus sérieusement en me rasant ce matin.

La lame s'enfonça davantage.

Gunner se mit à rire.

— Vous croyez me torturer ? C'est une plaisanterie.

— Nous allons peut-être passer aux choses sérieuses, menaça le « chef ». De toute façon, nous n'avons pas besoin de nous encombrer d'otages supplémentaires.

Gunner déglutit : le raisonnement se tenait, les rebelles pouvaient se contenter de Slade.

Logan et Cale, ne tardez plus !

— Alors, qui allons-nous descendre en premier ? La jolie demoiselle ou l'homme qui se rit de la mort ?

Gunner ricana plus fort encore, se moquant d'eux, pour essayer d'attirer leur attention sur lui et protéger Sydney. Si quelqu'un devait mourir, ce serait lui.

— Vous n'allez pas nous tuer, répliqua-t-il. Nous allons parler et…

La lame s'enfonça plus profondément. Du sang coula le long de sa gorge.

— Et puis nous sortirons d'ici et c'est vous qui allez mourir, contra-t-il. A votre place, je m'enfuirais pendant qu'il en est encore temps.

Menaçaient-ils toujours Sydney de leurs armes ? Il n'arrivait plus à voir. Les rebelles devaient s'en prendre à lui, pas à Sydney. Tôt ou tard, Cale et Logan arriveraient. Il fallait qu'elle tienne bon.

Tout est ma faute. J'ai laissé tomber la garde dans la jungle. Je me suis laissé distraire par Sydney. Il n'est pas question qu'elle paie mon erreur de sa vie.

— Qui est votre otage ?

La voix de Sydney lui sembla plus dure. Elle aurait dû rester silencieuse. Ne comprenait-elle pas ce qu'il tentait de faire ?

— Vous vous êtes introduits sur mes terres, dans ma jungle, pour libérer un prisonnier dont vous ne connaissez même pas l'identité ? répondit le guérillero d'un ton dubitatif.

— C'est notre travail, répliqua Sydney.

— Vous avez tort d'exercer ce travail, vous avez eu tort d'effectuer cette mission.

Les deux rebelles discutèrent à mi-voix en espagnol, puis le « chef » leur lança :

— La *señorita* va mourir en premier. Voulez-vous que nous vous laissions un moment pour vous dire adieu ?

Gunner cria.

— Je vous déconseille de toucher ne serait-ce qu'à un cheveu de sa tête !

— Comme si vous aviez la possibilité de nous en empêcher…

— Vous êtes des lâches pour vous en prendre à une femme.

Les guérilleros ne répondirent pas.

De nouveau, Gunner tira sur ses liens. Les cordes étaient sur le point de céder. Enfin !

Au même moment, une explosion retentit à l'entrée de la tente. Sous la violence de la déflagration, la chaise de Gunner tomba sur le côté. Très vite, il se libéra des cordes qui l'emprisonnaient. Le « chef » et son acolyte ne semblaient pas réagir. Sans doute avaient-ils quitté les lieux.

Dehors, des cris de voix, des coups de feu et des bruits de pas précipités s'entremêlaient.

— Sydney !

Arrachant le sac de jute de sa tête, il se précipita vers elle. Elle aussi était à terre. Elle ne bougeait plus. L'avaient-ils tuée avant de prendre la fuite ?

Mais elle poussa un gémissement. Elle aussi était parvenue à se libérer de ses liens. Evidemment. Sa Sydney était une battante. Il la débarrassa de son sac de jute et l'examina, cherchant avec angoisse du sang, des traces de blessures.

Heureusement, ses yeux émeraude brillaient. Dieu,

qu'elle était belle ! Il avait tellement envie de l'embrasser qu'il en avait mal.

Mais Slade est vivant.

La gorge serrée, il l'aida à se mettre sur pied.

— Pourquoi leur répondais-tu ? s'étonna-t-il. Ne comprenais-tu pas que j'essayais d'attirer leur attention sur moi ?

— Je m'efforçais de te laisser la vie sauve. Ne me remercie pas, ajouta-t-elle en passant la main sur ses vêtements pour en retirer la poussière.

Il lui prit le poignet.

— La prochaine fois, essaie de rester, *toi*, en vie. Je préfère.

A l'extérieur, les mitraillettes faisaient rage.

Logan et Cale étaient arrivés à temps. Il se promit de leur offrir une bière pour les en remercier.

Plus tard.

Lorsqu'ils auraient quitté cette maudite jungle.

Il fallait faire les choses dans l'ordre… et pour commencer, récupérer des armes.

Se déplaçant comme des ombres, ils sortirent de la tente. Leurs gardes n'étaient nulle part en vue. Un indicible chaos régnait dans le camp. Des hommes couraient partout, tiraient dans tous les coins.

Cale s'était certainement positionné à distance, pensa Gunner. Les guérilleros canardaient de tous côtés mais sans véritable stratégie. Cale était un sniper, lui aussi. Il tirait à bon escient, avec précision et efficacité. Il s'était certainement chargé aussi des explosifs. Les pains de plastic avaient été disposés de façon à provoquer un maximum de dégâts.

Gunner promena les yeux autour de lui. A quelques pas, un rebelle armé observait la jungle, sans même se soucier d'assurer ses arrières.

— Vas-y, lança Sydney. Je te couvre.

Comme toujours. Il pouvait compter sur elle.

Sans bruit, il s'élança. Il se jeta sur le guérillero, le fit tomber et s'empara de sa mitraillette avant même que le type ne touche le sol.

A présent, il était armé.

Il leva les yeux vers Sydney pour lui décocher un sourire de triomphe, mais un rebelle pointait son fusil sur la tête de la jeune femme.

Non !

Instantanément, Gunner brandit son arme.

Mais avant qu'il n'ait le temps de tirer, une déflagration explosa à ses oreilles. Deux balles atteignirent le guérillero en pleine poitrine.

Qui avait fait feu en même temps que lui ? Cale ? Sans doute. Il effectuait son travail, s'assurait qu'ils en sortent vivants.

Sydney rampa vers l'homme étendu à terre et s'empara de son fusil.

Maintenant que tous deux étaient armés, il était temps de passer à l'action. Ils n'étaient pas venus dans ce camp pour abattre des rebelles. Ils avaient une mission.

Retrouver l'otage.

Nous arrivons, Slade.

La plupart des guérilleros fuyaient le camp pour se réfugier dans la jungle. Certains sautaient dans des Jeep pour filer plus vite. Les explosions les avaient terrifiés. Visiblement, ils n'étaient pas prêts à mourir pour leur cause.

Moins ils seraient nombreux, plus il serait facile de sauver Slade, se réjouit Gunner.

Avec Sydney, il se mit à fouiller les tentes. Certaines brûlaient, mais toutes étaient vides. Slade demeurait introuvable.

Pourtant, il était *forcément* là.

Ou peut-être dans le secteur.

En marge du camp, Gunner repéra les ruines d'un ancien temple.

Sydney les avait aperçus également et hocha la tête.

Mais des coups de feu retentirent derrière eux. Gunner riposta aussitôt.

Des échanges nourris s'ensuivirent.

— Vas-y ! ordonna-t-il à Sydney.

Si Slade était enfermé dans ce temple, ils devaient l'en sortir. Peut-être était-il blessé, à l'agonie…

4

Le cœur battant, Sydney courut vers l'édifice de pierre. D'immenses dalles blanches étaient dressées, encadrant l'entrée de ce qui avait sans doute été un temple, autrefois. L'endroit était en ruine, mais il y avait de la lumière à l'intérieur.

L'arme au poing, Sydney s'avança lentement. Un homme était ligoté sur une chaise, les mains dans le dos, la tête recouverte d'un sac de jute, comme elle tout à l'heure. Une lanterne posée à ses pieds éclairait les haillons qu'il portait sur le dos.

Elle s'approcha avec précaution. Apparemment, il n'y avait personne alentour. Mais, préférant ne pas courir de risques inutiles, elle inspecta rapidement les coins sombres.

Le prisonnier avait dû deviner sa présence, car il se raidit.

— Qui est là ? demanda-t-il avec inquiétude.

Sydney aurait voulu reconnaître sa voix. Dans la jungle, Gunner avait tout de suite identifié Slade. Mais elle ne partageait pas cette certitude. S'agissait-il de son ancien fiancé ou d'un inconnu ? La seule voix qu'elle aurait reconnue n'importe où était celle de … Gunner.

Elle s'immobilisa devant l'otage.

— Je suis là pour vous aider, murmura-t-elle.

A l'aide du poignard qu'elle avait récupéré sur le type

abattu par Gunner, elle coupa les liens qui emprisonnaient l'otage.

— Ne bougez pas.

Mais l'homme se mit à trembler.

— Parlez-moi encore. Je crois que…

Elle fronça les sourcils. Il lui aurait suffi de retirer le sac de jute qui lui couvrait la tête pour savoir qui il était. Mais elle n'osait pas.

— Que croyez-vous ? demanda-t-elle.

— Que je vous connais…

Lorsqu'elle acheva de le libérer, il se leva, arrachant d'un geste le sac sur sa tête. A la lueur diffusée par la lanterne à leurs pieds, Sydney put enfin distinguer son visage.

Ses cheveux avaient beaucoup poussé, il portait à présent une longue barbe, mais elle reconnut ces pommettes haut placées, ce nez belliqueux, ses yeux noirs.

— Sydney…

Il la prit dans ses bras et sa bouche se pressa contre la sienne. Mais Sydney était si étonnée qu'elle restait pétrifiée, incapable de bouger, de lui rendre ses baisers.

Slade ?

Il était vivant.

Et pourtant, deux ans plus tôt, le croyant mort, ils l'avaient laissé derrière eux. Ils l'avaient abandonné, blessé, au fond de la jungle : vivant !

Il l'embrassa avec force, avec passion.

Elle recula, les yeux écarquillés, comme si elle voyait un fantôme.

— Slade ?

A l'extérieur, les tirs avaient cessé. C'était bon signe… ou l'annonce d'une catastrophe. Repoussant Slade, elle se tourna vers l'entrée du temple.

Un homme se tenait sur le seuil. Grand et large d'épaules, armé, il les regardait fixement.

Il s'avança jusqu'à la lanterne posée sur le sol. C'était Gunner. Il faisait trop sombre pour qu'elle puisse voir son expression mais son corps semblait tendu à l'extrême.

— Slade ? fit-il d'une voix rauque en baissant son arme.

Lentement, Slade se tourna vers son frère. Il était maigre, *bien plus maigre* qu'autrefois.

Qu'il y a deux ans.

Gunner s'approcha de Slade d'un pas hésitant.

— Je… je te croyais mort.

Comme Slade clopinait vers lui en boitant, Gunner lui ouvrit les bras pour l'embrasser.

Mais son frère lui envoya son poing en pleine figure.

— Slade ! hurla Sydney. Arrête !

Au lieu d'obtempérer, Slade se jeta sur Gunner pour le rouer de coups, le frappant de ses poings, de ses pieds. Encore et encore.

Gunner ne se défendit pas. Il ne chercha pas à parer l'attaque, n'essaya pas de se protéger ou de riposter. Il tomba à terre et Slade continua à s'acharner sur lui.

— Arrête ! répéta Sydney.

Elle prit Slade par le bras mais il se dégagea avec tant de violence qu'elle fut projetée en arrière.

— Sydney ! cria Gunner.

Slade leva la main alors sur Sydney, prêt à la gifler, mais Gunner le saisit par le poignet et l'immobilisa.

Sydney dévisagea son ancien fiancé.

Il a vécu l'enfer. Il ne sait plus ce qu'il fait.

— Il faut te calmer, Slade.

A l'extérieur, la fusillade avait repris.

Secouant la tête, Sydney se mit sur pied. Elle serrait toujours son fusil à la main. Elle était prête à s'en servir pour séparer les deux frères s'il le fallait.

— Nous devons partir d'ici. Comprends-tu ?

Slade tentait de recouvrer son souffle.

— Slade, comprends-tu ce que je viens de dire ?

Il n'y avait pas de temps à perdre. Les rebelles qui avaient couru se réfugier dans la jungle n'allaient plus tarder à revenir, sans doute avec des renforts. Les agents de la Section d'Elite étaient particulièrement doués. Mais à quatre, ils ne pourraient pas résister longtemps face à une petite armée.

Slade hocha la tête.

— Je comprends.

Gunner s'était relevé. Il avait le visage en sang.

— Nous allons sortir de ce temple, poursuivit Sydney. Slade, reste entre Gunner et moi. Tu feras exactement ce que nous te dirons, d'accord ?

Slade se tourna vers Gunner. Malgré la pénombre, elle mesura l'intensité de sa colère, de sa haine.

Pour son frère, son frère qui l'aimait tant.

Des salves de tirs résonnèrent de nouveau. Puis ce fut le silence.

— Allons-y, chuchota Sydney.

Elle devait se focaliser sur la mission, sortir Slade d'ici. Une fois à l'abri, loin de ce camp, loin des guérilleros, ils pourraient s'expliquer. Mais dans l'immédiat, il leur fallait se replier. Le temple semblait prêt à s'écrouler à tout moment. Ils ne devaient pas y rester.

Elle les entraîna dehors, Gunner fermant la marche, derrière Slade. Elle inspecta la zone, s'assurant qu'ils pouvaient s'y aventurer sans risquer de prendre une balle perdue, puis elle s'élança vers les arbres.

Tout en courant, elle aperçut Logan : il abattait un homme qui s'apprêtait à se jeter sur lui, un poignard à la main. Il leur fit signe de le suivre.

Au pas de course, ils s'enfoncèrent dans la jungle.

Jusqu'à une clairière où une Jeep les attendait, à moitié dissimulée sous des feuillages. Logan sauta au volant.

— Montez ! cria-t-il.

Sydney prit Slade par le bras et l'aida à prendre place.

Mais comme elle s'apprêtait à y grimper à sa suite, Gunner se jeta sur elle pour la faire tomber au sol. Des coups de feu déchirèrent le ciel et une balle toucha la carrosserie, à l'endroit précis où elle se trouvait un instant plus tôt.

Logan répliqua, tirant sur l'ennemi.

Gunner et Sydney en profitèrent pour sauter dans la Jeep, puis Logan démarra sur les chapeaux de roues et s'éloigna du champ de bataille, slalomant entre les arbres, se frayant un chemin dans la jungle.

Derrière eux, les rebelles les mitraillaient sans relâche.

Un peu plus loin, Logan ralentit pour récupérer Cale, qui bondit à son tour dans le véhicule. L'équipe était au complet. Mais la mission était loin d'être terminée. Elle ne serait accomplie que lorsqu'ils auraient mis l'otage à l'abri, puis l'auraient rapatrié aux Etats-Unis.

Ils repartirent, roulant de plus en plus vite.

Quand les coups de feu parurent s'estomper dans le lointain, ils purent enfin respirer.

Sydney reporta alors son attention sur l'intérieur de la Jeep. Gunner était serré contre elle et lui tenait le bras avec force, comme s'il craignait qu'elle ne s'éloigne de lui. Slade, lui, était assis de l'autre côté de son frère. Il ne parlait pas, ne bougeait pas.

Elle fixa la main de Gunner. Lentement, il desserra son emprise et finit par la lâcher totalement.

Au volant, Logan lança sans se retourner :

— Slade Ortez ?

— Oui.

Le mot fut presque imperceptible, assourdi par les rugissements du moteur.

— Tout ira bien pour vous, maintenant. Nous allons vous ramener au bercail.

Sydney fronça les sourcils, intriguée par une odeur de sang. Elle se tourna vers Gunner : il avait été touché à l'épaule.

— Tu es blessé, dit-elle en tentant de l'examiner.

Il la repoussa.

— Ce n'est rien.

— Tu mérites de souffrir, cracha soudain Slade. En réalité, tu mériterais de mourir. *Mon frère.*

Dans sa bouche, le mot sonnait comme une insulte.

Sydney blêmit.

— Slade, tu ne sais pas ce que tu dis.

Elle se remémorait Gunner la faisant tomber sur le sol, la couvrant de son propre corps. Le projectile qui avait failli la tuer l'avait-il atteint, lui ?

Gunner a reçu une balle qui m'était destinée...

Mais Slade refusait d'en démordre.

— Je sais... très bien... ce que je dis.

Non, il ne le savait pas, s'emporta Sydney intérieurement. Certes, il avait été retenu deux ans en captivité. Blessé, torturé. Il avait sans doute des excuses. Mais ce n'était plus l'homme qu'elle avait aimé autrefois.

— Gunner a risqué sa vie pour toi, lui rappela-t-elle. Comme eux tous.

Elle se pencha vers Gunner :

— Il faut qu'on te retire cette balle.

Elle s'efforça de nouveau d'examiner la blessure, mais il l'écarta encore. Elle en fut profondément blessée.

— Quand nous serons en sécurité, reprit Gunner sans montrer aucune émotion, nous nous en occuperons. En attendant, la douleur est supportable.

Il était capable de tout endurer, elle le savait. Et sans jamais montrer la moindre émotion.

Pour semer d'éventuels poursuivants, ils firent de multiples détours et changèrent deux fois de véhicule. Logan utilisa l'argent liquide qui lui avait été remis pour cette mission.

Quand ils atteignirent la côte, le soleil se levait dans le ciel et Sydney considéra les traits hagards de Slade.

En deux ans, il semblait en avoir pris dix. Ses cheveux grisonnaient, son corps était décharné, sa peau flasque. Il ressemblait à un vieillard. L'homme plein de vie et d'entrain avait disparu. Il ne reviendrait jamais.

Quant à Gunner…

Il évitait son regard. Il ne parlait que lorsqu'il y était obligé et l'odeur de son sang flottait toujours dans l'air.

Elle détourna les yeux.

A leur dernière halte, ils avaient tous enfilé des vêtements propres. Gunner avait posé un grossier bandage sur sa blessure.

Ils n'avaient plus l'air d'avoir passé la nuit dans la jungle. Ils ressemblaient plutôt à des fêtards qui avaient bu et dansé jusqu'à l'aube.

A l'exception de Slade. Des vêtements propres n'avaient pas suffi à modifier son apparence. Il avait besoin d'être soigné.

Ils ne retournèrent pas au village de vacances. Il leur avait paru préférable de changer de lieu, de désarçonner l'ennemi si celui-ci avait eu vent de l'endroit où ils s'étaient rendus en débarquant.

Ils se dirigèrent donc vers des villas bâties le long de la plage. Situées dans une impasse, elles ne paraissaient pas très luxueuses. Les rebelles ne pourraient imaginer que des agents secrets y avaient trouvé refuge. Ils n'y resteraient pas longtemps, de toute façon. Dès que possible, ils s'envoleraient pour les Etats-Unis.

En descendant de la Jeep, Slade resta un moment immobile à fixer la plage, la mer.

A son tour, Gunner sortit du véhicule. Il tremblait, remarqua Sydney. Il fallait absolument lui retirer cette balle, le soigner.

Avec l'aide de Cale, elle l'entraîna dans l'une des maisons.

Il tenta de les repousser.

— Laissez-moi, je peux me débrouiller.

— Non, répliqua-t-elle en le poussant vers la chambre. Certainement pas. Enlève ta chemise.

Logan leur apporta une trousse de secours.

A la vue de l'aspect de sa blessure, Sydney se mordit la lèvre.

— Allonge-toi sur un des lits, je te rejoins tout de suite.

Elle se hâta vers la salle de bains pour y trouver de quoi nettoyer la plaie.

Quand elle revint dans la chambre, Gunner s'y était installé. Logan, Cale et Slade se tenaient dans le salon pour la laisser le soigner tranquillement.

Comme elle s'asseyait sur le bord du matelas, Gunner lui prit la main.

— Ne lui dis pas, ne lui dis rien.

— De quoi parles-tu ?

Mais l'estomac noué, elle savait très bien à quoi il faisait allusion.

— Ne raconte pas à Slade ce qui s'est passé entre nous. Il n'a pas besoin de l'apprendre.

Ses mots la heurtèrent, comme une gifle.

— Et moi, qui se soucie de ce dont j'ai besoin ?

Il serra les mâchoires.

— C'est lui dont tu as besoin, non ? C'est lui que tu aimais, que tu aimes depuis toujours, c'est lui que tu voulais épouser.

Sans répondre, elle se mit à nettoyer sa plaie.

— Je n'ai rien pour anesthésier.

— Je me moque d'avoir mal.

Il était toujours si fort.

— Pourquoi fais-tu semblant de ne jamais rien éprouver ? lui lança-t-elle. Nous savons toi et moi que ce n'est pas le cas.

— Eprouver des émotions, des sentiments, est dangereux.

Elle ne s'attendait pas à cette réponse et le regarda en face.

Ses yeux noirs étaient brûlants de *passion,* de *douleur.*

— Si dangereux, murmura-t-il.

Le cœur de Sydney s'accéléra dans sa poitrine. Mais elle reporta son attention sur l'épaule de Gunner et s'empara d'une pince pour retirer la balle. Par chance, le projectile n'avait pas explosé sous l'impact. Elle n'eut pas de difficulté à l'ôter, même si Gunner dut serrer les dents pour étouffer des cris de douleur.

Ensuite, elle nettoya la plaie et refit un pansement.

Quand elle eut fini, elle posa la main sur lui, incapable de s'en empêcher. Elle avait besoin de sentir la chaleur de sa peau, la dureté de ses muscles.

Mais la voix de Gunner claqua comme un avertissement.

— Arrête, Sydney.

— Ta lèvre est tuméfiée, fit-elle observer en reprenant ses soins. Pourquoi n'as-tu pas tenté de te défendre ?

Des voix provenaient de la pièce voisine. Logan et Cale posaient des questions à Slade.

Slade.

Pendant des mois, elle avait espéré contre tout bon sens qu'il était en vie quelque part, qu'il reviendrait vers elle. Qu'ils se retrouveraient. Et elle éprouvait alors une joie réelle à le savoir vivant, libéré des griffes de ses ravisseurs. Elle aurait risqué sa vie des dizaines de fois pour le sortir du camp des guérilleros. Mais elle l'aurait également fait pour Gunner et aurait connu une joie plus forte encore à le savoir en vie et libre.

Une femme ne devait pas se sentir déchirée à ce point entre deux hommes, se reprocha-t-elle.

La porte s'ouvrit à toute volée.

— Sydney ! hurla Slade. Ecarte-toi de lui !

Elle sursauta. En effet, elle était très proche de Gunner et, sans s'en rendre vraiment compte, le caressait du bout des doigts. Lui, en revanche, ne la touchait pas et avait sagement posé les mains sur le lit.

Lentement, elle se leva.

Logan entra à son tour.

— Avez-vous réussi à retirer la balle ? demanda-t-il.

Sydney hocha la tête.

— Oui, il va bien, maintenant.

— Non ! cria Slade.

Les poings serrés, les yeux brillant de colère, il s'élança pour frapper son frère. Mais Cale s'interposa pour l'en empêcher.

Slade se mit à hurler comme un dément.

— C'est un salaud ! Il mérite de souffrir, de crever comme un chien.

— Il vient de vous sauver, lança Logan en se mettant entre les deux frères. Ecoutez, Slade, je sais que vous avez vécu l'enfer…

Le rire de Slade les glaça tous.

— Vous ne savez *rien*, vous ne comprenez *rien*. Rien, vous entendez ? Vous croyez que Gunner est votre ami, que vous pouvez lui faire confiance ? Vous vous trompez et il vous trahira un jour ou l'autre comme il m'a trahi, moi.

La bave coulait à la commissure de ses lèvres.

Gunner se leva. Il était torse nu, vêtu seulement de son pantalon. Il s'approcha de Slade.

— Oui, oui, viens ! cria celui-ci, les poings serrés. Bats-toi avec moi comme un homme. Casse-moi la figure franchement. Au lieu de m'abandonner dans la jungle, de me laisser pourrir aux mains des rebelles comme il y a deux ans !

— Ne dis pas ça, cria Sydney en secouant la tête. Nous te croyions mort, Slade. Voilà pourquoi nous sommes partis. Si nous nous étions doutés que tu étais en vie, jamais nous t'aurions laissé dans la jungle.

Il eut un mauvais sourire.

— *Gunner* savait.

Quoi ?

Slade s'écarta de Cale et pointa un doigt tremblant sur Gunner, en réitérant ses accusations.

— Ce fumier, mon soi-disant *frère*, savait très bien que je n'étais pas mort.

Sydney secoua la tête.

Gunner, lui, se contentait de dévisager son frère sans rien dire.

— Il est facile de voir si un homme respire ou pas, si son cœur bat ou pas, poursuivit Slade. Surtout pour quelqu'un comme Gunner, qui a été entraîné.

Sydney s'avança.

— Nous pensions tous les deux que tu étais mort. Nous étions sous le feu de l'ennemi, nous avions été touchés et tu avais perdu tant de sang…

Slade ouvrit sa chemise et leur montra les cicatrices qui zébraient sa poitrine. Sydney reconnut des impacts de balles, des blessures provoquées par les kalachnikovs.

— J'étais à terre, gravement blessé, mais je n'étais pas mort. Mais toi, Gunner, tu as vu là l'occasion de te débarrasser de moi, n'est-ce pas ? Tu m'as laissé me vider de mon sang. Je te gênais, alors tu m'as écarté de ton chemin sans avoir à te salir les mains.

C'était de la folie, songea Sydney.

Elle croisa le regard de Logan. Il semblait… en colère ? Mais il resta silencieux. Pourquoi ? Il était l'ami de Gunner. Il savait que ces accusations étaient grotesques, qu'elles ne reposaient sur rien. Ils le savaient tous d'ailleurs.

— Tu es traumatisé, dit-elle à Slade. Après avoir vécu deux ans en captivité, tu n'as pas l'esprit clair. C'est compréhensible. Quand nous reviendrons aux Etats-Unis, tout ira…

— Il te convoitait, la coupa-t-il.

Ces mots lui firent l'effet d'une bombe. Elle fit non de la tête.

— Ecoute, Slade, tu ne sais plus où tu en es. Tu as connu l'enfer, enduré trop de souffrances. Mais Gunner t'aime. Il ne t'aurait jamais abandonné s'il s'était douté que tu…

— Il te convoitait, répéta Slade. Je le gênais, poursuivit-il, les yeux injectés de sang, de haine. Alors il a trouvé le moyen de m'éliminer.

— Tu dis n'importe quoi ! tonna Sydney. Nous étions au Pérou pour te sauver. Ton avion s'était écrasé dans la montagne, tu étais tombé aux mains de ces guérilleros. Nous étions venus t'arracher de la jungle. Pourquoi nous serions-nous donnés tant de mal si nous avions voulu que tu meures ?

Mais Slade serrait toujours les poings, sûr de son fait.

— Toi, Sydney, tu *voulais* me sauver. Gunner t'a suivie jusqu'ici parce qu'il ne pouvait pas faire autrement. Mais il attendait le bon moment, l'occasion… pour t'enlever à moi.

Sydney déglutit. Gunner lui avait demandé de ne pas parler à son frère de ce qui s'était passé entre eux. Mais Slade se comportait comme s'il… le savait.

— Et il t'a eue, non ? s'écria Slade. Ne nie pas. Je le vois dans ses yeux.

Elle rougit.

— Cela suffit ! lâcha Gunner.

— Oh, non ! répliqua son frère. Nous sommes loin d'en avoir terminé. Ils m'ont torturé pendant *deux ans.* Et pendant que je souffrais mille morts, combien de fois as-tu couché avec ma…

Gunner se jeta sur lui. Cette fois, ce fut lui qu'il fallut ceinturer.

— Laissez-le, criait Slade. Je préfère qu'il me frappe, plutôt qu'il me prenne ma femme !

— Arrête ! hurla Sydney.

Elle leva la main. Sa tête lui tournait. Elle avait imaginé des centaines de fois le sauvetage de Slade, mais jamais elle n'aurait pu concevoir un tel scénario.

Elle s'approcha de lui.

— Arrête, répéta-t-elle. Gunner a dû me sortir de la jungle. Moi aussi, j'ai failli mourir là-bas. Et lui aussi, était blessé. Nous parvenions à peine à marcher.

Pourquoi ne pouvait-il pas comprendre ce qu'il s'était passé ?

Slade la dévisagea avec mépris.

— Apparemment, tu as survécu.

Elle releva le menton.

— Des opérations de recherche ont été organisées pour te retrouver. Nous n'avons cessé de te chercher.

— Vous ne vous êtes pas montrés très efficaces, on dirait…

Il semblait dévoré par la colère, par la haine.

— Stop ! s'exclama Logan à son tour. Emmène-le à côté, ordonna-t-il à Cale. Installe-le dans l'autre villa et essaie de le calmer.

Cale posa la main sur l'épaule de Slade, mais ce dernier se dégagea avec brusquerie.

— Vous ne me croyez pas ? hurla-t-il. Vous pensez le connaître ? Pouvoir lui faire confiance ? Vous me prenez pour un fou, c'est ça ?

Il ricana. Son rire amer était plus violent que ses mots.

— Eh bien alors, *posez-lui la question*. Demandez-lui si je délire, si je mens. Vas-y, Sydney. Après tout, tu as couché avec lui. Toute cette histoire te concerne, non ?

— Non, riposta-t-elle.

Sa migraine empirait. Elle se frotta les tempes dans l'espoir de la soulager.

Slade n'avait plus rien de l'homme dont elle avait gardé le souvenir. Il n'était plus que fureur.

— Pose-lui la question ! répéta Slade. Demande-lui s'il n'a pas toujours eu envie de t'avoir, de coucher avec toi !

Elle dévisagea Gunner. Les yeux dans les siens, il ne détourna pas la tête. Mais elle ne put se résoudre à l'interroger.

— Sortez-le, cria Logan.

— J'ai vu la manière dont tu la reluquais, dont tu la reluques maintenant. Tu l'as toujours désirée, avoue-le ! Et je n'étais plus là pour t'empêcher de me la prendre !

Cale le poussa vers la porte.

Mais Slade continuait à vociférer.

— Tu as joué les héros avec elle, mais tu m'as laissé mourir. Pour parvenir à tes fins ! Pour l'avoir, elle ! Salaud !

Sydney tressaillit.

— Dis-lui la vérité, Gunner ! hurla Slade tout en se battant avec Cale. Elle a le droit de savoir. Moi aussi.

Regarde-la dans les yeux et dis-lui ce que tu éprouves pour elle, dis-lui que tu n'as jamais cessé de la regarder quand tu pensais que personne ne faisait attention à toi. Mais moi, j'avais vu ton manège. J'ai toujours su que tu la désirais.

Il s'exprimait d'une voix horrible, méchante. Il n'avait plus rien du Slade dont elle avait gardé le souvenir. La captivité l'avait métamorphosé. Il faudrait des mois, peut-être des années de thérapie avant que le Slade qu'elle avait connu ne revienne.

Peut-être ne reviendrait-il jamais.

— J'ai toujours su que tu la convoitais, répéta Slade. Mais elle, elle m'aimait ! Ce n'était pas toi qu'elle aimait, mais moi ! Alors tu t'es arrangé pour me mettre hors circuit. Dis-le-lui ! Avoue-le !

Mais Gunner ne soufflait mot.

Cale avait presque réussi à le sortir de la pièce quand soudain Slade s'immobilisa. Il avait les joues rouges, les yeux étincelants. Cette fois, il se tourna vers Sydney et lui lança.

— Pourquoi ne se défend-il pas ?

Il ne criait plus. Sans doute était-il devenu aphone à force de hurler.

— Ne devrait-il pas te jurer que je me trompe, que je dis n'importe quoi ? Pourquoi ne dit-il rien ?

Et elle ? s'interrogea-t-elle. Pourquoi restait-elle silencieuse ?

Elle s'éclaircit la gorge.

— Tu ne sais plus où tu en es, tu es brisé, Slade.

— A-t-il attendu un peu, quelques mois ? Ou s'est-il jeté sur toi dès votre retour ?

Elle ouvrit la bouche, stupéfaite.

— Cela ne s'est pas passé ainsi !

Gunner ne lui avait pas couru après, n'avait pas sauté sur elle. Pendant deux ans, il l'avait évitée. Jusqu'à…

Jusqu'à leur dernière mission.

Lorsqu'elle lui avait dit qu'elle avait envie d'avancer, de tourner la page, qu'elle ne l'attendrait pas plus longtemps.

— Tu te trompes au sujet de Gunner, poursuivit-elle. Tu le comprendras bientôt.

Gunner n'avait toujours pas prononcé un mot.

— Non, répliqua Slade. C'est *toi* qui te trompes et qui vas le comprendre très bientôt.

Il s'en alla enfin, Cale sur les talons.

Quand la porte se referma, ils restèrent tous trois silencieux.

Sydney se sentait vidée. Son corps était courbaturé, douloureux, comme si elle venait de se battre avec violence avec quelqu'un. C'était d'ailleurs le cas.

Logan rompit le silence.

— Il est victime du stress. Slade va se faire aider par un psychiatre, il va…

Gunner secoua la tête.

— Il pensait chaque mot qu'il a prononcé, chacune de ses accusations.

— Eh bien, s'il les croit, il se trompe, rétorqua Logan. Je te connais et je sais que tu n'es pas ainsi, comme il te décrit. Tu n'abandonnerais pas un camarade blessé, surtout ton frère.

— Pourtant, je l'ai abandonné, soupira Gunner. N'est-ce pas d'ailleurs pour cette raison que nous sommes ici ?

Sydney avait envie de le secouer comme un prunier. Sans lui, elle serait morte au cours de cette mission. Elle se demandait encore comment, blessé, il avait réussi à la mettre à l'abri.

— Des équipes de sauvetage sont revenues sur le

terrain, lui rappela-t-elle. Ils n'ont pas vu la moindre trace de Slade. Cesse de te reprocher ce qui n'est pas ta faute.

Gunner lui jeta un regard de biais.

— Pourquoi ne m'as-tu pas posé la question comme il te le demandait ?

Logan les interrompit.

— Bon, je vais contacter Mercer. Sydney… Quand vous en aurez fini ici, nous discuterons de notre stratégie de rapatriement.

Puis il quitta la pièce. Presque en courant.

Gunner secoua la tête comme pour repousser de douloureux souvenirs. Puis il s'approcha de Sydney.

— Il t'a demandé de me poser la question. Pourquoi ne l'as-tu pas fait ?

— Parce que je ne voulais pas que les autres entendent ma réponse. Parce que j'estimais qu'elle ne regardait que nous deux.

— Tu pensais qu'il avait raison, non ?

— Non, pas lorsqu'il t'accuse de l'avoir laissé sciemment, en le sachant vivant, murmura-t-elle.

— Tu savais que je te désirais.

C'était la partie la plus difficile et, pour répondre, elle allait devoir mettre son amour-propre de côté. Mais quelle importance, dans ce contexte ?

— Non, mais je savais que *moi,* je te désirais.

C'était son secret, elle en avait eu honte à l'époque. Elle avait connu Slade en premier, l'avait aimé…

Puis elle avait rencontré Gunner.

Dès le départ, il l'avait troublée, rendue nerveuse. Chaque fois qu'elle était près de lui, elle était dans tous ses états. Il ne ressemblait pas à Slade qui ne cessait de la complimenter, de la sortir, de l'emmener faire la fête.

Jusqu'alors, elle ne s'était pas beaucoup amusée dans la vie. Ses parents lui avaient donné une éducation très stricte. Son père était colonel dans la marine, sa mère, fille de militaire. Mais cette dernière avait été emportée par une crise cardiaque alors que Sydney n'avait que quatorze ans. Son père en avait été brisé, et c'était elle qui avait dû prendre soin de lui. Elle avait été obligée de grandir, de devenir adulte avant l'heure. Malgré cela, il avait sombré dans l'alcool. Elle avait à peine dix-huit ans quand il s'était tué en voiture.

Quinze jours plus tard, elle s'était engagée sous les drapeaux.

Slade avait été le premier des frères Ortez qu'elle avait connu, celui qui souriait, plaisantait, la faisait rêver. Elle avait accepté de l'épouser parce qu'elle l'aimait et qu'il lui disait qu'il l'aimait.

Alors que Gunner… Elle se demandait parfois s'il ne la détestait pas, si elle ne l'insupportait pas.

A présent, Gunner ne soufflait mot, se contentant de la dévisager. Et elle avait tout dit, non ?

— Repose-toi, dit-elle en s'éloignant vers la porte.

Elle voulait parler à Slade. En tête à tête.

Dans le salon, Logan s'entretenait au téléphone avec Mercer. Mais il n'avait certainement pas perdu un mot de ce qu'elle avait dit à Gunner, songea-t-elle.

— Ne te crois pas obligée de mentir.

Les mots de Gunner la pétrifièrent sur place.

— Tu crois que je mens ? répondit-elle, la main sur la poignée. Alors sans doute ne me connais-tu pas aussi bien que je le pensais.

Sur ces mots, elle sortit.

Puis elle rejoignit la villa voisine où Slade avait été emmené par Cale.

Elle s'approcha de celui-ci :

— Cale, cela t'ennuie de me laisser m'entretenir un moment seule à seul avec Slade ?

Il la regarda avec surprise.

— Es-tu certaine d'en avoir envie ? Il est vraiment remonté, Sydney.

— J'ai besoin de lui parler.

Elle voulait comprendre ce qu'il lui était arrivé, où il avait vécu pendant ces deux ans.

Cale hocha lentement la tête.

— D'accord. Si tu as besoin de moi, je suis dehors, à portée de voix.

Elle réprima un soupir. Elle était agent secret, elle n'avait besoin de personne pour la protéger.

— Sydney ? appela Slade.

Il semblait plus calme.

— Je reste derrière la porte, murmura Cale.

Slade s'avança vers elle, d'un pas incertain. Il boitait.

— Je pensais justement à toi. J'ai pensé à toi sans cesse dans la jungle.

Il la prit par la taille et l'attira à lui.

Pourquoi se sentait-elle si mal à l'aise dans ses bras ? Elle se força à lui rendre son baiser.

— Je suis heureuse que tu sois en vie, répondit-elle avec sincérité.

— Cela fait plaisir de savoir qu'il y a au moins une personne à se réjouir que je sois revenu d'entre les morts.

Elle se recula pour le regarder en face.

— Gunner aussi en est heureux. Il est ton frère.

— Mon *demi-frère*.

Une différence que Slade avait souvent soulignée dans le passé, mais jamais Gunner.

— Il ignorait que tu avais survécu. Des équipes de sauvetage sont parties à ta recherche.

Elle avait failli dire à la recherche de « ton corps ».

— Mais personne n'a retrouvé ta trace. Où étais-tu, Slade ? ajouta-t-elle en secouant la tête.

— Je n’en sais rien. Les premiers mois, j’étais dans un tel état que je n’avais conscience de rien. Ensuite, ils m’ont traîné de camp en camp. J’ai eu l’impression de sillonner la jungle dans tous les sens.

— Et ils n’ont jamais tenté d’obtenir une rançon ? Pourquoi ne l’avaient-ils pas fait ? Ils détenaient un otage qui avait de la valeur. Pourquoi n’en avaient-ils pas tiré profit ?

— Je n’étais pas leur seul prisonnier. Certains ont été échangés contre de l’argent. D’autres ont été tués. Ecoute, j’ignore pourquoi ils ne m’ont pas tué. Ni pourquoi ils n’ont cessé de me changer de place. Parfois, j’aurais voulu qu’ils me tuent. Pour en finir.

— Slade…

— J’avais envie de mourir… Ils me posaient des questions sur ma vie, sur mon travail, sur toi.

Le cœur de Sydney s’accéléra dans sa poitrine. Lorsque les guérilleros les avaient interrogés, Gunner et elle, ils leur avaient parlé de la Section d’Elite.

— Leur as-tu parlé de la Section d’Elite ?

Slade n’avait jamais fait partie de l’équipe, mais il les avait vus à l’œuvre à l’occasion.

— Oui, reconnut-il. J’aurais dit tout et n’importe quoi pour avoir de l’eau, de la nourriture.

Elle se souvint du sniper qui avait pris pour cible les Agents de l’Ombre, peu de temps auparavant. Il travaillait pour un Latino-Américain, l’enquête l’avait démontré. Avait-il été renseigné par Slade ?

Inutile de se demander pourquoi ses ravisseurs lui ont laissé la vie sauve. Ils savaient pouvoir se servir de lui pour s’attaquer à nous.

Mais Slade lança soudain :

— Je veux que Gunner fasse l’objet d’une enquête interne.

Sa voix était devenue coupante. Un moment plus tôt, il paraissait presque… calme… mais maintenant, sa fureur était revenue.

— Tu m'entends ? dit-il en s'avançant vers elle. Je veux que Gunner soit interrogé. Il m'a laissé là-bas, abandonné en sachant — en espérant ! — que j'allais mourir. Il ne va pas l'emporter au paradis.

Elle devait lui faire entendre raison.

— Nous pensions tous les deux que tu étais mort, Slade. Nous avions organisé des funérailles.

Elle avait failli se trouver mal lors de la cérémonie.

Mais Slade éclata de rire.

— Il a dû s'en réjouir, j'en suis sûr.

Non, Gunner avait, lui aussi, été accablé. Elle revit son regard hanté.

— J'irai trouver tous les agents de la Section d'Elite s'il le faut, mais je ne laisserai pas Gunner s'en tirer. Il doit répondre de ses actes.

Il planta ses yeux dans les siens.

— Il paiera pour ses crimes, je te le jure !

Son regard semblait dément, ses mains tremblaient.

— Slade, tu as traversé l'enfer. Calme-toi. Je ne veux pas que tu t'énerves.

— Que je m'énerve ?

Elle hésita à répondre.

— Tu ne peux pas imaginer à quel point je peux m'énerver, reprit-il avec un sourire méchant. Mais tu ne vas pas tarder à le comprendre.

Il n'avait plus rien du jeune homme toujours à flirter qu'elle avait gardé à la mémoire. Il devenait menaçant.

La porte s'ouvrit dans son dos. Cale venait sans doute s'assurer que tout allait bien pour elle, pensa Sydney.

Slade battit des paupières.

— M'aimes-tu toujours, Sydney ?

Pourquoi l'interrogeait-il tout à coup là-dessus ? Il changeait d'humeur en permanence. Trop vite. Sa captivité l'avait-elle brisé ? Ou y avait-il autre chose ? Ses yeux étaient injectés de sang.

— Sydney ?

— Bien sûr que oui. Tu dois savoir qu'une partie de moi…

La porte se referma.

Ce n'était pas Cale.

Elle se retourna vers la fenêtre : Gunner s'éloignait à grands pas vers la plage.

— Maintenant, il le sait, reprit Slade d'un air satisfait. Et c'est à son tour de souffrir. Maintenant, c'est lui qui va en baver !

Slade contemplait l'océan, les vagues qui se fracassaient sur le rivage. Il ne se souvenait pas de la dernière fois qu'il avait vu la mer. L'odeur de l'iode emplissait ses poumons.

Il s'était rasé et coupé les cheveux. Il ne se sentait pas encore comme un être humain, mais voilà longtemps qu'il ne ressentait plus rien.

Sydney était retournée dans l'autre villa.

Mais pas vers Gunner.

Il ne la laisserait pas retourner auprès de Gunner. Il savait très bien ce qui s'était passé entre eux.

J'avais quelque chose que tu convoitais.

Autrefois, il aimait s'afficher avec Sydney devant Gunner, lui montrer qu'il avait cette femme qu'il désirait et qu'il n'aurait jamais.

Gunner avait toujours joué le rôle du grand frère, fort

et parfait. Mais maintenant, Sydney allait découvrir qui était en réalité Gunner.

Ils le verraient tous.

Sydney comprendrait que Slade avait survécu, qu'il était revenu de l'enfer. Qu'il était le plus fort.

Quant à Gunner…

Il serait anéanti.

5

Sydney ne parvenait pas à trouver le sommeil. Depuis des heures, elle tournait et retournait dans son lit. Chaque fois qu'elle fermait les yeux, elle voyait Gunner.

Et Slade.

Maintenant, c'est lui qui va en baver.

Non, non, elle ne voulait pas qu'il en bave.

Rejetant les draps, elle se leva. Elle se hâta vers les portes coulissantes et sortit de la villa pour aller retrouver Gunner dans la maison voisine. Tant qu'elle ne lui aurait pas parlé, elle n'arriverait pas à dormir.

Il l'avait entendue dire à Slade qu'elle l'aimait. Elle l'aimait, oui, mais ses sentiments n'étaient plus les mêmes qu'il y a deux ans. Elle n'avait pas envie de laisser tomber Slade qui n'allait pas bien, mais elle n'avait pas l'intention non plus de perdre Gunner.

Il comptait trop pour elle.

Vêtue d'un grand T-shirt et d'un short, elle gagna la plage. Le ressac étouffait le bruit de ses pas sur le sable. Aucun nuage ne ternissait la nuit étoilée et le clair de lune jetait une lumière dorée sur les flots. Le paysage était d'une beauté à couper le…

Une déflagration claqua dans le noir et Sydney plongea à terre.

Un coup de feu.

Les rebelles les avaient-ils retrouvés ?

Après avoir quitté leur camp, ils avaient parcouru des centaines de kilomètres, changé deux fois de véhicule, laissé des fausses pistes.

Malgré toutes ces précautions, ces types avaient sans doute réussi à les repérer.

D'autres tirs se firent entendre, des balles s'écrasèrent près d'elle dans un nuage de sable. Sydney se mit à ramper. Il lui fallait atteindre les dunes : elle pourrait s'y mettre à l'abri.

Elle n'avait même pas pris de revolver, se reprocha-t-elle. Une erreur de débutante. Mais elle pensait juste retrouver Gunner.

Sauf qu'à présent, elle était devenue une cible. Les coups de feu venaient d'une zone plongée dans l'obscurité près de la villa de Gunner.

Le cœur de Sydney battait à tout rompre dans sa poitrine. Une balle avait frôlé sa tête, sifflant à ses oreilles. Elle avait eu de la chance. Beaucoup de chance. Soudain, Cale apparut, se précipitant à son secours. Il s'accroupit près d'elle.

— Ça va ?

— Oui, oui… Et Slade ?

Slade avait-il été la personne visée ? Le groupe de rebelles essayaient peut-être de récupérer leur otage.

— Je ne sais pas, répondit Cale. Il était sorti prendre l'air. Et Logan est parti contourner les dunes pour essayer de prendre le tireur par-derrière.

Le silence tomba, seulement ponctué par le fracas des vagues sur le rivage. Sydney s'attendait à voir surgir Gunner, à ce qu'il participe au combat.

Mais il ne se montrait pas.

Après un moment, Logan les rejoignit et leur ordonna de se replier dans la villa la plus proche.

Gunner ne s'y trouvait pas. Slade non plus.

— Où est Gunner ? s'inquiéta Sydney.

— Il avait besoin d'être tranquille un moment, répondit Logan.

— Nous devons partir à sa recherche ! s'écria-t-elle. S'il est sur la plage, il court un véritable danger.

Une lueur apparut alors dans les yeux de Logan, une lueur qui la déstabilisa.

— Il n'y avait qu'un tireur, souligna Logan. Et il a décampé en vitesse.

— Vous pensez qu'il nous a suivis ? demanda Cale, tout en surveillant les environs à travers les volets.

Logan secoua la tête, puis s'approcha de Sydney.

— Vous avez été touchée !

— Ce n'est qu'une égratignure. Ecoutez, je suis inquiète. Il faut retrouver Gunner et Slade !

— Quelqu'un arrive, murmura Cale.

Un instant plus tard, Gunner se précipitait à l'intérieur.

— J'ai entendu des coups de feu !

Son regard se posa sur le bras de Sydney.

— Tu as été blessée !

Elle s'écarta de Logan.

— Ce n'est rien.

Slade débarqua à son tour. Il semblait essoufflé.

— Des tirs… Quelqu'un tire dehors.

Sydney redressa les épaules.

— Manifestement, nos ennemis nous ont localisés. Nous n'avons pas intérêt à rester plus longtemps ici.

Elle observa Gunner et Slade tour à tour. Aucun des deux n'était armé.

Mais où étaient-ils au moment de l'attaque dont elle venait d'être victime ? D'où venaient-ils ?

— Nous avançons notre départ, annonça Logan. Je vais passer quelques coups de fil et demander que nous puissions être rapatriés sans délai.

Sydney avait le ventre noué. Gunner fixait toujours son bras blessé, et Slade continuait de respirer difficilement.

Elle n'avait aucune certitude mais… pourquoi un ennemi solitaire les aurait-il suivis ? Pourquoi lui aurait-il tiré dessus avant de filer ?

Cette attaque semblait… bizarre.

Manifestement, le danger attaché à cette mission était loin, très loin, d'être écarté.

Quatre semaines. Quatre semaines étaient passées depuis que l'équipe était rentrée aux Etats-Unis.

Gunner fixa la rue en contrebas. Il se trouvait en haut d'un gratte-ciel de Washington, dans un bureau dont la plupart des gens ignoraient l'existence. Les quatre Agents de l'Ombre avaient été priés de s'y rendre pour un débriefing avec le grand patron lui-même, Bruce Mercer.

Quatre semaines, se répéta-t-il.

Dès qu'ils avaient atterri sur le sol américain, Slade avait été pris en charge par leurs services et conduit dans un hôpital militaire pour y être examiné.

Et Sydney avait été à ses côtés, songea Gunner avec colère.

Slade avait voulu que Sydney l'accompagne. Il avait également exigé qu'une enquête interne soit menée contre son frère. Il demandait qu'il soit jeté en prison.

Gunner avait tenté de discuter avec lui, insisté, essayé encore. Mais Slade avait refusé de le prendre au téléphone. Il ne voulait pas lui parler.

Gunner réprima un soupir. De vieux souvenirs remontaient à sa mémoire. Peu de temps après avoir fêté ses six ans, il avait découvert qu'il avait un petit frère. Un garçon de deux ans plus jeune que lui.

Sa vie durant, leur père avait été incapable d'assumer son rôle.

Quand sa première compagne, la mère de Gunner, était morte d'une pneumonie, il avait envoyé Gunner chez le père de celle-ci. Il n'avait pas envie de se charger d'un enfant !

Le grand-père, un Indien, était un homme bon, et il avait pris son petit-fils sous son aile.

Longtemps, Gunner avait espéré que son père viendrait le chercher, le reprendre. Mais finalement, il n'était revenu que des années plus tard… pour jeter son second fils devant la porte comme un paquet.

— Sa mère est morte en accouchant, avait-il expliqué au vieil Indien. Je suis incapable d'élever un enfant. Mieux vaut qu'il vive ici, avec Gunner. Ils formeront une famille.

Son grand-père s'était occupé du bébé sans se soucier de n'avoir aucun lien de sang avec lui. Il avait aimé Gunner et Slade de la même façon, et ils étaient effectivement devenus une famille. Tous les trois.

En revanche, leur père s'était évaporé dans la nature, et plus personne n'avait entendu parler de lui.

Gunner avait été très heureux d'avoir un frère. Grâce à Slade, il ne serait jamais seul au monde, s'était-il dit.

Mais si, enfants, tous deux s'étaient bien entendus, en grandissant, leurs relations s'étaient détériorées. Slade s'était éloigné de leur grand-père. Il lui reprochait de vivre chichement dans une toute petite maison, de tirer le diable par la queue. Et peu à peu, il s'était également détaché de Gunner.

Et à présent, il me déteste.

La porte s'ouvrit derrière lui et il se retourna, espérant voir Sydney. Elle aussi avait été convoquée à cette réunion.

Mais c'était Bruce Mercer.

Celui-ci l'observa un moment de son regard pénétrant. Le soleil se reflétait sur son crâne chauve.

Personne ne savait rien sur Mercer et Gunner n'était même pas sûr que Mercer soit son véritable nom. Mais le grand patron de la Section d'Elite connaissait tout le monde à Washington et beaucoup de secrets.

— J'ai appris que je devais vous interroger, mener une enquête sur vous, dit-il en traversant la pièce.

Gunner se raidit.

— Si vous pensez qu'il le faut…

— Le problème est que je déteste qu'on me dise ce que je dois faire, répondit-il en s'asseyant dans un fauteuil en cuir. Et encore moins faire l'objet de menaces.

Qui avait été assez fou pour menacer Mercer ?

— Slade Ortez ne cesse de répéter à qui veut l'entendre que si vous n'étiez pas mis aux arrêts, il irait trouver les médias pour leur dire tout ce qu'il savait sur la Section d'Elite.

Comment ? s'étrangla Gunner.

Slade n'ignorait pourtant pas que le secret était la condition *sine qua non* de l'existence des Agents de l'Ombre. Ils agissaient dans la clandestinité, ce qui leur permettait d'être efficaces. Si les agents actuellement sur le terrain perdaient leurs couvertures, ce serait une catastrophe.

— Il connaît les noms, les visages de nos membres pour les avoir croisés lorsqu'il collaborait avec nous en free-lance autrefois, poursuivit Mercer. Il a d'ailleurs livré tous ces renseignements à ses ravisseurs.

Gunner acquiesça : il était au courant.

— Et maintenant, il est prêt à en parler à tous les

médias qui s'intéresseraient à son histoire, ajouta Mercer en secouant la tête. Je ne peux pas le laisser faire. Vous le comprenez, n'est-ce pas ? Publier des éléments confidentiels mettrait en danger nos opérations, nos réseaux et surtout nos agents. Je ferai tout, tout, pour protéger ma division, mes hommes.

Etes-vous prêt à aller jusqu'à m'emprisonner ?

Mercer tapotait l'enveloppe en papier kraft qu'il avait emportée avec lui.

— Parfois, vous avez l'impression de connaître quelqu'un et finalement, vous vous rendez compte que vous ignoriez tout de lui.

— Je ne comprends pas, monsieur.

Mercer était-il en train d'insinuer qu'il le pensait coupable ?

Penchant la tête, Mercer l'observa un moment.

— Qu'est-ce qui compte pour vous plus que tout au monde ?

Sydney.

Son nom s'imposa à l'esprit de Gunner, mais il ne le dit pas. Il ne pouvait pas.

Mercer opina et poursuivit.

— Et que feriez-vous, jusqu'où iriez-vous, pour protéger ce qui a pour vous une valeur inestimable ?

Tout. N'importe quoi.

Y compris la laisser s'en aller.

Avant qu'il ne puisse répondre, quelqu'un frappa à la porte.

Mercer continua à le fixer un moment supplémentaire, puis lança avec calme :

— Entrez.

Sydney apparut la première. Gunner s'efforça de rester impassible. Depuis leur retour, il s'était arrangé pour prendre ses distances avec elle. Elle aimait Slade. Cela signifiait qu'il devait s'écarter, non ?

Logan la suivait et Cale fermait la marche.

Gunner ne put s'empêcher de glisser un œil vers Sydney. Elle semblait avoir maigri et paraissait plus pâle qu'à l'ordinaire.

— Je suis heureux que vous ayez pu tous venir à cette réunion, murmura Mercer. Parce qu'il semble que nous ayons un gros problème à résoudre. Que devons-nous faire de Slade Ortez ?

— Faire ? répéta Sydney. Que voulez-vous dire exactement par ce mot ?

Mercer leva un sourcil étonné.

— Vous savez qu'il menace d'aller trouver les médias, de leur raconter tout ce qu'il sait sur la Section d'Elite.

— Il en parle chaque jour, grommela Logan en s'asseyant à côté de Mercer. Il devient de plus en plus difficile de le calmer. J'espérais qu'il retrouverait ses esprits en rentrant au pays, mais il n'en est rien.

— Nous devons faire en sorte qu'il arrête, annonça Mercer en invitant d'un geste les autres à s'asseoir.

Cale s'installant près de Logan, Gunner fut obligé de prendre place à côté de Sydney. Il huma avec délices les fragrances de son parfum. Cette odeur de vanille le hantait.

— Qu'avez-vous en tête ? demanda Logan. Que pensez-vous faire ?

Au lieu de répondre, Mercer ouvrit l'enveloppe qu'il tenait à la main.

— Avez-vous entendu parler d'une drogue appelée la *muerte* ?

La mort.

Gunner se pencha en avant, veillant à ne pas effleurer Sydney au passage.

— C'est une drogue qui circule depuis plusieurs années en Amérique du Sud, répondit-il.

Il avait entendu des rumeurs à propos de ce stupéfiant.

— Oui, ses consommateurs tombent très vite dans une forte accoutumance, ajouta Logan.

Mercer parcourut des yeux les papiers devant lui.

— La *muerte* est en effet très toxicomanogène et souvent mortelle pour ses utilisateurs. Elle provoque des comportements agressifs, des symptômes paranoïaques et même des hallucinations.

Il promena ses yeux sur l'assemblée.

— La DEA, l'agence fédérale anti-drogues, pense que la *muerte* est apparue d'abord au Pérou avant de se répandre au Mexique. Apparemment, elle n'est pas encore entrée aux Etats-Unis.

Gunner se répéta les mots de Mercer.

Comportements agressifs, paranoïa.

Tout cela avait un lien avec son frère.

— Nous avons effectué des analyses sanguines sur Slade Ortez dès son retour aux Etats-Unis, poursuivit Mercer. Elles ont révélé la présence de doses massives de cette drogue. Elles ont également prouvé qu'il en consomme depuis longtemps.

Gunner en resta bouche bée. C'était comme un coup en plein cœur.

— Vous croyez…, balbutia Sydney d'une voix blanche. Vous croyez que ses ravisseurs l'ont drogué de force ?

Mercer acquiesça.

— En effet, ils ont pu lui en donner pour mieux le maîtriser, le contrôler. Il est toujours plus facile de manipuler des prisonniers drogués. En tout cas, vu la façon dont Slade se comporte, nous menace, insulte les psychiatres… Je crois qu'il est toujours sous l'emprise de cette drogue.

— Comment se fait-il qu'il subisse encore les effets de cette substance ? demanda Cale. Slade est revenu aux Etats-Unis depuis plus d'un mois.

— La *muerte* est l'une des drogues les plus dangereuses que nos services aient eu à étudier. Ses effets sont durables et les chercheurs pensent même que les changements de comportement qu'elle induit peuvent être définitifs.

Gunner secoua la tête, accablé.

Mais Mercer n'avait pas fini.

— Une fois un consommateur rendu dépendant à cette substance, il lui est presque impossible de se désintoxiquer.

— Mais Slade s'en est délivré, répliqua Sydney en serrant les poings. Depuis son retour, il n'a jamais…

— Les médecins s'interrogent à ce sujet, leur confia Mercer. Il est possible qu'il en ait rapporté à notre insu. Quoi qu'il en soit, il a besoin d'aide. Nous allons l'envoyer dans un établissement militaire spécialisé et…

— Vous voulez l'enfermer ? cria Sydney.

— Pour son bien.

Et pour le bien de la Section d'Elite et des Agents de l'Ombre, comprit Gunner.

— J'aimerais qu'il se fasse soigner, qu'il suive le traitement de son plein gré, reprit Mercer en reportant son attention sur Sydney. Vous êtes la seule personne à pouvoir le convaincre de la nécessité de le faire. Il a confiance en vous et uniquement en vous. Dites-lui que nous pouvons l'aider.

— Est-ce le cas ? répliqua-t-elle avec fougue.

— Peut-être.

La réponse était brutale mais prouvait la sincérité de Mercer.

— Je ne peux le garantir, ajouta-t-il. Peut-être Slade est-il trop atteint pour qu'il soit possible de le ramener.

Gunner était abasourdi. Son frère, le gosse qu'il avait promis à son grand-père de protéger… avait-il vraiment sombré dans la drogue ?

— Il faut qu'il aille mieux, grommela-t-il. L'aider à guérir.

Mercer se tourna vers lui.

— Je suis décidé à tout faire pour y parvenir.

— Et si vous n'y arrivez pas ? insista Sydney. Qu'adviendra-t-il de Slade alors ? Vous ne pouvez pas le laisser indéfiniment dans cet… établissement.

— S'il ne va pas mieux, s'il résiste aux traitements, nous envisagerons d'autres solutions.

Et lesquelles ? s'insurgea Gunner. Si le changement de personnalité était définitif, s'il n'y avait pas moyen de faire cesser son agressivité et les menaces et…

— Slade est ici, dans nos locaux, lâcha Mercer. Je l'y ai convoqué.

Il se tourna vers Sydney :

— Je veux que vous alliez lui parler. Faites-lui comprendre que nous ne sommes pas ses ennemis. Qu'aucun de nous n'est son ennemi, ajouta-t-il en regardant Gunner.

Sydney se leva.

— J'aimerais d'abord consulter son dossier.

Mercer le lui tendit. Elle parcourut des yeux les rapports, puis poussa un soupir.

— Et s'il refuse le traitement ?

— D'après les médecins, son comportement empire de jour en jour. Il devient de plus en plus agressif, de plus en plus paranoïaque. S'il n'accepte pas de se soigner, il va rapidement devenir un danger pour lui et pour son entourage.

S'il n'était pas déjà trop tard, s'alarma Gunner. La façon dont Mercer s'exprimait prouvait qu'il considérait que Slade représentait *déjà* une menace.

— Il a besoin de votre aide, Sydney, reprit Mercer avec douceur. Allez-vous l'abandonner… ou lui tendre la main ?

Elle releva brusquement la tête. Ses doigts tremblaient en rendant le dossier à Mercer.

— Je vais l'aider.

— Très bien, fit Mercer qui manifestement espérait cette réponse. Il est au second étage, première salle à droite.

Elle se dirigea vers la porte.

— Vous devez le convaincre de nous faire confiance, de se faire soigner, dit-il d'un ton empreint d'une nuance de commandement.

— Je veux seulement l'aider, répondit-elle.

Puis elle s'en alla, refermant la porte derrière elle.

Après son départ, Mercer promena les yeux sur les trois hommes et les posa finalement sur Gunner.

— Allez-y aussi et assurez-vous que votre frère comprend la situation.

Gunner hocha la tête et quitta la pièce à son tour.

Dès qu'il fut dans le couloir, il se mit à courir. Sydney était déjà dans l'ascenseur. Aussi prit-il l'escalier. Il grimpa les marches quatre à quatre.

Quand elle parvint à l'étage et sortit de la cabine, il l'attendait devant la porte.

En le voyant, ses yeux s'écarquillèrent de surprise.

Sans lui laisser le temps de parler, il lui prit le bras et l'entraîna vers la salle de conférences, déserte à cette heure-ci. Mais elle se débattit.

— Laisse-moi, je dois aller lui parler.

— Je veux d'abord te dire quelque chose, répliqua-t-il en la poussant à l'intérieur et en refermant la porte.

Il la regarda avec attention. Elle était livide et la voir

à ce point défaite ne lui plaisait pas. Beaucoup de choses lui déplaisaient ces temps-ci.

— Que vas-tu faire ? lança-t-il.

— Je vais aider Slade. C'est ce que nous devons tous faire.

Les mâchoires serrées, il demanda :

— Comptes-tu toujours l'épouser ?

Elle écarquilla les yeux.

— C'est ça que tu veux savoir ?

— Oui, veux-tu l'épouser ?

Dans ce cas, il n'insisterait pas, il battrait en retraite.

— Il t'aime, s'obligea-t-il à ajouter.

Sydney pâlit un peu plus.

— Et pas toi ? Tu ne m'aimes pas ?

Un poids tomba sur la poitrine de Gunner.

— Nous avons passé un bon moment ensemble, Sydney. Mais c'est lui qui s'est engagé à t'aimer sa vie durant.

Elle recula.

— Un bon moment… C'est vraiment ainsi que tu qualifies ce que nous avons vécu ensemble ?

Non. Tu es tout pour moi, Sydney. Mais tu l'es également pour Slade.

— Mon frère a besoin de toi, souffla-t-il.

— Et il peut compter sur moi. Je ne le laisserai pas tomber. Je n'ai jamais voulu l'abandonner.

Sur ces mots, elle se dirigea vers la porte, mais brusquement se retourna.

— Avais-tu vraiment besoin de m'humilier pour me faire comprendre que tu ne m'aimais pas ?

La douleur qui teintait sa voix déchira le cœur de Gunner.

— Crois-moi, Gunner, ajouta-t-elle, les yeux remplis de larmes. Je le savais déjà.

Elle quitta la pièce.

Je n'ai jamais dit que je ne t'aimais pas.

Avec un profond soupir, il sortit à son tour, puis s'arrêta dans le couloir, hésitant.

Mercer lui avait demandé d'aller convaincre son frère de se faire soigner et Slade était juste à côté, dans la salle d'interrogatoire. Mais ce n'était pas une bonne idée d'aller le voir : Slade ne supporterait pas sa présence. Il le haïssait trop pour ça.

En revanche, quand son frère irait mieux, et il irait mieux, il ferait son possible pour lui venir en aide, pour lui permettre de se rapprocher de Sydney.

Après des années de captivité, Slade avait droit au bonheur. Et Gunner était déterminé à se sacrifier pour qu'il soit heureux.

Il avança un peu dans le couloir. Sydney était déjà dans la salle d'interrogatoire. Non, il n'allait pas rentrer. Il allait suivre leur discussion depuis la pièce voisine, derrière la glace sans tain. Ainsi, il pourrait surveiller son cadet et s'assurer qu'il ne faisait pas de mal à Sydney.

La gorge serrée, Sydney s'assit en face de Slade.

— Qu'est-ce que je fais ici ? hurla celui-ci. J'en ai plus qu'assez de ces agents secrets à la noix. Tu m'entends, Sydney ? J'en ai *ras le bol* !

Les paroles de Mercer remontèrent aussitôt à la mémoire de Sydney. *Comportements agressifs, paranoïa.* Oui, Slade était rempli d'acrimonie et il croyait que le monde entier s'était ligué contre lui. Mais la drogue que ses ravisseurs lui avaient fait prendre en était-elle la cause ? Ou les mauvais traitements qu'il avait subis pendant deux ans l'avaient-ils brisé ? Il ne pouvait pas être sorti indemne de cette longue et douloureuse captivité.

— Slade, tu as besoin d'aide.

Elle s'efforçait de s'exprimer avec douceur.

Mais il bondit, renversant sa chaise au passage.

— Non, j'ai *besoin* que mon frère soit jeté en prison, qu'il soit jugé pour ses crimes et qu'il paie pour le mal qu'il m'a fait. Mais les responsables de la Section d'Elite n'ont manifestement pas l'intention de le faire, ajouta-t-il, rougissant de colère. Je leur ai donné tout le temps nécessaire pour enquêter sur Gunner. Mais ils ne bougent pas. J'en ai assez d'attendre. Je vais aller trouver les médias, convoquer les journalistes. Je leur dirai tout.

Elle se leva et lui prit les mains.

— Tu sais que les hommes de la Section d'Elite opèrent dans la clandestinité, que personne ne doit soupçonner leur existence.

— Je m'en moque, répliqua-t-il en s'écartant d'elle.

— L'homme que tu étais autrefois… ne s'en moquait pas.

— Cet homme-là est mort au fond de la jungle péruvienne.

— Je pense… je suis sûre que cet homme-là est toujours vivant, au fond de toi.

Elle poursuivit, veillant à ne rien dire qui puisse le heurter.

— Je veux t'aider à le faire revenir. Je veux t'*aider*, Slade.

Il la fixa d'un air sceptique.

— Et comment comptes-tu t'y prendre ?

Ils abordaient la partie la plus délicate.

— Mercer connaît un établissement militaire spécialisé. Des médecins te soigneront, te permettront de te retrouver.

— Tu me crois fou, c'est ça ?

Oui.

Elle prit une profonde inspiration.

— Je crois que tes ravisseurs t'ont empoisonné lorsque tu étais leur prisonnier. Ils t'ont fait prendre des drogues, n'est-ce pas ?

Il se raidit sans répondre.

— Les drogues qu'ils t'ont données ont modifié ta personnalité, poursuivit-elle. Elles te poussent à faire des choses, à dire des choses, que tu ne ferais pas, que tu ne dirais pas sinon. Mais nous pouvons t'aider…

— Tu ne vas pas rester avec moi.

— Slade, balbutia-t-elle. Je…

— Chaque fois que je te touche…, commença-t-il en se rapprochant pour lui caresser la joue.

Elle recula.

— Tu vois. Chaque fois que je te touche, tu t'écartes, dit-il en laissant tomber sa main. Tu ne s*upportes* plus mon contact, n'est-ce pas ?

— Slade.

Elle planta les pieds fermement au sol, s'interdisant de s'éloigner de lui, même si, en effet, elle n'avait aucune envie de sentir ses doigts sur elle.

— Slade, tu as besoin de…

— J'ai *besoin* de toi, uniquement de toi. Mais Gunner est entre nous, il a toujours été entre nous.

— Il ne s'agit pas de Gunner ! Mais de toi. Il faut que tu redeviennes toi-même, que tu te soignes, que tu retrouves ta vie d'autrefois.

— Quelle vie ?

De la salive s'échappait de ses lèvres.

— Sans toi, que deviendrais-je ?

Il s'approcha d'elle, plus vite qu'elle ne s'y serait attendue, d'autant qu'il boitait.

Puis, il l'enlaça, la contraignant à se dresser sur la pointe des pieds.

— Dis-moi que tu vas m'épouser, Sydney. Es-tu toujours d'accord pour le faire ?

— Nous ne pouvons pas… Ce n'est pas le moment d'envisager cette éventualité, Slade. Il faut d'abord que tu ailles mieux. C'est la priorité absolue et…

— *Veux-tu m'épouser* ?

Il criait à présent.

Il ne ressemblait plus en rien à l'homme qu'il avait été, à l'homme dont elle avait gardé le souvenir.

— Je veux que le Slade que j'ai connu revienne. Nous allons t'aider.

Il resserra son emprise.

— Tu ne réponds pas à ma question.

Il l'étreignait si fort qu'il lui faisait mal.

— As-tu couché avec lui ?

Elle recula.

Je n'ai pas couché !

J'ai fait l'amour avec lui.

— Oui, bien sûr, répondit-il à sa place. Et tu ne m'épouseras pas. Au Pérou, le mois dernier, tu m'avais dit… que tu m'aimais toujours, mais tu n'en pensais pas un traître mot, n'est-ce pas ? Tu essayais seulement de me calmer, de me manipuler.

Ils crachaient ses mots comme des insultes.

Sydney secoua la tête.

— Non ! Je me soucie sincèrement de toi, Slade. Une partie de moi t'aimera toujours.

— Une partie de toi ? répéta-t-il d'un air écœuré. Avant, tu m'aimais tout entière, de tout ton corps, de toute ton âme !

Il la lâcha si brutalement qu'elle faillit s'étaler de tout son long sur le sol. Ses jambes se dérobaient sous elle. Son cœur battait à tout rompre dans sa poitrine, comme lorsqu'elle était en mission, en action.

Slade se détourna d'elle.

— Je ne veux pas de ton aide, Sydney. Je ne veux pas de l'aide de Mercer. Je ne veux de l'aide de personne.

Il se dirigea vers la porte.

Elle lui courut après, lui attrapa le bras.

— Attends, Slade, tu…

Se retournant brusquement, il la frappa avec violence. Sydney ne s'attendait pas à cette réaction et n'eut pas le temps de parer le coup, de se protéger.

Il l'attrapa par les épaules, la projeta avec force contre le mur.

— Tu crois pouvoir m'échapper ? Tu te trompes, Sydney. Je ne te laisserai pas faire. De gré ou de force, tu resteras avec moi !

Elle tenta de se libérer de son emprise, mais il lui emprisonna les jambes et…

— *Lâche-la* ! rugit Gunner.

Il avait surgi d'elle ne savait où et se jeta sur Slade, le saisit par le col, puis l'envoya valser à l'autre bout de la pièce.

Sydney tenta de recouvrer son souffle. Elle s'était déjà battue par le passé. Elle avait l'habitude de se trouver sur un champ de bataille. Mais là, tout était différent.

Elle n'avait encore jamais été en conflit ouvert avec Slade.

Elle n'avait jamais dû séparer Slade et Gunner.

Gunner se plaça devant elle pour la protéger de Slade.

— Ça va, chérie ?

Slade montra les dents et Gunner lui lança avec colère.

— Je te déconseille de lever une nouvelle fois la main sur elle, Slade. Notre grand-père nous a appris à ne jamais frapper une femme.

— Ce vieux fou ne m'a rien appris !

Affolé par les cris, le garde entra à son tour et ceintura Slade pour l'immobiliser.

— Grand-père était un brave homme, tonna Gunner. Et toi aussi, tu étais quelqu'un de bien, autrefois.

Mais Slade ricana.

Mercer apparut alors sur le seuil de la salle.

— Vous redeviendrez celui que vous étiez. Nous allons vous aider, mon petit.

Slade se libéra de l'emprise du garde et se jeta sur Gunner.

— *Je vais te tuer* ! hurla-t-il en lui envoyant son poing en pleine figure.

Mais Gunner para le coup et le maîtrisa d'une prise.

— Non, tu ne me tueras pas. Et tu ne frapperas plus jamais Sydney non plus. Tu vas te faire soigner.

— Vous allez être pris en charge dans un établissement spécialisé, Slade, déclara Mercer. Des médecins compétents s'y occupent des vétérans de guerre, traumatisés physiquement et psychologiquement par les combats. Ils vous apporteront l'aide dont vous avez besoin.

Slade tentait toujours de frapper son frère. Mais Gunner le tenait d'une main de fer.

Le garde s'avança, et Mercer lui tendit des menottes. D'autres hommes entrèrent alors dans la salle et entraînèrent Slade.

Il ne se laissa pas emmener facilement. Il ruait dans les brancards, donnait des coups de pied, des coups de poing.

— Sydney, tu te crois en sécurité avec Gunner ? hurla-t-il. Tu as tort. Méfie-toi ! Tu ne sais rien de lui ! Tu ne sais pas qui il est, en réalité. C'est un type dangereux.

Sydney en avait la tête qui tournait. C'était comme si elle ne connaissait plus personne. Ni Slade ni Gunner. Elle avait mal à la mâchoire, là où Slade l'avait frappée, et ses joues commençaient à gonfler. Elle tremblait de tout son corps, des nausées lui soulevaient l'estomac.

Mais Slade poursuivait.

— Il te convoite depuis toujours et il est parvenu à ses fins ! Il a bien joué. Pour pouvoir te séduire, il m'a abandonné au Pérou, me laissant aux mains de l'ennemi alors que j'étais gravement blessé. Et maintenant, il m'écarte de nouveau en me faisant passer pour un fou, pour un malade mental.

— J'essaie de te soigner, protesta Gunner. Je voudrais que tu retrouves tes esprits, que tu redeviennes l'homme que tu étais.

— Il te tient. Il a tout manigancé pour t'avoir, Sydney. Voilà pourquoi il me fait enfermer…

Quand les gardes l'emmenèrent, il criait toujours. Sydney avait du mal à respirer. La pièce tournait autour d'elle. Que lui arrivait-il ?

— Je vais m'occuper de lui, lança Mercer en suivant ses hommes.

A présent, Sydney étouffait carrément.

Les mâchoires serrées, Gunner se tourna vers elle.

— Ça va ? T'a-t-il fait mal ? Bien sûr qu'il t'a fait mal. Je vois la marque de son poing sur ta joue.

Elle secoua la tête.

— Ce n'est rien, ça va.

Elle mentait. En réalité, elle était au bord de l'évanouissement. Elle avança d'un pas.

Maîtrise-toi. Les soldats restent debout.

Autrefois, son père lui répétait souvent ces mots.

Elle tenta de gagner la porte. Mais la pièce tournait de plus en plus vite. Sa vision se troublait. Elle voulut prendre appui sur Gunner pour recouvrer son équilibre mais n'y parvint pas. Ses jambes ne la portaient plus. Soudain, un voile noir tomba sur ses yeux et elle s'effondra sur le sol.

— Sydney !

Gunner se précipita et réussit à la rattraper avant qu'elle ne s'écroule sur le sol. Il la prit dans ses bras, avec le plus de douceur possible.

— Syd ?

La tête de la jeune femme tomba en arrière, ses yeux étaient clos.

En proie à une indicible terreur, il courut vers la porte.

— J'ai besoin d'aide, tout de suite !

L'écho de sa voix affolée traversa le couloir.

Slade était près de l'ascenseur. Il se retourna et fixa Sydney, blême.

— Que lui as-tu fait ? cria-t-il d'un ton accusateur.

Gunner prit sur lui de ne pas répondre. Ce n'était pas lui qui avait fait du mal à Sydney, mais son frère. C'était Slade qui avait levé la main sur Sydney ! Et là, pour la première fois de sa vie, Gunner avait eu envie de frapper son frère chéri.

— Appelez un médecin, ordonna Mercer à l'un des hommes. Que lui est-il arrivé ? ajouta-t-il en se précipitant vers eux.

Les gardes poussèrent Slade dans la cabine d'ascenseur.

Gunner étreignit plus fort Sydney.

— Elle a perdu connaissance.

Comme il la scrutait avec angoisse, Sydney battit des paupières.

— Ouvre les yeux, Syd, je t'en supplie.

Il avait un besoin vital de contempler ses émeraudes, de s'y noyer.

Lentement, elle revint à elle. Elle le dévisagea d'un air perdu.

— Gunner ? Que s'est-il passé ?

Un médecin remontait le couloir à la hâte.

Gunner avait envie d'embrasser Sydney, de plonger

son visage dans son cou. Mais surtout, plus que tout, il voulait comprendre pourquoi elle s'était évanouie et l'aider à se sentir mieux.

Parce qu'il pouvait tout endurer, la torture, la trahison, tous les péchés, toutes les punitions. Mais il ne pouvait supporter qu'il arrive quoi que ce soit à Sydney.

Pas à elle.

— Je ne me suis jamais évanouie de ma vie, tempêta Sydney.

Elle était en colère, et un peu inquiète aussi.

Elle se trouvait dans le dispensaire médical de la Section d'Elite. Elle connaissait le médecin, Tina, une grande brune avec de grosses lunettes. Elle la considérait comme une amie.

Aussi pouvait-elle lui parler sans prendre de gants.

— Au cours de ma carrière, j'ai affronté des hommes armés, j'ai déjà été blessée par balle, j'ai enduré la peur, la douleur, l'épuisement. Mais je n'ai *jamais* perdu connaissance.

— Il faut un début à tout, répliqua Tina avec un sourire.

Sydney secoua la tête.

— Cela ne me ressemble pas du tout.

Elle n'était pas une petite nature, elle n'avait pas l'habitude d'être faible. Et vu la situation, vu ce qui se passait avec Slade, avec Gunner, ce n'était vraiment pas le moment d'avoir des vapeurs.

Tina poussa un soupir.

— Je sais que tu te considères un peu comme une *superwoman* mais personne ne peut être fort vingt-quatre heures sur vingt-quatre et sept jours sur sept, Sydney. Même pas toi…

— Je me sens mieux, à présent.

— Mais tu as un gros bleu sur la mâchoire. Peux-tu m'expliquer comment tu t'es fait ça ?

Slade m'a envoyé son poing en pleine figure. Il est devenu fou. Il aurait continué à me rouer de coups si Gunner n'était pas intervenu.

— Non ? insista Tina. Bon, alors intéressons-nous à ce qui a pu provoquer cet évanouissement. As-tu reçu un coup sur le crâne, dernièrement ?

— Euh… Je me suis heurtée la tête… quand je suis tombée.

— Tu veux dire quand Slade t'a frappée…

— Si tu le sais, pourquoi me poser la question ?

— Parce que nous sommes amies et que je pensais que tu avais peut-être envie d'en parler.

Elle promenait ses doigts dans les cheveux de Sydney, à la recherche d'une plaie.

— Un choc sur le crâne, même léger, pourrait expliquer ta perte de connaissance. A moins que… Tu n'es pas enceinte, n'est-ce pas ?

Enceinte ?

Le cœur de Sydney cessa de battre.

— Quoi ?

— Tu connais la signification de ce mot, non ? Si tu attends un enfant, tu es enceinte. Beaucoup de femmes s'évanouissent lorsqu'elles sont enceintes. Surtout en début de grossesse.

Sydney s'empara de la main du médecin. Elle comptait frénétiquement les jours.

Tina la dévisagea avec perplexité.

— Qu'y a-t-il, Sydney ? Pourquoi me regardes-tu ainsi ?

— Peux-tu… pratiquer un test, savoir si je suis enceinte ?

Derrière ses lunettes, Tina écarquilla les yeux.

— Bien sûr.

Elle lui tendit un flacon et lui indiqua les lavabos.

Sydney s'en empara et quitta la pièce.

Un quart d'heure plus tard, Tina revint avec les résultats.

Elle la dévisagea.

L'amie avait pris la place du médecin.

— Tu es enceinte, Sydney.

6

Sydney contempla le soleil qui se couchait à l'horizon.

La Section d'Elite avait mis à sa disposition une petite maison située dans la banlieue de Washington. Vu la situation avec Slade, Mercer lui avait demandé de ne pas s'éloigner. Dans l'immédiat, elle ne pouvait donc pas s'envoler pour Baton Rouge et retrouver sa maison de famille.

Assise sous le porche, elle admirait le crépuscule. Le ciel virait à l'orange et de longues traînées rouges et jaunes s'étendaient à perte de vue.

Elle savourait le spectacle une main posée sur son ventre. Là, sous ses doigts, il y avait un bébé. Son bébé.

Elle avait appris sa grossesse trois semaines plus tôt. Son corps commençait à se métamorphoser. Ses seins étaient devenus plus sensibles, elle souffrait de nausées matinales. Mais rien n'était encore apparent.

Elle avait préféré ne pas en parler à Gunner parce qu'elle ne savait pas comment il allait réagir. Depuis leur retour, il l'évitait comme si elle avait la peste, et la froideur dont il faisait preuve à son égard ne l'encourageait pas à lui révéler son état.

Un bruit de moteur déchira le silence.

Sydney se tourna vers la route. Sa maison se trouvait au bout d'un cul-de-sac et ses seuls voisins étaient partis en voyage de noces.

Qui pouvait venir lui rendre visite à cette heure tardive ? se demanda-t-elle.

Le camion de Gunner apparut sur le chemin caillouteux, mais Sydney ne se leva pas, ne se précipita pas à sa rencontre, comme elle l'avait fait si souvent par le passé. Elle continua à se balancer tranquillement.

Gunner coupa le moteur et sauta de son véhicule. Tout en se dirigeant vers elle, il la dévisageait de ses grands yeux sombres.

Pourquoi venait-il ? Avait-il compris qu'il ne pouvait vivre loin d'elle ? Ces derniers temps, elle s'était souvent plu à imaginer cette éventualité. Bien évidemment, ce n'était qu'un rêve qui n'avait aucune chance de se réaliser.

Elle s'obligea à retirer la main de son ventre.

— Gunner, je…

— Slade va mieux, lui lança-t-il tout de go.

Surprise, elle battit des paupières.

— C'est formidable.

Elle avait appelé plusieurs fois leurs supérieurs pour avoir de ses nouvelles mais elle n'avait pas appris grand-chose.

— Ils lui ont fait suivre une thérapie expérimentale pour l'aider à surmonter le sevrage, poursuivit Gunner. Mercer pense qu'il y a de grandes chances que Slade redevienne sous peu l'homme qu'il était, l'homme dont nous avions gardé le souvenir.

Il grimpa les marches du perron, un léger sourire aux lèvres.

— Il n'est pas encore complètement tiré d'affaires, mais il est en bonne voie de guérison, Sydney.

Elle se leva.

— C'est une excellente nouvelle.

Elle était fatiguée de faire des cauchemars dans lesquels

Slade la frappait et lui parlait comme à un chien, les traits crispés de colère.

— J'espère qu'il va trouver la paix, ajouta-t-elle.

— Il aimerait te parler.

Elle dévisagea Gunner avec étonnement.

— Et alors ? T'a-t-il désigné comme porte-parole ? La dernière fois que je l'ai vu, il hurlait à qui voulait l'entendre qu'il te haïssait.

— Il progresse là-dessus. Il est sorti de l'établissement où il avait été admis. Il est toujours sous surveillance, mais il vit maintenant dans son propre appartement. Il voudrait te voir… mais il pense que tu refuseras de lui parler.

En effet, elle n'en avait aucune envie. Parce que Slade l'avait attaquée. Maintenant qu'elle se savait enceinte, elle devait tout faire pour protéger son bébé.

— J'ai appelé plusieurs fois Mercer et les médecins pour leur demander des nouvelles, reprit-elle.

— Mais tu ne souhaites pas lui parler à lui ? insista-t-il. Tu ne le souhaites plus ?

Elle serra les poings pour s'empêcher de toucher son ventre.

— Beaucoup de choses ont changé pour moi. Et j'ai déjà dit à Slade qu'il m'était impossible d'envisager l'avenir avec lui.

Sa grossesse interdisait cette éventualité.

— Tu… tu as donc décidé de le quitter ? demanda-t-il d'un air perplexe. Je pensais que tu voulais l'épouser.

Il semblait déçu, et sa réaction provoqua la fureur de Sydney. Mais elle s'efforça de se maîtriser. Dans son état, elle devait veiller à ne pas s'énerver. Se mettre en colère n'était pas bon pour le bébé.

— Il y a deux ans, j'avais accepté de me marier avec lui.

Pourtant, à l'époque, elle nourrissait déjà des doutes sur leurs chances de bonheur.

— Rien n'était alors parfait dans notre histoire, tu le sais. A moins que tu ne l'ignores, ajouta-t-elle avec un petit rire sans joie. Puis il a disparu, je l'ai cru mort et j'en ai fait mon deuil. A son retour du Pérou, j'étais d'accord pour l'aider à reprendre une existence normale, pour assurer la transition. Sincèrement, j'étais déterminée à faire de mon mieux. Mais il m'a agressée. Et actuellement, il m'est impossible de fréquenter quelqu'un qui représente une menace physique pour moi.

De toute façon, pensa-t-elle, même si ces drogues n'avaient pas modifié le comportement de Slade, aucun avenir n'était envisageable avec lui. Elle était amoureuse de Gunner, pas de Slade. Et elle portait l'enfant de Gunner.

Celui-ci s'écarta de quelques pas. Elle aurait voulu lui expliquer ce qu'elle éprouvait, ce qu'elle vivait, mais il semblait fermé comme une huître.

Elle se surprit à lui lancer :

— Au fond, qu'aimerais-tu, Gunner ? Tu es venu me parler de Slade, je l'ai bien compris, mais *toi*, que veux-tu ?

— Quelle importance ? Je ne peux pas avoir ce que je veux.

— Qu'en sais-tu ? Comment peux-tu l'affirmer ?

Elle mourait d'envie de le toucher.

Il poussa un soupir.

— Tu es la seule personne qui compte pour Slade. Sans toi, sans son amour pour toi, il aurait probablement refusé de se soigner et il aurait sombré dans la folie.

Elle secoua la tête. Pourquoi continuait-il à tout ramener à Slade ?

— Je te parle de toi, de moi, de nous. Pas de lui.

— Mais il est là. Il fait partie de la donne.

Elle sentait en effet la présence de Slade, il se dressait comme un obstacle. Son ombre serait-elle toujours entre eux ?

— Il est en train de recouvrer sa santé mentale et physique, et je ne vais pas le priver de ce qu'il désire plus que tout au monde.

Elle se raidit.

— Tu ne vas pas *l'en priver* ? Je ne suis pas un trophée dont tu pourrais faire don ou priver quelqu'un, Gunner. Je suis une personne, libre de mon destin, de mes choix. Dis à ton frère que je me réjouis qu'il aille mieux et se rétablisse, mais que je n'ai pas l'intention de l'épouser.

Sur ces mots, elle tourna les talons et entra dans la maison.

Elle avait déjà prévu de rendre sa bague de fiançailles à Slade. De toute façon, elle ne la portait plus depuis des mois.

La nuit était tombée, plongeant la ville dans la pénombre.

Seule la maison de Sydney était éclairée.

Gunner était incapable de détourner les yeux de ses fenêtres.

— Qu'est-ce que je fais ici ? grommela-t-il, écœuré.

Dissimulé dans l'ombre, il se sentait voyeur.

Il ne parvenait pas à s'en aller. Il avait essayé. Il était remonté dans son camion, il avait roulé jusqu'à Washington. Mais alors qu'il était presque arrivé à destination, il avait fait demi-tour et était revenu.

Dans les yeux de Sydney, la douleur était si évidente et il en était responsable. Il la faisait souffrir en lui refusant ce qu'elle espérait de lui, ce dont elle avait besoin.

Enfin, il se décida à aller frapper à sa porte pour lui parler, mais derrière les rideaux, la lumière s'éteignit.

Il hésita. Etait-ce sage d'insister ? Ne ferait-il pas mieux de rebrousser chemin ? Sans doute la dérangerait-il. De toute façon, que lui dirait-il ? Pouvait-il décemment lui demander de vivre avec son frère ?

Slade commençait à peine à se rétablir. Il avait présenté ses excuses pour les accusations qu'il avait lancées, pour son comportement passé. Maigre, pâle, manifestement secoué, il avait envie de s'en sortir. Il avait quitté l'établissement de santé dans lequel il était soigné depuis son retour du Pérou. Mercer aurait préféré qu'il y reste plus longtemps, mais les médecins estimaient qu'il n'était plus nécessaire de l'interner. Il poursuivrait sa thérapie en consultations externes. Par prudence — Mercer l'avait exigé, il aimait s'entourer de précautions — un homme était chargé de le surveiller. Il montait la garde devant son appartement.

Et Gunner, lui, montait la garde devant la maison de Sydney. Comme un amoureux transi. Il se demandait quoi faire. Elle dormait. Ils pourraient parler plus tard. Il n'avait pas à…

Une odeur de fumée chatouilla soudain ses narines. Il se raidit, cherchant à localiser sa provenance, et se tourna vers la maisonnette : elle était en feu !

— *Sydney* !

Il se précipita, gravit les marches du perron quatre à quatre et se jeta contre la porte. La vieille serrure céda rapidement et il se rua à l'intérieur.

Le salon était déjà la proie des flammes. Elles dévoraient les rideaux, lapaient le canapé et grimpaient à l'étage. Vers Sydney.

— *Sydney* !

Tout en hurlant son nom, il monta le plus vite possible à sa chambre. Une épaisse fumée noire envahissait le couloir. Comment l'incendie s'était-il déclenché ? Pourquoi progressait-il si vite ?

Où était…

— *Sydney* !

Elle ouvrit brusquement sa porte. Vêtue d'un short et d'un grand T-shirt, elle toussait à en perdre haleine.

— Gunner ?

Il la saisit par le bras, voulut l'entraîner, la faire descendre en vitesse. Mais les flammes montaient le long de la cage d'escalier. Gunner hésita. S'ils les traversaient, Sydney n'en sortirait pas indemne.

Il retourna dans la chambre et se précipita vers la fenêtre.

Il l'ouvrit et considéra le vide. Que risquait-elle à sauter d'un étage ? Une jambe cassée peut-être, si elle se recevait mal. Mais le pire était à craindre s'ils restaient…

— Je ne peux pas passer par la fenêtre ! cria Sydney entre deux quintes de toux. Il n'est pas question que je saute.

Il la prit dans ses bras.

— Il n'est plus possible d'emprunter l'escalier, chérie. Il est en feu. Tu serais gravement brûlée avant même d'arriver en bas.

Des larmes montèrent aux yeux de Sydney.

— Je ne peux pas sauter… Je…

Soudain, elle lui saisit la main.

— De l'autre côté de la maison, il y a un treillis sur le mur. Il sera moins risqué de descendre en nous y agrippant.

A condition que les lattes de bois ne cèdent pas sous leur poids, songea Gunner.

Mais il hocha la tête et la prit dans ses bras.

— Gunner, arrête, je peux…

Il refusa de la lâcher. L'étreignant contre lui, il s'élança dans le couloir. La fumée était si épaisse qu'il toussait sans arrêt. Ses yeux le brûlaient. Il s'efforça en vain de recouvrer son souffle.

Enfin, il trouva la chambre dont elle lui parlait. La fenêtre refusait de s'ouvrir, à croire qu'elle avait été scellée. Aussi dut-il en briser les vitres de ses poings. Les éclats de verre tombèrent dans le jardin, ses mains étaient en sang.

Il considéra le treillis. La structure de bois semblait vieille et branlante. Elle ne supporterait pas leur poids. En tout cas, ils ne pouvaient pas descendre tous les deux en même temps.

— Vas-y en premier, Sydney, lui ordonna-t-il. Quand tu seras en sûreté en bas, je te rejoindrai.

Elle hocha la tête et… l'embrassa furtivement.

Il ne s'attendait pas à ce geste et n'eut pas le temps de réagir. Sydney enjambait déjà la fenêtre et amorçait sa descente.

Il la suivit des yeux, retenant son souffle.

Soudain, le treillis commença à se détacher du mur. Le bois grinça.

Dépêche-toi, Syd. Dépêche-toi.

Elle toucha enfin le sol.

— C'est bon ! A toi, Gunner !

Il bondit sur la croisée, saisit le treillis et le secoua pour mesurer sa solidité. Celui-ci se brisa aussitôt en deux, et Gunner fixa le jardin en contrebas. Il n'avait plus le choix. Il sauta à terre.

Par miracle, il atterrit sur ses pieds.

Ils ne s'étaient pas rompu les os, ils ne souffraient d'aucune brûlure. Ils avaient eu beaucoup de chance, se réjouit Gunner.

Ils coururent vers son camion.

A présent, les flammes dévoraient le premier étage et s'attaquaient au toit. Elles montaient vers le ciel de plus en plus haut.

S'il n'était pas revenu, Sydney aurait-elle pu sortir de la maison en feu par ses propres moyens ? Il n'avait entendu aucune alarme incendie se déclencher. Si la jeune femme s'était endormie…

Elle aurait pu ne jamais se réveiller.

Brusquement, il la prit dans ses bras, la tint serrée contre sa poitrine. Son cœur battait la chamade et la peur l'empêchait de respirer.

Il ne laisserait plus jamais la mort frôler de si près Sydney.

Plus jamais.

Sydney considéra les restes calcinés de sa maison. Les flammes avaient tout anéanti sur leur passage. Le toit s'était effondré sous la chaleur du brasier.

Entretemps, les pompiers étaient arrivés. A l'aide de leurs lances, ils s'efforçaient de circonscrire l'incendie.

Sydney poussa un profond soupir, elle se sentait vidée. Le feu s'était propagé si rapidement. Elle était au lit et s'assoupissait, quand Gunner avait hurlé son nom. Réveillée en sursaut, elle avait rabattu les draps, s'était précipitée vers la porte et l'intense chaleur, l'odeur âcre de la fumée l'avaient alors saisie. Sa maison s'était déjà métamorphosée en fournaise.

— Etes-vous certaine que votre détecteur de fumée était branché ?

C'était Logan qui lui posait la question. Dès qu'il

avait entendu parler de l'incendie, il s'était précipité sur les lieux.

— Sûre et certaine.

Elle l'avait vérifié une semaine plus tôt. Cet appareil fonctionnait alors à la perfection.

Il était tombé en panne cette nuit.

— Une chance que Gunner ait été dans le coin, reprit Logan. Je pense qu'il vous a sauvé la vie.

Une fois de plus.

Elle hocha la tête.

— Mais … que faisait-il ici ? ajouta Logan.

— Il était… Il était venu me parler de Slade, me dire que son frère allait beaucoup mieux et qu'il poursuivait désormais sa thérapie en ambulatoire.

Logan hocha la tête.

— J'ai croisé Slade dans les bureaux de la Section d'Elite hier. Il m'a paru très différent de l'homme que vous avez ramené du Pérou. Mais donc, ajouta-t-il en penchant la tête, Gunner était passé pour vous donner de ses nouvelles, et du coup, il a décidé de rester avec vous ?

Pourquoi lui posait-il toutes ces questions ?

— Non, il était parti. Je n'avais pas pris conscience qu'il était revenu avant… avant de l'entendre hurler mon nom.

Gunner s'avança vers eux et Sydney le désigna du menton.

— Demandez-lui directement s'il a remarqué quelque chose. Pour ma part, je n'ai rien vu. Je pensais que j'étais seule.

— Le chef des pompiers m'apprend qu'il s'agit d'un incendie criminel, annonça Gunner. La façon dont le feu s'est propagé d'une pièce à l'autre, la vitesse avec laquelle il est monté à l'étage, ne laisse aucun doute… Un expert va venir mener des investigations.

— Un incendie volontaire ? répéta Sydney en posant

la main sur son ventre. Pourquoi quelqu'un aurait-il voulu brûler ma maison ?

— Et avec toi, à l'intérieur ? ajouta Gunner.

Logan reprit la parole.

— Les ennemis des Agents de l'Ombre sont légion, vous le savez.

Sydney opina. Elle était au courant, bien sûr.

Gunner se tourna vers leur chef.

— Penses-tu que quelqu'un nous prend de nouveau pour cible ?

Logan haussa les épaules.

— Nous n'avons jamais réussi à identifier le type qui a organisé les attaques dont nous avons été victimes ces derniers mois. Nous savons seulement qu'elles émanaient d'un pays d'Amérique du Sud.

Il s'interrompit pour considérer la carcasse calcinée de la demeure.

— Si l'incendiaire a jeté son dévolu sur votre maison, il ne s'agit pas d'un hasard, Sydney. Je vais informer tous nos agents qu'une menace plane au-dessus de leurs têtes et qu'ils doivent rester sur leurs gardes. J'enverrai des spécialistes de la Section d'Elite enquêter sur l'incendie. En attendant, voulez-vous venir vous installer chez moi et Juliana ?

— Je…

— Ou chez moi, proposa Gunner aussitôt.

Sydney secoua la tête.

— Merci à tous deux, mais je vais prendre une chambre à l'hôtel. Ou peut-être retourner à Baton Rouge…

— Non, coupa Gunner. Si tu t'éloignes, tu seras toute seule.

Un agent secret n'était jamais seul, se répéta-t-elle. Il comptait sur les autres membres de l'équipe pour assurer ses arrières. De la même façon que Gunner l'avait protégée, ce soir. Il avait affronté les flammes pour la sauver.

Elle devait lui parler du bébé, de sa grossesse. Gunner avait le droit de savoir qu'il allait être père.

— J'ai une chambre d'amis, insista-t-il. Tu seras tranquille.

Logan semblait éviter leurs regards.

Sydney pensa alors à l'enfant qu'elle portait, à la nuit où quelqu'un avait tenté de lui tirer dessus sur la plage au Pérou, à l'incendie qui venait de ravager sa maison et qui avait failli la tuer.

Si quelqu'un cherchait à lui nuire — et cela semblait de plus en plus évident —, elle avait besoin de protection.

Gunner était le meilleur agent de la Section d'Elite.

— D'accord, je vais m'installer chez toi, répondit-elle doucement.

Le soulagement détendit les traits de Gunner. Mais quelle serait sa réaction quand elle lui parlerait du bébé ? s'inquiéta-t-elle.

Caché dans la forêt voisine, il les observait de loin. Les pompiers s'activaient toujours sur les ruines calcinées de la maison, les inondant de leurs lances à incendie.

Mais personne n'avait commencé à fouiller la zone.

Ils étaient trop occupés à circonscrire le feu.

Il pesta intérieurement. Gunner n'aurait pas dû se trouver ici. Il avait attendu qu'il s'en aille pour passer à l'action.

Cela n'avait pas été difficile d'entrer discrètement dans la maison de Sydney. Il avait profité du moment où elle prenait une douche à l'étage. Elle ne l'avait pas entendu répandre de l'essence sur le plancher du rez-de-chaussée, elle ne l'avait pas vu y mettre le feu, elle ne s'était pas doutée qu'un incendie se propageait.

Une fois le salon en flammes, il s'était sauvé pour aller se réfugier dans le bois. Il comptait contempler son œuvre. Mais Gunner s'était alors élancé vers la maison.

Pourquoi fallait-il toujours qu'il joue les héros ?

Qu'il contrarie systématiquement ses plans ?

Grâce à lui, Sydney s'en était tirée saine et sauve. En tout cas, elle le pensait. Mais ce n'était pas fini. Loin de là.

Il serra les poings.

A présent, Gunner entraînait Sydney vers son camion, lui ouvrait la portière, l'aidait à prendre place.

Où pensait-il donc l'emmener ? Chez lui ?

Salaud.

Il ne l'emporterait pas au paradis, il allait le lui faire payer. Il connaissait le point faible de Gunner. Il s'en prendrait à Sydney pour l'atteindre, lui. Et la prochaine fois, Gunner n'arriverait pas à temps pour la sauver.

Gunner ouvrit la porte de son appartement et se tourna vers Sydney.

— Ne t'inquiète pas. Les agents de la Section d'Elite découvriront ce qui s'est passé, comment le feu a démarré chez toi.

Elle était toujours vêtue de son short et de son T-shirt. Son visage était noir de suie, ses cheveux ébouriffés, ses yeux immenses. Elle était si belle qu'il en eut mal.

Il redressa les épaules et ferma la porte.

— Tu seras en sécurité, ici. Je t'en donne ma parole.

— L'un de nous est-il vraiment en sécurité quelque part ?

La question, posée sur un ton calme, le désarçonna.

— Tu sais aussi bien que moi que ce monde est très dangereux, poursuivit-elle. Surtout pour nous.

Elle s'écarta de lui pour s'approcher des baies vitrées et contempler la vue, la ville de Washington.

— Pourquoi étais-tu revenu ? lança-t-elle brusquement.

— Parce que j'avais le sentiment que nous avions encore des choses à nous dire.

— Oui, répondit-elle, les yeux toujours rivés vers l'horizon. Tu as raison. En tout cas, il y a quelque chose dont, moi, je dois te parler, ajouta-t-elle en se tournant vers lui.

Il se blinda intérieurement. Quand une femme commençait ses propos par « Je dois te parler », cela n'augurait rien de bon, en général.

Que s'apprêtait-elle à lui dire ? Qu'elle retournait à Baton Rouge ? Pourvu que non !

Elle était en danger, elle ne pouvait pas s'éloigner. D'autant moins que lui devait rester à Washington, pour veiller sur Slade.

— Je suis enceinte.

Enceinte ?

Il avait forcément mal compris et il secoua la tête.

Avec un soupir, Sydney leva les yeux au ciel.

— Ne me dévisage pas comme si j'avais perdu l'esprit. Tu as très bien entendu. Imbécile, ajouta-t-elle en tournant les talons.

Il se précipita vers elle et l'obligea à lui faire face.

— Imbécile ?

Elle souffla de nouveau.

— Je suis enceinte, Gunner.

Il fit non de la tête, puis posa les yeux sur le ventre de Sydney. Il était plat.

De nouveau, il secoua la tête. Mais elle poursuivit :

— D'après Tina, je suis à trois mois de grossesse et si je sais compter, elle a débuté quand nous étions ensemble à Baton Rouge…

— Je n'avais pas utilisé de préservatif…

Lorsqu'il était venu lui déclarer sa flamme à Baton Rouge, il avait si faim d'elle qu'il n'avait pas eu la présence d'esprit de lui demander si elle prenait un contraceptif.

— Je suis désolé, je…

— Je suis une grande fille. J'aurais pu te prévenir que je n'étais pas protégée, que je risquais une grossesse. Mais je te désirais si fort que… j'ai oublié le reste. Et je n'avais pas envie d'un morceau de latex entre nous.

— Voilà pourquoi tu as perdu connaissance, l'autre jour, dit-il d'une voix presque basse.

Sydney est enceinte, elle porte mon bébé.

Une joie sans mélange le submergeait. Mais elle, que ressentait-elle ? Comment vivait-elle cette grossesse ? Et…

Slade.

Slade n'allait pas prendre bien la nouvelle.

— Oui, c'est la raison pour laquelle je m'étais évanouie.

Il avait envie de poser les mains sur elle, de lui caresser le ventre. Slade serait furieux, fou de rage. Mais…

Mon bébé.

— J'ai pensé que tu avais droit de le savoir.

Soudain, Gunner comprit : l'incendie qui avait ravagé la maison de Sydney, ce soir, n'avait pas seulement mis la vie de la jeune femme en danger. Mais celle de leur enfant aussi.

Il poussa un soupir.

— Apparemment, tu vas être père dans quelques mois, murmura-t-elle en s'écartant de lui.

Il ne savait quoi dire.

Un lourd silence tomba.

Les lèvres tremblantes, elle opina légèrement de la tête. Puis elle s'éloigna pour gagner la chambre d'amis. Elle savait évidemment où elle se trouvait. Elle était venue ici des dizaines de fois depuis deux ans et l'appartement semblait toujours plus gai, plus clair, plus coloré, quand elle était là.

Apparemment, tu vas être père.

Les mots tournaient en boucle dans sa tête.

Il songea à son propre père, à la façon dont ce pauvre type l'avait laissé tomber, l'avait abandonné chez son grand-père sans un regard en arrière. Il n'était jamais revenu… jusqu'au jour où il s'était débarrassé de Slade de la même façon. Comme on le fait d'un paquet encombrant.

Son grand-père les avait élevés tous les deux dans cette petite maison où la moquette était usée jusqu'à la corde, où le toit s'affaissait. Il leur avait appris à pêcher, à chasser, à pister les animaux.

Ils n'avaient pas beaucoup d'argent, ils ne pouvaient pas s'offrir de beaux vêtements ou des voitures.

Mais…

Son grand-père l'avait aimé.

Gunner retint une larme et songea à son enfant à venir. Pour le moment, il était minuscule, une petite crevette qui grossissait dans le ventre de Sydney.

Etait-ce un garçon ? Une fille ? Aurait-elle le sourire de Sydney ? Ses yeux à lui ?

Apparemment, tu vas être père.

Il serra les poings. Il serait père, oui, mais il ne se comporterait pas comme le sien. Il n'abandonnerait pas son propre enfant.

Jamais.

Sydney fut réveillée par un terrible cauchemar.

— Gunner ! hurla-t-elle, paniquée.

Des images terrifiantes s'imposaient à sa mémoire. Elle était au milieu des flammes, cernée, piégée. Elle et son bébé !

Gunner arriva en courant dans la chambre, alluma la lumière. Il avait un revolver à la main et son corps était tendu à l'extrême.

— Sydney ?

Il fouilla rapidement la pièce, cherchant un intrus.

Mais il n'y avait rien, personne.

Elle prit une profonde inspiration. Que lui était-il arrivé ?

— Excuse-moi, j'ai fait un mauvais rêve.

Dans son cauchemar, Gunner tentait de la sauver des flammes, mais il tombait dans le brasier et y mourait. A ce souvenir, elle serra les poings sous les couvertures.

Gunner posa son arme sur la table de chevet.

— As-tu envie d'en parler ?

— Tout va bien, maintenant. C'est passé.

Il la dévisagea avec attention.

— Je suis… désolé pour tout à l'heure, grommela-t-il.

Elle reposa la tête sur l'oreiller.

— Lorsque je t'ai annoncé ma grossesse et que tu as eu l'air de vouloir t'enfuir en courant ?

— Je n'ai pas réagi ainsi ! protesta-t-il.

D'accord, il ne s'était pas sauvé. Mais son visage s'était fermé, ses traits durcis.

— Tu sais que… mon père nous a abandonnés, Slade et moi.

Oui, elle le savait.

— Ma mère est morte quand j'avais deux ans et pendant longtemps, j'ai vécu seul avec mon grand-père. Quand je voyais les autres gosses avec leur papa, j'étais jaloux, malade de jalousie.

Elle resta parfaitement immobile. Gunner ne parlait pas souvent de son passé. Slade non plus, d'ailleurs. Slade lui avait seulement confié un jour que son enfance avait été une horreur, qu'il n'accepterait jamais de revivre dans la même misère.

Elle n'avait pas insisté pour en apprendre davantage, elle ne voulait pas raviver de vieilles blessures.

— Gunner, ne te sens pas obligé de…

— Si, j'y tiens. Tu portes mon bébé. Tu mérites de tout savoir sur moi.

Il s'approcha du lit, parut hésiter et finit par s'asseoir près d'elle.

Soudain, il prenait toute la place et elle fut parcourue d'un frisson. Elle réagissait toujours avec une force incroyable à son contact.

— Jusqu'à mes dix ans, j'ai espéré qu'un jour, il reviendrait, qu'il aurait envie d'être avec Slade et moi, que nous formions une famille.

Le cœur serré, elle mesura la douleur du petit garçon qu'il avait été.

— Mais le jour de mon anniversaire, alors qu'une autre année s'était écoulée sans que je reçoive un signe, un mot de lui, j'ai compris que cela ne se produirait jamais. Il ne m'aimait pas, il n'en avait rien à faire de moi. Et rien n'y changerait.

Elle prit sa main et mêla ses doigts aux siens.

— Dommage pour lui. Il ne sait pas à côté de quoi il est passé.

Un sourire passa sur les lèvres de Gunner.

— C'était ce que me répétait mon grand-père. Mais malgré tout, quand tu as dix ans et que ton père ne te passe jamais un coup de fil pour s'assurer que tu es toujours en vie, que tu vas bien, tu as vraiment le sentiment que tu ne vaux pas grand-chose.

Il libéra sa main pour la poser sur son ventre, à travers les draps.

— Je ne veux pas que ce bébé éprouve ce que j'ai éprouvé.

Les larmes brûlaient les paupières de Sydney.

— Non, bien sûr.

— Je ne veux pas ressembler à mon père, me comporter comme lui. Je tiens à être présent, à participer à la vie de ce bébé.

Pourquoi ne le lui avait-il pas dit plus tôt ? se demanda-t-elle.

En tout cas, l'homme qui se tenait devant elle, dont les mains tremblaient en caressant son ventre, n'était pas un type qui fuirait ses responsabilités, qui refuserait d'assumer son statut de père. Il mourait d'envie de jouer ce rôle à fond.

— Je ne veux pas que ce bébé ressente… Je ne veux pas qu'il souffre comme moi, j'ai souffert, enfant.

Gunner lui brisait le cœur. Elle l'attira à elle, le forçant à s'allonger près d'elle.

— Ce petit est désiré, souffla-t-il. Je l'aime déjà.

Il l'étreignit plus fort.

Elle ne s'était pas attendue à cette réaction de la part de Gunner. Il…

Il l'embrassa.

Elle ne devait pas lui rendre ses baisers, vu la situation, vu ce qui se passait entre eux. Mais elle fut incapable de s'en empêcher.

Les souvenirs de son cauchemar, des images où Gunner se faisait happer par le brasier et mourait, étaient trop vifs dans son esprit.

Elle avait songé à lui des dizaines de fois ces dernières semaines. Toutes les nuits, en réalité. Elle le désirait si fort, mais elle avait eu peur de ne plus jamais pouvoir l'enlacer, l'embrasser, se blottir dans ses bras.

Il avait fallu un incendie, que la mort les frôle, pour qu'ils se retrouvent ensemble. Et maintenant, il la tenait avec précaution comme s'il craignait de la casser.

Elle le caressa, le poussant à se déshabiller, à aller plus loin.

Lui continuait de l'embrasser.

Puis il se mit à promener ses mains sur son corps. Sa bouche chercha sa nuque, parcourut sa peau…

Elle ferma les paupières et gémit de plaisir sous ses caresses. Elle se souleva, l'aida à la déshabiller.

Gunner commença par se laisser faire mais, soudain, il s'interrompit.

— Je ne veux pas te faire mal, dit-il d'une voix tremblante.

Elle sourit.

— Ne t'inquiète pas.

Gunner ne lui ferait jamais de mal. Pas physiquement, en tout cas.

Sans doute pouvait-il lui briser le cœur, froisser ses sentiments. Peut-être souffrirait-elle encore à cause de lui.

A cet instant, elle était d'accord pour courir le risque.

Il la pénétra et elle s'accorda à ses mouvements, le suivit dans cette danse.

Nouant les jambes autour de lui, elle se laissa emporter, entraîner vers le ciel. Oubliant la peur, l'incendie, toutes les menaces qui planaient au-dessus d'elle, elle s'envola. Elle ne voyait plus que lui et le plaisir infini qu'il lui donnait.

Quand l'orgasme le foudroya, il s'abattit sur elle avec un cri rauque. Puis il la prit dans ses bras, contre lui, une main sur son ventre.

Elle se rendormit et aucun cauchemar ne revint perturber son sommeil.

La sonnerie du téléphone réveilla Gunner. L'appareil résonnait dans le couloir.

Gunner battit des paupières : Sydney dormait près de lui. Sydney, sa belle Sydney.

Il sortit du lit, s'efforçant de ne pas la réveiller. L'aube se levait. Sydney n'avait pas assez dormi et dans son état, il voulait qu'elle se repose au maximum.

Il décrocha le récepteur.

— Gunner.

Un long silence lui répondit.

— Tu chuchotes… Pourquoi ?

Il ferma la porte de la chambre et s'éclaircit la voix.

— Que veux-tu, Logan ?

— Te prévenir d'une atteinte à la sécurité, répondit celui-ci d'une voix tendue. Je viens de recevoir un coup de fil de Mercer. Quelqu'un a essayé de pirater le réseau informatique de la Section d'Elite, cette nuit.

De nouveau, les Agents de l'Ombre étaient pris pour cible, songea Gunner. L'incendie de la maison de Sydney n'avait sans doute été qu'une première salve.

— Le problème est que… d'après les techniciens qui travaillent à restaurer le système, l'attaque provient de l'intérieur.

Cela, Gunner ne s'y attendait pas.

— D'un de nos agents ?

— Il n'y a aucune certitude pour le moment. Mais le pirate s'est servi d'un ordinateur des bureaux de la Section d'Elite. Nous allons laisser travailler nos experts et réagir en fonction de ce qu'ils découvriront.

Gunner poussa un soupir.

— Qu'attends-tu de moi ?

— Ne quitte pas Sydney d'une semelle. Elle a été victime de la première attaque, il est probable qu'elle est toujours dans le collimateur de notre ennemi et qu'il va s'en prendre de nouveau à elle. Mais il y a autre chose. Les dossiers piratés… étaient liés à Guerrero.

— Quoi ?

Guerrero était un trafiquant d'armes mexicain. Il avait enlevé Juliana James, la femme que Logan venait d'épouser. A l'époque, Logan avait été comme fou.

Alors que devait-il éprouver, à présent ?

— Quelqu'un a cherché à fouiller dans les documents classés confidentiels qui concernaient ce type. Cette personne a également effectué des recherches sur Sydney. Et sur toi. Je vais veiller avec plus d'attention que d'habitude sur Juliana, tu t'en doutes. Elle avait été instrumentalisée pour faire tomber Guerrero.

Gunner acquiesça : Logan ne ferait rien qui puisse mettre en danger la femme qu'il aimait.

— Si quelqu'un veut rejouer ce scénario, il n'est pas question de le laisser faire, ajouta Logan.

Non, bien sûr. Et de son côté, Gunner veillerait sur Sydney. Personne ne lui ferait du mal, il s'en assurerait.

Avec lui, elle ne risquait rien.

Elle était trop importante pour lui. Le bébé aussi. La vie qu'il pourrait connaître avec eux, s'il n'avait pas encore tout gâché, était trop importante pour lui.

Slade contempla la ville à ses pieds. Il avait choisi de vivre dans cet appartement pour la vue qu'il offrait sur Washington, mais personne n'avait fait attention à ce détail. Les Agents de l'Ombre se croyaient intelligents. Ils se prenaient pour une Section d'Elite.

En réalité, ils étaient de sombres crétins.

Un jour, il y a longtemps, il avait voulu faire partie de cette prestigieuse unité. Mais il n'avait pas été sélectionné, il avait raté certaines des épreuves. Sydney avait réussi, elle. Gunner aussi. Bien sûr, Gunner était bon en tout.

Mais pas le petit frère !

Il n'arrivait jamais au niveau de Gunner.

A présent, la Section d'Elite payait le loyer de son appartement. En fait, le Trésor américain lui finançait tout ce dont il avait besoin. Après ce qu'il avait traversé, ils lui donnaient ce qu'ils appelaient une indemnité. Mais ce qu'ils lui donnaient ne suffirait jamais à indemniser ce qu'il avait vécu.

Il fixa la ville à travers les baies vitrées. De là où il était, il pouvait voir l'immeuble où son frère vivait, où il possédait un appartement.

Oui, il avait choisi ce studio pour cette raison. Pour garder un œil sur Gunner, pour surveiller son grand frère.

Ces imbéciles de la Section d'Elite ne se rendaient pas compte que Gunner était une menace. Ils le prenaient pour un héros. Ils commettaient une grave erreur.

Mais lui, Slade Ortez, il avait la ferme intention de leur ouvrir les yeux.

Sydney aussi avait fait une erreur.

Elle s'était détournée de lui. Elle refusait de l'épouser alors qu'elle s'y était engagée deux ans plus tôt.

Elle aurait dû lui être reconnaissante. Alors que toutes les femmes rêvaient de l'épouser, c'était Sydney qu'il avait choisie. C'était elle qu'il avait demandée en mariage.

Et pour l'en remercier, elle avait couché avec son frère.

Au départ, la fureur avait été si forte qu'il avait cru en mourir. La veille au soir, il avait failli réussir. Il s'était abandonné à ses désirs sombres.

Mais maintenant, avec le soleil qui se levait, il reprenait espoir : tout n'était peut-être pas perdu avec Sydney. Il fallait qu'elle découvre la véritable personnalité de Gunner, que son grand frère lui montre son vrai visage, la déçoive. Alors Sydney se détournerait de lui et tomberait dans les bras de Slade Ortez !

Tout est une question de temps.

Il scrutait toujours l'appartement de Gunner. Au cœur de la nuit, une lampe s'y était allumée. Il avait tenté de voir ce qui se passait, de les espionner avec des jumelles.

Sydney et Gunner s'étaient enlacés.

A ce souvenir, il serra les mâchoires.

Une question de temps.

Gunner paierait pour le mal qu'il lui avait fait.

7

Gunner était assis dans son salon, face à Sydney. Celle-ci semblait perplexe.

— Tu sais, Gunner, Je me sens très bien dans ta chemise, mais pour sortir dans la rue, il est sans doute préférable que je sois un peu plus couverte. Il me faut des vêtements.

Elle n'avait pas tort mais… qu'elle était sexy dans sa chemise !

— Ne t'inquiète pas, la rassura-t-il. Logan y a pensé et m'a promis de te faire livrer sous peu tout ce dont tu pourrais avoir besoin.

Un moment plus tard, la sonnette de l'entrée retentit. Gunner se hâta vers la porte et regarda par l'œilleton.

Mince ! Cale ! Il ne devait pas voir Sydney dans une tenue aussi sexy.

Il se tourna vers elle.

— Ça t'ennuierait d'aller dans la chambre ? Je t'apporte de quoi t'habiller dans un instant.

Sydney leva les yeux au ciel mais obtempéra.

Dès qu'elle eut quitté la pièce, Gunner déverrouilla la serrure.

Cale apparut, des sacs à la main et une expression douloureuse sur le visage.

— Envoie-moi libérer un otage au fin fond de la jungle,

oblige-moi à me battre seul et à mains nues contre une armée de guérilleros, dit-il en entrant dans l'appartement. Mais par pitié ne me demande plus jamais d'aller acheter des vêtements féminins.

Gunner faillit sourire et le fit entrer.

Mais Sydney cria alors de la chambre.

— Gunner ! Logan a-t-il pensé aux chaussures ?

— J'y ai pensé, Sydney, répondit Cale. La femme de Logan m'avait donné une liste et je n'ai rien oublié.

— Génial, s'exclama Sydney. J'arrive !

Gunner dévisagea Cale avec sévérité.

— N'essaie pas de la reluquer, lui ordonna-t-il.

Dans la chambre, Sydney éclata de rire : elle avait tout entendu.

— Détends-toi, Gunner, lança-t-elle. Je suis sûre que Cale a déjà vu des dizaines de femmes avec encore moins que moi sur le dos…

Mais elle n'était pas n'importe quelle femme, s'agaça Gunner. Elle était … la sienne.

Il s'obligea à prendre une profonde inspiration.

— Regarde-la dans les yeux, Cale.

— A t'entendre, on jurerait que tu es un peu jaloux, Gunner, reprit Sydney en les rejoignant.

Non, pas qu'un peu. Cale était très séduisant. Habillé d'un smoking ou d'un jean, il était toujours d'une rare élégance. Il émanait de lui quelque chose de racé.

Gunner savait à quoi il ressemblait, lui. A un cauchemar ambulant. Avec toutes les cicatrices qui zébraient son corps, ses traits durs, il n'avait rien du gendre idéal ou d'une gravure de mode.

Il ne l'avait jamais été, d'ailleurs.

— Inutile d'être jaloux, Gunner, dit-elle en s'emparant des sacs. Peut-être devrais-tu apprendre à me faire confiance.

Puis elle retourna dans la chambre pour se changer.

Il se raidit, un peu interloqué. Il avait une totale confiance en Sydney. En mission, il pouvait compter sur elle pour assurer ses arrières, le protéger.

— Je ne te reproche pas de veiller au grain, murmura Cale. Sydney est canon.

Gunner se retourna vers lui, les poings serrés.

Cale leva aussitôt les mains en un geste d'apaisement.

— Détends-toi, vieux. Tu n'as rien à craindre de moi, je ne suis pas une menace. Je vais te dire, Gunner, j'ai flashé sur elle dès que je l'ai vue, mais j'ai très vite compris que je n'avais aucune chance. Elle me donnait l'impression d'être invisible. Elle n'a jamais regardé que toi. Je me demande bien pourquoi, d'ailleurs. Peut-être as-tu des charmes secrets, peut-être apprécie-t-elle ton côté ours…

Une fois de plus, il faillit faire sourire Gunner.

— Comment vas-tu t'en sortir avec Slade ? reprit-il à voix basse. Parce que je ne pense pas qu'il renonce facilement à elle…

Il le faudrait bien. Sydney était enceinte.

— Je serai toujours là pour mon frère.

— Et pour elle ?

Evidemment ! Personne ne pourrait le forcer à la quitter maintenant. Qu'elle lui ait ouvert les bras, la veille au soir, lui semblait toujours aussi incroyable. Elle lui avait donné tellement de plaisir.

Cela signifiait-il qu'elle l'aimait ?

— Je resterai avec Sydney, quoi qu'il advienne, répondit-il, en s'efforçant de s'exprimer sans aucune émotion.

Cale le considéra d'un air songeur.

— En tout cas, Logan a demandé que tu ne la quittes pas d'une semelle et il m'a chargé d'assurer vos arrières, en renfort. Dans cette optique, si je peux me permettre une petite critique, ajouta-t-il en promenant les yeux autour de lui, ton appartement ne me paraît pas très sûr. Il y a trop d'ouvertures…

Mais Gunner aimait les grandes baies vitrées. Depuis qu'il avait été fait prisonnier et torturé au cours d'une mission qui avait mal tourné, il éprouvait le besoin de vivre dans un endroit d'où il pouvait voir les alentours et se sentir libre.

C'était sans doute les mêmes raisons qui avaient poussé son frère à prendre un studio dans un immeuble voisin, bénéficiant également d'une vue imprenable sur la ville.

— Bref, je suis là pour veiller sur vous deux, poursuivit Cale. Sur Sydney et toi. D'accord ?

Gunner fut rassuré de l'apprendre.

— Logan t'a-t-il parlé du dossier Guerrero ? enchaîna Cale.

— Oui, il m'a prévenu, ce matin.

— Tu sais que… Sydney et toi étiez sur la liste des agents de la Section d'Elite visés par Guerrero, qu'il avait projeté d'éliminer.

Gunner redressa les épaules, surpris que Cale soit au courant. Au moment de l'affaire, Cale ne travaillait pas encore pour les Agents de l'Ombre. En fait, la Section d'Elite l'avait même soupçonné du meurtre de trois de leurs agents. Cale faisait alors partie des rangers. Son profil psychologique avait démontré qu'il avait des tendances agressives et pouvait se montrer instable.

Trop tard, ils avaient compris que les conclusions de cette analyse de personnalité ne valaient rien, que Cale avait porté le chapeau pour des crimes qu'il n'avait pas commis. Avec son aide, ils avaient retrouvé la trace du véritable assassin.

Le tueur n'avait jamais eu la possibilité d'achever ses sombres projets, de s'en prendre à Sydney ou à Gunner.

Cale reprit.

— Logan m'en a parlé parce que le piratage informatique de cette nuit pourrait être lié à Guerrero et aux attentats dont les Agents de l'Ombre ont été la cible, il y a quelques mois…

Gunner opina. Lui-même le craignait.

— Si cette hypothèse se révèle fondée, poursuivit Cale, les membres de la Section d'Elite sont confrontés à un ennemi puissant et qui, visiblement, a une dent particulière contre Sydney et toi.

La porte de la chambre s'entrebâilla et Sydney apparut, vêtue d'un jean et d'un corsage blanc. Elle s'approcha d'eux, un grand sourire aux lèvres.

— Tu ne lui en as pas parlé ? murmura Cale.

— Non, pas encore.

— Mieux vaut la tenir au courant sans tarder. Logan veut nous réunir tous dans une heure pour faire le point sur la situation.

Le sourire de Sydney vacilla.

— Gunner ? Que se passe-t-il ?

Il poussa un soupir. Il n'avait jamais tenté de l'épargner dès lors qu'il s'agissait d'une mission. Parmi les Agents de l'Ombre, Sydney était la meilleure pour obtenir des renseignements. Elle savait se servir d'un ordinateur comme personne. Logan voudrait certainement qu'elle reprenne au plus vite son poste et travaille avec les techniciens afin d'identifier le pirate.

Aussi lui dit-il la vérité.

— Le système informatique de la Section d'Elite a

été piraté cette nuit. Et apparemment, l'attaque vient de l'intérieur, ajouta-t-il.

En proie à une décharge d'adrénaline, Sydney quitta à la hâte l'immeuble de Gunner, avec les deux hommes. La veille, sa maison avait été ravagée par un incendie criminel, et à présent, ses dossiers avaient donc été piratés ? Il s'agissait d'attaques personnelles, elle n'en doutait plus à présent, et avait la ferme intention de se mettre en chasse.

Elle repéra la Mustang de Cale, garée un peu plus bas dans la rue, sur un stationnement interdit. Cale adorait les belles voitures.

Mais alors qu'elle traversait, Gunner se jeta sur elle. Projetée en avant, elle tenta d'amortir sa chute avec ses bras. Qu'est-ce que…

Une déflagration retentit.

Un coup de feu.

Gunner la poussa derrière son camion.

— As-tu été blessée ? s'enquit-il.

Elle secoua la tête. Elle était indemne mais en proie à une colère folle. Etait-elle encore visée par une nouvelle agression ? La seconde en moins de vingt-quatre heures ?

Gunner sortit son téléphone portable pour appeler leur chef.

— Logan, envoie une équipe dans ma rue. Immédiatement. Nous sommes la cible d'un tueur. Les tirs viennent du James Fire Building, j'ai vu briller l'arme avant que le fumier ne fasse feu sur Sydney. Nous avons besoin de renforts le plus vite possible.

Il coupa la communication, glissa son téléphone dans sa poche et tira son revolver de son holster dissimulé sous sa veste. Avant de quitter son appartement, ils avaient pris soin de s'armer. N'étaient-ils pas dans le collimateur d'un tueur ?

— Reste allongée derrière ce camion jusqu'à l'arrivée de la cavalerie, lui ordonna-t-il.

— Et que comptes-tu faire en attendant ? Te rendre dans cet immeuble pour débusquer le tireur ? Tout seul ?

— Il n'est pas question qu'il continue à nous canarder. Des civils peuvent être touchés.

Dès que les déflagrations avaient retenti, la rue s'était vidée. Cale s'était chargé d'éloigner les passants. Mais comment empêcher que d'autres personnes sortent de leurs immeubles ?

— Tu as besoin que quelqu'un te couvre, Gunner. Je peux le faire.

Il secoua la tête.

— Tu es la cible de l'ennemi et il est exclu de prendre des risques inutiles. Pense au bébé, ajouta-t-il en regardant son ventre.

Le cœur de Sydney battait la chamade.

— Il ne s'agit pas de risques inutiles. Tu ne peux pas y aller seul.

Des sirènes se firent entendre. Des riverains avaient dû appeler la police. A moins que Logan ne s'en soit chargé.

— Les flics arrivent, pesta Gunner. Ils vont faire fuir le tireur. Je ne veux pas qu'il m'échappe.

Sur ces mots, il s'élança.

Il n'essayait même pas de se protéger, de se cacher, songea Sydney. Pourquoi fallait-il toujours qu'il s'expose au danger ?

Elle se mit en position, surveillant l'immeuble de loin. Si le canon d'un fusil brillait au soleil, elle n'hésiterait pas.

*
**

Le James Fire Building était un immeuble en voie de démolition et donc vide. Une autre résidence, plus confortable et plus luxueuse, serait bientôt construite pour le remplacer. Isolé, il était l'endroit que Gunner aurait lui-même choisi pour tirer sur quelqu'un dans la rue.

Tout en suivant Sydney vers le camion, il avait promené les yeux autour de lui et rapidement passé en revue les étages de l'immeuble. Inspecter les alentours était une sorte de réflexe chez lui. Le canon d'une arme avait alors brillé. Aussitôt, il avait poussé Sydney à terre.

A temps.

La balle avait sifflé à leurs oreilles. Il aurait suffi d'un rien pour qu'elle l'atteigne en pleine tête.

Parvenu dans le bâtiment, il grimpa rapidement les étages mais sans bruit, comme son grand-père le lui avait appris. Il comptait sur l'effet de surprise. Si sa proie était toujours à l'intérieur, à attendre bêtement de pouvoir tirer de nouveau…

Je l'aurai.

Des bruits de pas résonnèrent. Le tueur descendait l'escalier. Pour fuir, il était obligé de l'emprunter. L'électricité avait été coupée depuis longtemps, l'ascenseur démonté.

Tout en continuant de monter, Gunner ne put réprimer un léger sourire.

Quelques secondes plus tard, l'homme parvint devant lui, et il cria.

— Ne bougez plus ou je tire !

Il voulait attraper ce type vivant. Afin de l'interroger et de comprendre pourquoi il avait pris Sydney pour cible. Il s'agissait sans doute d'un tueur à gages. Pour courir un risque pareil, pour tirer d'un endroit public offrant aussi peu de possibilité d'échapper à la police, il fallait être un professionnel. Mais qui l'avait chargé de ce travail ?

Et pour quelle raison ? Au lieu d'obtempérer, le type fit feu et Gunner se plaqua contre le mur.

— Jetez votre arme ! ordonna-t-il.

Mais l'homme le mit en joue. Il était en nage. Ses yeux étaient fous, ses mains tremblaient.

Visiblement, il était prêt à tout pour s'enfuir, il n'hésiterait pas à tirer, comprit Gunner.

Il n'avait pas le choix. Il pressa la détente.

Dès que des coups de feu retentirent, Sydney se mit à courir vers le James Fire Building. Son cœur battait à tout rompre dans sa poitrine. Elle devait rejoindre Gunner.

Des policiers stationnaient devant elle. Elle les contourna et poursuivit sa course vers l'immeuble, l'arme brandie, prête à tout pour venir en aide à l'homme qu'elle aimait.

Il était dans l'escalier du bâtiment, accroupi près d'un cadavre.

D'un bref coup d'œil, elle inspecta Gunner : il ne portait aucune trace de sang. Intensément soulagée, elle put enfin respirer.

Il se tourna vers elle.

— Il n'a pas voulu laisser tomber son arme.

Gunner n'avait pas eu le choix, comprit Sydney. Mais il n'était jamais simple de prendre la vie de quelqu'un. Qu'il s'agisse d'un ordre ou d'une initiative personnelle pour neutraliser une menace, ce ne pouvait être facile de tuer.

Pour personne.

Le visage de Gunner ne reflétait aucune émotion. Elle l'avait déjà vu en action. Après avoir abattu un homme, il se fermait. Il rentrait en lui-même.

C'était ainsi que Gunner travaillait.

— Je voulais l'attraper vivant, reprit-il doucement.

Pour comprendre pourquoi il s'en prenait à toi, à nous, pour savoir qui l'avait embauché. Et pourquoi.

Sydney reporta son attention sur l'homme à terre. Blond et maigre, il n'avait sans doute pas trente ans. Son visage ne lui disait rien, elle ne l'avait jamais vu auparavant. C'était certainement un tueur à gages.

Les Agents de l'Ombre l'identifieraient et trouveraient tout ce qu'il fallait savoir sur lui. Ils prendraient ses empreintes, analyseraient la scène

Il portait un tatouage sur le bras. Un serpent enroulé autour d'un poignard. Leurs techniciens chercheraient également l'origine de ce tatouage. Ils découvriraient qui était ce type et pourquoi il leur avait tiré dessus.

Gunner tenait toujours son arme à la main.

Sydney rangea son propre revolver dans sa ceinture puis elle lui prit le sien.

— C'est fini, maintenant.

Mais Gunner secoua la tête.

— Je crois au contraire que cela ne fait que commencer.

Gunner se passa les mains au désinfectant. Mais il avait trop de sang dessus : il ne pourrait s'en débarrasser facilement.

Il se trouvait dans les bureaux de la Section d'Elite. Il avait été interrogé, innocenté, débriefé. Le FBI menait l'enquête en parallèle et transmettrait ses conclusions aux Agents de l'Ombre.

— Gunner ?

Il tourna la tête : Sydney était à la porte. Les traits de son ravissant visage semblaient anxieux.

— Ça va ? s'enquit-elle.

Non.

Il se reprochait de ne pas avoir réussi à arrêter le tueur.

Il avait voulu le neutraliser sans l'abattre mais l'homme n'avait pas eu l'intention de se rendre. Lorsqu'il avait pointé son arme sur lui, Gunner n'avait pas eu le choix. Pour sauver sa propre peau, il avait été obligé de le descendre.

— J'ai détruit une piste capitale.

Les sourcils froncés, elle referma la porte et se rapprocha de lui.

— Tu m'as surtout sauvé la vie.

Il ne répondit pas.

Elle l'observa, la tête penchée sur le côté.

— Pourquoi as-tu toujours du mal à te voir tel que tu es ? En héros.

— Je fais mon travail. Cela ne fait pas de moi un héros.

Elle prit ses mains dans les siennes.

— Quand je te regarde, je vois l'homme qui a sauvé ma vie aujourd'hui, qui m'a sauvé la vie une dizaine de fois en mission. Alors cesse de te considérer autrement, d'accord ? ajouta-t-elle d'un ton ferme.

Elle le dévisageait. Dans ses yeux, il était quelqu'un de bien, il valait quelque chose.

Quelqu'un frappa mais Sydney ne le lâcha pas.

La porte s'ouvrit. C'était Slade.

Aussitôt, il fixa leurs mains enlacées et son visage se crispa brièvement.

— J'ai entendu parler de ce qui s'était passé. Je venais m'assurer que vous alliez bien, tous les deux.

Il avait repris des couleurs et du poids, nota Gunner. A son retour aux Etats-Unis, il était pâle comme la mort et squelettique. Manifestement, il avait récupéré.

Il avait obtenu l'autorisation d'entrer dans les bureaux de la Section d'Elite. Mercer lui avait permis d'y circuler parce qu'il souhaitait que Slade poursuive son traitement, continue à voir régulièrement des médecins.

Gunner observa son frère avec attention. Connaissait-il encore cet homme ? L'avait-il connu un jour ?

— Ça va, merci.

La bouche de Slade se tordit.

— Bien sûr. Tu n'as jamais eu de difficulté à tuer quelqu'un.

Les mots de Slade éveillèrent quelque chose de désagréable dans l'esprit de Gunner.

— Tu vises, tu tires... Je suis sûr que le type n'a rien vu venir, ajouta Slade avec un petit rire.

Gunner se raidit sans répondre mais Sydney répliqua.

— Tuer n'est facile pour personne. Une vie est une vie.

— Les ordures dans le genre de ce tueur professionnel doivent pourtant être éliminées, lâcha Gunner. Il te prenait pour cible, Sydney. Je suis heureux qu'il soit mort. Je ne veux pas... Je ne veux pas que tu coures le moindre danger.

Sydney s'écarta de Gunner et se plaça entre Slade et lui. En fait, elle s'était toujours mise entre eux deux, réalisa soudain Gunner. Depuis le moment où il l'avait rencontrée, depuis qu'il était tombé amoureux d'elle, la petite amie de son frère.

Mais maintenant elle n'est plus à Slade.

— As-tu également entendu parler de l'incendie qui a ravagé ma maison ? demanda Sydney.

Slade hocha la tête avec une grimace, puis s'avança vers elle.

— Que puis-je faire pour toi ? J'aimerais me rendre utile, t'aider.

— Nous ignorons encore ce qui a déclenché le feu, répondit Sydney.

Elle marqua une pause.

— Slade, il ne me paraît pas indispensable de t'exposer inutilement au danger. Tu as surtout besoin de te remettre de ta longue captivité, de guérir, de recouvrer des forces. Tu dois d'abord…

— Je dois retrouver ma vie d'autrefois, l'interrompit-il. Je ne suis pas du genre à rester assis, les bras ballants, pendant que d'autres sont à la manœuvre. Je voudrais que toi, que tout le monde, me voient comme un individu normal, pas comme un homme diminué. Laisse-moi t'aider, laissez-moi vous aider. J'ai besoin de me rendre utile.

Gunner devinait le combat intérieur que menait son frère. Malgré tout, il n'avait pas envie que Slade risque sa vie. Il n'était pas en état d'effectuer des missions dangereuses. L'impliquer était hors de question.

Slade redressa les épaules.

— Je peux vous aider avec mes petits moyens, non ? Dans les bureaux, par exemple. J'accepte de faire les travaux de paperasserie, les tâches rébarbatives, je peux lire les dossiers…

— D'accord, peut-être, répondit Gunner qui ne voulait pas le blesser.

Ne lui avait-il pas déjà fait assez de mal ?

— Nous en toucherons un mot à Mercer et verrons ce qu'il propose, ajouta-t-il.

— Formidable, s'écria Slade.

Manifestement soulagé, il reporta son attention sur Sydney, une fois de plus.

— Je suis désolé, Syd. Je suis désolé de m'être comporté avec toi comme je l'ai fait à mon retour. Je ne me pardonnerai jamais d'avoir levé la main sur toi.

Elle soutint son regard.

— Tu n'étais pas toi-même, dit-elle d'un ton neutre.

— Non, c'est vrai, reconnut-il en mêlant ses doigts aux siens. Je te prouverai que je vais mieux. Tu verras.

Puis, comme s'il prenait soudain conscience de son geste, il secoua la tête et la lâcha.

— J'irai trouver Mercer. J'aimerais lui parler en premier, plaider ma cause, vous comprenez ?

Gunner réprima un haussement de sourcils : Mercer ne laisserait probablement pas son frère en faire trop. Mais peut-être leur patron accepterait-il de le recevoir, voire de lui confier des travaux non risqués pour l'aider à se sentir utile.

Slade sortit à la hâte de la pièce, et Sydney fixa la porte un long moment, manifestement pensive.

Etait-elle en train de réaliser que l'homme qu'elle avait connu essayait de redevenir lui-même ? se demanda Gunner.

Finalement, elle se tourna vers lui.

— Sais-tu pourquoi Slade n'avait pas pu rejoindre l'équipe de la Section d'Elite, autrefois ?

Il battit des paupières. C'était la dernière question qu'il attendait d'elle.

— Je crois qu'il avait tellement envie d'intégrer les Agents de l'Ombre qu'il avait fait preuve de trop de nervosité. En tout cas, il m'avait dit qu'il avait raté plusieurs épreuves de personnalité.

— C'est également ce qu'il m'avait répondu.

Une lueur brillait dans les yeux de Sydney.

— C'est alors qu'il a commencé à organiser ses voyages en charter, poursuivit-elle. Il disait qu'il voulait gagner de l'argent pour notre mariage.

Leur mariage.

— Mais quand il a disparu, il n'y avait rien, pas d'argent, sur ses comptes bancaires.

Il était au courant. Il avait aidé Sydney à financer les funérailles. Mais où voulait-elle en venir avec ces questions ?

— Et alors ? fit-il.

Elle se mordilla les lèvres, puis secoua la tête.

— Alors, rien. Je m'inquiète sans doute inutilement. Bon, j'y vais. Les techniciens m'attendent.

— Ne quitte pas les bureaux sans moi, la pressa-t-il.

Elle lui sourit.

— Ne t'inquiète pas.

Elle partit et il se retrouva seul tandis qu'un soupçon s'insinuait dans son esprit. A l'époque, en effet, il s'était demandé pourquoi Slade n'avait pas un sou sur ses comptes bancaires alors qu'il organisait des voyages en charter depuis plus d'un an. Mais il n'avait pas creusé la question.

Maintenant, ce mystère revenait et il se demandait... Où avait disparu cet argent ?

Slade prit une profonde inspiration, puis frappa à la porte du bureau de Bruce Mercer. Ou plutôt de celui de son assistante. Judith Rogers n'avait pas vingt-cinq ans mais la ténacité d'un bouledogue, il avait eu l'occasion de l'apprendre. A plusieurs reprises, il avait essayé de s'entretenir avec Mercer. Chaque fois, elle l'en avait empêché avec politesse et détermination.

Quand elle le reconnut, elle fronça les sourcils.

— Avez-vous rendez-vous ? demanda-t-elle.

Il eut du mal à rester poli. Judith était odieuse.

— Non, mais je suis sûr qu'il ne regrettera pas de m'avoir reçu.

— J'en doute. M. Mercer est un homme très occupé.

— C'est certain, mais il sera content d'apprendre qu'il y a un tueur dans son équipe, non ?

Il avait lâché ces mots volontairement : Judith ne pouvait qu'y réagir.

— Bien sûr, poursuivit-il, si vous préférez m'éconduire, vous porterez la responsabilité des meurtres qui ne manqueront pas de se produire…

Elle se leva aussitôt puis lui ordonna d'un ton autoritaire :

— Restez ici.

Elle se dirigea vers le bureau de Mercer, ses talons claquant sur le sol de marbre. Elle ne s'absenta qu'un bref instant.

— Allez-y. Il vous attend.

Slade s'interdit d'esquisser un sourire de victoire. Il savait dissimuler ses véritables pensées et sentiments. Les gens étaient faciles à duper.

Si faciles.

Il entra et referma la porte.

Tu vas tomber, Gunner.

Il revit son frère tenant les mains de Sydney.

— Slade, bonjour, lança Mercer de derrière son bureau. Mlle Rogers m'apprend que vous avez des informations à me communiquer.

Slade regarda par-dessus son épaule, pour s'assurer que personne ne pouvait l'entendre. Puis il hocha rapidement la tête.

— Asseyez-vous, je vous en prie, dit Mercer en lui désignant un fauteuil en face de lui.

Slade s'y installa, croisa les jambes, conscient du regard pénétrant de Mercer.

— Vous semblez en meilleure forme.

— Oui, je vais beaucoup mieux.

Il avait toujours été bien. Cette cure avait été une vaste blague.

Il poussa un profond soupir.

— J'ai entendu parler des attaques dont Sydney a été victime.

— Vraiment ?

Mercer ne semblait pourtant pas vouloir l'interroger. Il restait silencieux, attendant la suite.

De nouveau, Slade hocha la tête.

— Je veux me rendre utile, annonça-t-il en posant les mains sur les accoudoirs. Donnez-moi quelque chose à faire, n'importe quoi.

— Il n'est pas question que vous travailliez sur le terrain. Vous n'en avez plus les capacités, vous n'êtes pas entraîné pour ce genre de mission. Et physiquement comme mentalement, vous êtes loin d'être en état d'agir.

C'est ce que vous croyez.

Mais il se garda bien de le dire.

— Confiez-moi un travail de bureau. J'ai entendu les techniciens discuter entre eux, ils pensent que quelqu'un a piraté le réseau informatique. Je peux travailler sur les enregistrements des caméras de surveillance, consulter les dossiers, faire quelque chose.

Mercer le dévisagea avec attention.

— Je pensais que vous vouliez me parler d'un de mes agents qui, d'après vous, représenterait une menace. Avez-vous des informations à me communiquer ?

Slade fixa le sol.

— J'aimerais vous aider à prouver qu'il n'est pas coupable.

Mercer garda le silence, et Slade s'obligea à lever les yeux : son interlocuteur le fixait intensément.

— Donnez-moi un nom, Slade.

— Il ne m'a pas abandonné au Pérou en espérant que j'allais mourir. Je me trompais. J'étais alors sous l'emprise d'une drogue qui altérait mes facultés mentales. Il ne m'aurait jamais laissé mourir.

Mercer se pencha en avant.

— Vous parlez de Gunner ?

— Oui. Il ne voulait pas me laisser mourir et il n'a pas tenté de faire du mal à Sydney.

— Pourquoi ai-je l'impression que vous essayez de vous en convaincre ?

Slade regarda de nouveau le sol, poussa un profond soupir puis planta ses yeux dans ceux de Mercer.

— Parce que, lorsque nous étions adolescents, il y avait dans la réserve une fille qui plaisait beaucoup à Gunner. Elle s'appelait Sarah Bell, la jolie petite Sarah. Elle ressemblait beaucoup à Sydney avec ses cheveux blonds et ses grands yeux verts.

— Pourquoi me parlez-vous de cette fille ?

Slade sursauta.

— Un jour, Sarah Bell… a rompu avec Gunner. Elle le trouvait trop brutal, trop mal élevé. Et une semaine plus tard, Sarah est morte.

Il revoyait les fleurs envoyées par centaines pour les obsèques. Sarah avait toujours adoré les roses.

— Toute sa famille est morte avec elle dans l'incendie qui a ravagé leur maison. Quelqu'un avait débranché le détecteur de fumée, répandu de l'essence au rez-de-chaussée. Le feu a démarré dans la nuit et s'est très vite propagé aux étages. D'après les journaux, la famille n'avait aucune chance de s'en tirer. Ils sont morts dans leur sommeil. Une terrible tragédie.

— La police a-t-elle identifié l'incendiaire ?

Slade secoua la tête.

— Et vous pensez que cette histoire a un lien avec…

Etait-il stupide ou quoi ? Devait-il lui faire une démonstration écrite ? Un dessin peut-être ?

— Je n'en sais rien, j'espère que non. Mais Sarah sortait avec Gunner et lorsqu'elle l'a quitté, il était furieux, il refusait de l'accepter, il refusait qu'elle sorte avec un autre.

Il poussa un autre soupir.

— Et maintenant, il estime que Sydney est à lui…

Sciemment, il n'acheva pas sa phrase.

Un long silence tomba. Mercer le dévisageait d'un air songeur.

— En entrant, vous m'avez dit que vous vouliez prouver que Gunner n'était pas coupable. A vous entendre, j'ai pourtant l'impression que vous êtes persuadé que c'est lui qui a mis le feu chez Sydney.

— Non, je…

Il se frotta le visage.

— Je suis peut-être toujours sous l'emprise de cette drogue, je suis peut-être parano. Mais… comment vous dire ? J'aimerais savoir si les deux incendies ont été déclenchés selon le même mode opératoire. Une fois que je me serais assuré que le détecteur de fumée n'avait pas été débranché chez Sydney et que personne n'avait répandu de l'essence au rez-de-chaussée, je…

— Le déclencheur de fumée ne s'est pas mis en marche hier soir et les pompiers ont découvert des traces d'essence en bas. Il est probable que les flammes ont pu ravager si vite la maison de Sydney parce qu'il y avait de l'essence.

Slade se tassa sur son fauteuil.

— Mais Gunner a sauvé Sydney, non ? Il s'est comporté en héros, pas en tueur, pas en incendiaire.

Le regard de Mercer était impénétrable.

— Il ne peut être le coupable, reprit Slade.

— Si vous en êtes si certain, que faites-vous dans mon bureau ? Pourquoi avez-vous dit à Mlle Rogers que vous aviez des informations à me communiquer ?

— Parce que… malgré tout, je m'interroge. Et si c'était lui ? Notre père… Gunner vous a-t-il dit qu'il avait fini ses jours dans un hôpital psychiatrique ? Peu avant de mourir, il était devenu fou et s'en était pris à sa dernière petite amie, il avait tenté de l'étrangler.

Ses propos sonnaient faux à ses propres oreilles.

— Nous ne l’avons jamais beaucoup vu, Gunner et moi, mais nous nous interrogions parfois. Nous avions peur de lui ressembler, d’avoir hérité de ses gènes.

Il fixa Mercer droit dans les yeux.

— Ce serait possible, non ?

8

Sydney fixait l'écran de l'ordinateur, songeuse. Il y avait certainement une erreur quelque part. Elle travaillait avec les techniciens depuis des heures. Ils avaient analysé le réseau pour traquer le pirate informatique, cherché à remonter tous les liens qu'ils pouvaient trouver.

Ils avaient fini par découvrir l'heure exacte à laquelle l'attaque avait eu lieu. Elle s'était produite à 3 heures du matin, alors que les bureaux étaient déserts.

Le dossier de l'affaire Guerrero avait été ouvert, ainsi que les documents personnels de Sydney et ceux de Gunner. Mais, à en croire les données cryptées qui défilaient sous ses yeux, le pirate n'avait consulté le dossier de Gunner qu'un instant. En un laps de temps aussi court, il n'avait rien pu en tirer. En revanche, son passage avait laissé une trace qui leur prouvait qu'il avait réussi à y accéder.

Pourquoi avait-il ouvert ces documents sans chercher à en extraire des informations ? Elle ne comprenait pas.

Le pirate était resté trois minutes sur son dossier à elle, cinq sur celui de Guerrero, mais une seconde sur celui de Gunner. De surcroît, il avait commencé par celui-là, avant de passer aux deux autres. Il n'avait donc pas été dérangé dans ses investigations.

— Pourquoi ? murmura-t-elle, les yeux rivés sur l'écran.

Le pirate n'avait pris aucune donnée dans les documents

de Gunner. Pourquoi donc les avait-il ouverts ? Pour les induire en erreur ?

Hall West, le responsable du réseau informatique de la Section d'Elite, approcha sa chaise de la sienne.

— Sydney, nous avons découvert le code d'accès qui a permis au pirate de s'introduire dans le réseau.

Elle se tourna vers lui. Il fallait un mot de passe pour accéder au réseau mais, après avoir violé le système, leur pirate avait installé un virus et sa signature avait donc été effacée.

Enfin pas totalement…

— Il s'agit d'un ancien mot de passe, l'un de ceux qui servaient il y a deux ans.

Le visage de Hall était tendu. Vu qu'il travaillait sur la question depuis des heures, qu'il avait passé la nuit le nez collé à son écran, sa fatigue n'avait rien d'étonnant.

— L'agent à qui nous avions donné ce code d'accès en a reçu un nouveau, il y a un an environ. Visiblement, quelqu'un n'a pas bien fait son travail, ajouta-t-il en secouant la tête. Lorsque le nouveau mot de passe a été mis en place, l'ancien aurait dû être détruit. Mais il semble que les autorisations du code n'ont pas toutes été annulées et que…

— Hall ! l'interrompit-elle, excédée. Quel agent avait ce mot de passe ?

— Euh… oui, un instant, je vous le dis tout de suite, répondit-il en reportant son attention sur son propre écran… Il s'agit de… Gunner Ortez.

Sydney secoua la tête, refusant de le croire.

— C'est simplement que quelqu'un a eu connaissance des codes archivés. Il faut nettoyer tous les disques durs. Manifestement, les accès ne sont pas bien sécurisés. Lancez une analyse complète du système.

Son cœur battait à tout rompre. Sans doute s'agissait-il d'un coup monté. Quelques mois plus tôt, elle avait vu à quel point il était facile de faire porter le chapeau à un innocent. Le pauvre Cale en avait fait les frais. Quelqu'un s'était arrangé pour qu'il soit soupçonné d'un crime qu'il n'avait pas commis. Depuis lors, elle se méfiait encore plus des apparences et d'en tirer des conclusions hâtives.

Mais le pirate n'était peut-être pas au courant de l'histoire de Cale. Peut-être n'était-il pas conscient que tous les Agents de l'Ombre en avaient retenu la leçon. Et peut-être ignorait-il que…

… nous ne nous soupçonnons pas entre nous.

Les agents d'un même service se serraient toujours les coudes.

Elle se remit à taper sur son clavier. Il s'agissait bien d'une attaque interne, elle n'avait plus aucun doute sur la question. Mais elle ne provenait pas de Gunner. Ni de Logan. Ni de Cale. Sydney avait une confiance absolue, inconditionnelle, dans les autres membres de l'équipe.

Pourtant, elle ne voulait négliger aucune piste. Logan lui avait confié une tâche — retrouver tous les éléments concernant ce piratage — alors elle l'effectuerait consciencieusement.

Elle s'intéressa aux dossiers et aux mots de passe de tous les agents et de tous les membres du personnel qui avaient fait partie de la Section d'Elite au cours des six derniers mois. Elle ne s'arrêterait pas avant d'avoir trouvé. Elle ne se contenterait pas d'une vague piste. Il lui fallait des preuves solides.

Gunner considéra la carcasse calcinée de la maison de Sydney. Le toit s'était écroulé, la charpente n'ayant pas résisté aux flammes, et il ne restait que des pans de murs noircis. Lorsqu'il repensait à Sydney qui aurait pu périr dans cet incendie, la peur revenait le tourmenter.

Il avait tenu à retourner sur les lieux du drame pour mener sa propre enquête. Sydney travaillait dans les bureaux de la Section d'Elite : elle ne risquait rien pour le moment. Avec tous les agents autour d'elle, avec Cale qui montait la garde et veillait sur elle, elle était en sécurité.

— Une chance que tu étais là.

Il se retourna. Logan se dirigeait vers lui. Il venait de discuter avec l'expert des pompiers, spécialiste des incendies criminels.

— Oui, un miracle, répondit Gunner, se remémorant la violence du brasier quand il était monté à l'étage.

S'il n'avait pas été sur les lieux…

— Le détecteur de fumée a été retrouvé sous les décombres, précisa Logan. Il a fondu sous l'effet de la chaleur mais ils ont pu voir que… la pile avait été retirée.

Quoi ?

— Il s'agit bien d'un incendie criminel, nous n'avons plus l'ombre d'un doute. D'après le chef des pompiers, le sinistre a démarré au rez-de-chaussée. En fait, il y avait trois départs de feu.

— L'incendiaire voulait tuer Sydney…

La colère lui fit serrer les poings.

— C'est certain, acquiesça Logan. Le type avait inondé le plancher d'essence, désactivé le détecteur de fumée, attendu qu'elle monte se coucher…

Il désigna la forêt près de la maison.

— Sans doute s'était-il réfugié dans le bois, avant de passer à l'action. Et quand toutes les conditions lui ont semblé réunies, il a jeté une allumette…

Le fumier.

— Pourquoi étais-tu revenu ici, ce soir-là ?

Logan avait posé la question avec douceur mais ne le quittait pas des yeux.

— Je veux dire… Depuis votre retour du Pérou, Sydney et toi sembliez vous éviter, et tout à coup, …

Je ne m'éloignerai plus jamais d'elle.

Gunner redressa les épaules, s'efforçant de chasser les tensions qui le tourmentaient.

— J'étais passé chez Sydney parce que Slade m'avait dit qu'il voulait lui parler. J'avais envie de la convaincre d'aller le voir.

Logan leva un sourcil surpris.

— Tu pensais que c'était une bonne idée ? Parlons vrai, Gunner. Cette conversation restera entre toi et moi, vieux. Je ne suis pas aveugle. Depuis des mois, tu la dévores des yeux. Il est évident que tu es amoureux d'elle et j'ai bien compris qu'avant la « résurrection » de Slade, vous avez… Et maintenant, tu songerais sérieusement à t'effacer pour donner à ton frère toutes les chances de renouer avec elle ?

Gunner garda le silence. Avait-il cru pouvoir y parvenir ? L'avait-il souhaité ? Ou ravagé par la culpabilité, avait-il espéré ainsi se faire pardonner ?

J'ignorais que Slade était en vie quand j'ai séduit Sydney.

Il n'avait pas voulu se montrer déloyal avec son frère, mais Slade avait souffert pendant de longs mois. Pendant deux ans.

Logan poursuivit.

— Toi aussi, tu as été fait prisonnier, Gunner. Et tes ravisseurs t'avaient fait subir… le pire. La plupart des hommes ne s'en seraient pas remis.

Logan avait vu son corps meurtri, marbré de cicatrices, son visage tuméfié qui lui donnait l'air d'un monstre.

— Toi aussi, tu as connu l'enfer, Gunner. Ne crois-tu pas que tu mérites d'être heureux ?

Gunner serra les poings.

— Je voulais que Sydney ait… ce qu'elle voulait, se sente libre de choisir entre lui et moi.

— Et tu crois qu'elle préfère ton frère ? Tu ferais bien de lui poser la question. Elle n'a d'yeux que pour toi. Ton visage s'éclaire dès qu'elle entre dans ton champ de vision. Eh bien, sache qu'elle réagit de la même façon à ta présence.

— Elle est enceinte.

Les mots s'étaient échappés de ses lèvres. Il n'avait pas vraiment voulu lui annoncer la nouvelle, pas consciemment en tout cas. Mais quelque part, il avait envie d'en parler à quelqu'un, de partager sa joie, et il avait toujours considéré Logan comme un ami.

Les yeux de Logan s'écarquillèrent.

— De *toi* ?

La question mit Gunner en colère. Peut-être Logan ne resterait-il pas son ami très longtemps, finalement.

Logan leva les mains.

— Bien sûr que c'est de toi. Ma question était stupide, pardonne-moi, mais j'étais déstabilisé, d'accord ? Je ne m'attendais pas du tout à… Un bébé… Sydney et toi allez avoir un bébé.

Il secoua la tête puis un grand sourire éclaira son visage.

— Ce gosse va te mener par le bout du nez.

Oui, il en était certain.

Logan reporta son attention sur la maison brûlée.

— Hier, si je comprends bien, c'est tout ton monde, toute ta vie, qui aurait pu disparaître.

— C'est vrai.

Gunner ne lui précisa pas qu'au moment de l'incendie, il ignorait que Sydney était enceinte. Mais lorsqu'il avait levé la tête et vu les flammes sortir des fenêtres alors que Sydney se trouvait à l'intérieur, oui, il avait eu l'impression que son monde était sur le point de partir en fumée.

— Nous allons retrouver le fumier qui a fait ça, assura Logan. Nous le coincerons. Nous mettrons tout en œuvre et nous avons de grands moyens…

En effet, les ressources de la Section d'Elite étaient illimitées. Mais les agents secrets ne pouvaient rien contre la nature.

— Un orage se prépare, dit Gunner en levant les yeux vers le ciel qui se chargeait d'épais nuages noirs. La pluie risque d'emporter beaucoup de preuves. Ecoute, si le gars s'est réfugié dans le bois en attendant de passer à l'action, il y a peut-être laissé quelque chose qui permettrait de l'identifier, de remonter sa trace. J'ai envie d'aller y jeter un coup d'œil.

Il était très doué pour pister, pour retrouver la trace de quelqu'un ou d'un animal.

Logan hocha la tête.

— D'accord. J'imagine que tu veux t'y rendre seul pour commencer. Vas-y… J'enverrai ensuite nos hommes te donner un coup de main.

Sur ces mots, il lui envoya une bourrade dans le dos.

— Et encore, félicitations. Tu seras un père formidable.

Gunner se tendit.

— Je l'espère…

Surpris par sa réponse, Logan fronça les sourcils mais avant qu'il ne puisse ajouter quelque chose, Gunner s'éloigna vers le petit bois. Il avait déjà examiné la zone rapidement pour tenter de repérer où l'incendiaire avait pu s'installer pour surveiller l'incendie. Il fallait qu'il soit bien caché, que personne ne puisse soupçonner sa présence mais aussi qu'il soit à proximité pour avoir une bonne vue de la maison.

Combien de temps ce type était resté dans le bois ? se demanda Gunner. L'avait-il vu se précipiter à l'intérieur ?

Il traversa les broussailles qui longeaient le terrain de Sydney. Il veilla à ne pas laisser de trace de son passage en s'enfonçant vers les arbres. Son grand-père le lui avait appris, ainsi qu'à Slade.

Il ne trouva d'abord rien. Ni empreintes de pas, ni branches cassées. L'incendiaire avait été prudent.

Mais s'il était resté longtemps dans le bois, il avait eu besoin de s'installer quelque part. Il avait dû chercher un lieu confortable pour attendre. Même si l'homme s'était montré très précautionneux, il avait forcément laissé quelque chose là où il avait peut-être passé plusieurs heures. Il avait aplati l'herbe en s'y asseyant, abandonné un mégot de cigarette. Quelque chose. Il était difficile de rester longtemps immobile sans rien faire.

Gunner y parvenait. Mais peu de gens en étaient capables.

Lorsqu'ils chassaient avec son grand-père dans la réserve, Slade, par exemple, détestait demeurer sans bouger. Il ne pouvait s'empêcher de casser une branche pour en arracher l'écorce. Il avait besoin de s'occuper les mains.

D'autres personnes fumaient pour tromper l'ennui. Ce n'était pas une bonne idée. La proie pouvait en effet sentir l'odeur de la cigarette. D'autres encore mâchaient du chewing-gum ou mordillaient une brindille.

Quand il devait rester longtemps quelque part, Slade avait l'habitude de tresser les lambeaux d'écorce. Il le faisait sans y penser, par automatisme. En général, il n'aimait pas attendre et il avait dit à Gunner qu'il ne voyait pas l'intérêt de suivre leur grand-père dans les bois, vu le temps passé à ne rien faire.

Gunner se retourna pour regarder la maison. Il repéra

très vite l'endroit que lui-même aurait choisi s'il avait voulu espionner, regarder sans être vu. S'il s'accroupissait, il était totalement dissimulé par le feuillage, mais il lui suffisait de relever légèrement la tête pour pouvoir observer les alentours. De là où il se trouvait, il avait une vue parfaite sur la fenêtre de la chambre de Sydney.

Il inspecta avec soin l'herbe autour de lui. Elle était légèrement aplatie : il avait vu juste. L'incendiaire s'était installé ici.

Il chercha des yeux le chemin que l'homme avait dû emprunter pour parvenir jusque-là. Sydney avait sa maison au fond d'un cul-de-sac. L'incendiaire avait donc laissé sa voiture ailleurs. La route passait à deux kilomètres. Sans doute, le type s'y était-il arrêté et avait coupé à pied à travers la forêt.

Gunner poursuivit ses recherches. L'incendiaire avait fait preuve d'une extrême prudence, mais au bout d'un quart d'heure, Gunner repéra enfin une petite branche cassée. Bien sûr, un animal avait pu la rompre en passant par là, mais…

Une autre se trouvait un peu plus loin, puis une troisième.

Manifestement, le type avait dû courir dans le bois.

Gunner continua à fouiller. Soudain, il s'immobilisa et fronça les sourcils. A ses pieds traînait un morceau d'écorce arraché à une branche sans doute. Il se pencha et l'examina : il s'agissait en fait de morceaux d'écorce tressés.

Il fixa l'objet, refusant d'en croire ses yeux. Ce tressage…

Il le reconnut.

Lorsqu'ils étaient jeunes, Slade avait tressé des dizaines de lambeaux d'écorce de cette façon. Il avait une méthode à lui pour le faire et…

— Gunner !

Il se raidit. Logan marchait vers lui.

— As-tu vu quelque chose ? demanda son chef.

De retour à la base, Gunner trouva Sydney devant son ordinateur. Ses doigts volaient sur les touches. Penchée en avant, le visage éclairé par l'écran, elle semblait totalement absorbée par son travail.

Même si la porte était ouverte, il frappa doucement. Hall, qui travaillait près de Sydney, se retourna et écarquilla les yeux.

— Agent Ortez ?

— Bonsoir, Hall. Puis-je m'entretenir un instant en tête à tête avec Sydney ?

Hall se leva d'un bond.

— Oui, bien sûr, dit-il en se précipitant vers la sortie.

Gunner suivit du regard le jeune homme, perplexe.

— Qu'est-ce qu'il a ? demanda-t-il à Sydney.

— Tu l'intimides, répondit-elle sans cesser de pianoter. D'ailleurs, beaucoup de gens te trouvent très intimidant.

Elle poussa un soupir et finit par se détourner de son ordinateur. Elle observa Gunner un moment d'un air pensif.

— Je crois que c'est à cause de tes yeux. On sent que tes yeux ont souvent vu l'enfer.

Elle éclata de rire.

— Mais moi, je les aime beaucoup.

Il se mit à rougir et, furieux, tenta de se maîtriser. Par chance, son teint mat rendait ses émotions plus difficiles à voir.

Puis elle cessa de sourire.

— Qu'as-tu trouvé dans ma maison ?

Il n'était pas pressé de lui en parler. Aussi désigna-t-il l'écran.

— Et toi, qu'as-tu découvert ?

Elle serra les mâchoires.

— Que quelqu'un s'était servi de ton ancien mot de passe pour entrer dans le système.

— De mon code d'accès ?

— Oui. Par ailleurs, tes dossiers personnels ont été ouverts, mais seulement quelques instants. Le mien et surtout celui de Guerrero ont été étudiés de façon plus approfondie.

Gunner fronça les sourcils.

— Quelqu'un a essayé de me faire porter le chapeau.

Elle hocha la tête.

— Je le crains.

Elle rapprocha sa chaise de lui.

— Maintenant, dis-moi ce que toi, tu as trouvé dans ma maison ou plutôt dans ce qu'il en reste. Y avait-il encore quelque chose à voir ?

— Elle a été entièrement détruite. Je suis désolé, Syd.

Elle leva le menton, un geste qu'elle avait toujours quand elle voulait s'endurcir.

— Cet endroit n'était pas vraiment ma maison. Mon véritable foyer est à Baton Rouge. Tout cela n'est donc pas si grave, je m'en remettrai.

— Je me suis rendu dans le petit bois voisin pour chercher des traces éventuelles de l'incendiaire.

— Et ?

— J'ai peut-être une piste.

Elle poussa un soupir.

— Ne joue pas à ce petit jeu avec moi. Dis-moi ce que tu as trouvé ou va voir Logan.

— Slade pourrait être le coupable…

Il eut du mal à le dire, il aurait préféré ne pas avoir à le faire, mais elle devait être consciente du danger.

Elle écarquilla les yeux.

— Quoi ?

Il fallait à présent lui expliquer pourquoi des bouts d'écorce tressés désignaient son frère. Quand il en avait parlé à Logan, ce dernier n'avait pas été franchement convaincu.

— Slade a été entraîné comme moi par mon grand-père à ne pas laisser de trace de son passage. Il est bon mais…

— Pas autant que toi, acheva-t-elle doucement.

— Il a surtout toujours été incapable de rester longtemps immobile. Il fallait toujours qu'il s'occupe les mains. Il arrachait les écorces des branches et il tressait les lambeaux obtenus. Or, j'ai trouvé des morceaux d'écorce tressés dans le bois près de ta maison.

— Mais Slade était surveillé, non ? Un des hommes de la Section d'Elite était chargé de veiller sur lui. Tu m'as dit…

— Logan va vérifier que Slade n'a pas échappé à la surveillance de son gardien. Une fois qu'il aura la réponse, nous aviserons.

Mais plus il y réfléchissait, plus ses soupçons devenaient des certitudes.

— Tu penses vraiment que Slade essaierait de me tuer ? reprit Sydney.

Gunner poussa un soupir. Le frère qu'il avait connu autrefois n'aurait jamais attaqué une femme, et encore moins Sydney. Mais celui qui était revenu de la jungle, qui avait été empoisonné par la *muerte*, en était capable. N'avait-il pas déjà frappé Sydney ? Et ne savait-il pas que Gunner la lui avait volée ? Cela pouvait lui donner une bonne raison de recommencer…

Sydney le coupa dans ses réflexions.

— Et le tireur qui m'avait pris pour cible sur la plage, au Pérou ? Penses-tu qu'il était lié à Slade ? Au pirate informatique ?

— Je n'en sais rien.

Mais ses instincts ne le trompaient jamais.

— Il n'y a pas encore assez d'éléments, pas assez de preuves, pour pouvoir dire ce qui s'est passé.

Et le fait que son ancien mot de passe ait servi au piratage informatique compliquait davantage la situation.

— Je veux seulement que tu restes sur tes gardes, Sydney. Promets-moi de ne jamais rester seule avec lui.

Soudain, elle blêmit.

— Mon dossier personnel ! Quel que soit le pirate, il est maintenant au courant de ma grossesse !

Gunner déglutit. Apprendre que Sydney attendait un bébé avait pu suffire à faire exploser Slade.

Il n'avait aucun mal à imaginer Slade enquêtant sur Sydney, avide d'apprendre tout ce qu'il pouvait sur elle. Mais pourquoi Slade se serait-il intéressé au dossier Guerrero ? D'ailleurs, son petit frère n'était probablement pas capable de forcer des réseaux informatiques.

— Quand le code d'accès qui était le mien a-t-il été utilisé pour la dernière fois ? demanda-t-il à Sydney.

— D'après Hall, il t'avait été donné il y a deux ans et tu en as reçu un nouveau il y a un an.

Slade était encore à la base à cette époque, songea Gunner.

Son téléphone portable vibra. Au même moment, celui de Sydney sonna aussi.

Tous deux avaient reçu un SMS de Tina.

> J'ai des résultats sanguins que je veux vous communiquer au plus vite. Venez me rejoindre au dispensaire de la base.

Gunner réfléchit un instant. Tina avait assisté le légiste au cours de l'autopsie du tueur à gages, celui qu'il avait abattu dans l'immeuble James Fire. En général, Tina ne se chargeait pas de ce genre de travail, mais Logan l'en avait priée parce qu'il lui semblait important qu'un membre de son équipe soit là. Et bien entendu, quand Logan « priait » un membre de son personnel de faire quelque chose, il s'agissait d'un ordre.

Dans l'ascenseur, Sydney resta silencieuse. Gunner avait envie de lui parler : de leur nuit ensemble, de leurs retrouvailles, de l'avenir, mais… comment s'y prendre ?

Il ne lui était jamais facile de bavarder. Il n'avait jamais su gérer les mondanités. Et exprimer ses sentiments était plus difficile encore.

En particulier avec les femmes.

Lorsqu'il était adolescent, il avait craqué pour une petite blonde aux yeux verts. Mais chaque fois qu'elle lui parlait, il ne répondait que par monosyllabes. Voilà pourquoi elle s'était rapidement détournée de lui pour s'intéresser à son frère.

Comment s'appelait-elle déjà ? Il ne s'en souvenait pas.

L'ascenseur arriva au dispensaire. Tina les y attendait avec Mercer, qui était penché sur un dossier.

— Le Dr Jamison a découvert des résultats intéressants pour nous.

Tina leur tendit un feuillet dactylographié.

— Dans le sang du type que vous avez abattu, Gunner, j'ai trouvé de la *muerte*.

De la *muerte*.

— La même drogue que mon frère avait consommée ? Je ne comprends pas, ajouta-t-il en se tournant vers Mercer. Vous m'aviez dit que cette drogue n'avait pas encore pu entrer sur le marché américain.

— L'administration me l'avait affirmé. Mais apparemment, elle se trompait.

Sydney émit un sifflement en lisant le rapport.

— Le type en avait pris une dose très élevée. Nous avons de la chance qu'il n'ait pas tiré sur tout le monde.

— Ce n'était pas *tout le monde* qu'il voulait descendre, indiqua Mercer. Mais *vous*.

— Avons-nous réussi à l'identifier ? s'enquit-elle, la voix légèrement tremblante.

Tina opina.

— Nous avons analysé ses empreintes digitales. Il s'appelait Ken Bridges. Il a longtemps fait partie de l'armée, mais il en a été limogé il y a deux ans. Il avait failli tuer un civil en le rouant de coups au cours d'une mission de reconnaissance.

— Et qu'a fait ce Bridges en quittant l'armée ? demanda Gunner.

— Apparemment n'importe quoi du moment qu'il était bien payé pour le faire.

Il était donc bien devenu tueur à gages, conclut Gunner.

— L'agence fédérale antidrogues a été saisie du dossier, leur annonça Mercer. Ils vont enquêter sur Ken Bridges, mener des investigations sur sa vie personnelle et suivre toutes les traces qui permettront de remonter la piste de la *muerte*.

Cette piste menait déjà à Slade. Aussi Gunner demanda :

— Pensez-vous interroger mon frère ?

— Tous les renseignements que Slade pourrait nous fournir sur les hommes qui le retenaient prisonniers et qui l'ont drogué seront utiles à l'enquête, répondit Mercer.

Gunner secoua la tête.

— Ce n'est pas la question. Comptez-vous interroger Slade ? Voir s'il avait des liens avec ce Ken Bridges ?

La tête penchée, Mercer le dévisagea.

— Depuis son retour aux Etats-Unis, votre frère était soit en établissement psychiatrique spécialisé, soit sous surveillance. Comment aurait-il pu embaucher un tueur à gages ?

— Ce type avait fait l'armée, non ? Peut-être se

sont-ils rencontrés dans le centre spécialisé, peut-être que quelqu'un là-bas a donné à Slade les coordonnées de Ken. Si Ken était drogué à la *muerte*, il le connaissait sans doute.

— S'il y a un lien entre eux, nous le trouverons, déclara Sydney.

Gunner n'en doutait pas.

— Pensez-vous vraiment que votre frère pourrait être le coupable ? demanda Mercer. Pensez-vous qu'il aurait pris Sydney pour cible ?

— Je ne veux pas le suspecter.

— Et pourquoi ? Lui vous suspecte bien.

Gunner ne s'attendait pas du tout à cette réponse.

— Pardon ?

— Allons poursuivre cette discussion dans mon bureau, Gunner.

— Je tiens à assister à cet entretien, déclara Sydney d'une voix tendue.

Un sourire passa sur les lèvres de Mercer.

— Comme il s'agit de votre vie, comme c'est vous qui êtes manifestement la cible de toutes ces attaques, je m'attendais à cette requête.

Puis il se dirigea vers la porte.

Gunner jeta un œil à Sydney. Que pensait-elle de la tournure prise par les événements ? Qui croyait-elle ? Lui ou son frère ? Lequel soupçonnait-elle ?

9

Au grand agacement de Sydney, ils ne se rendirent pas dans le bureau de Mercer, mais dans la salle d'interrogatoire.

Sydney se tourna vers le miroir sans tain. Quelqu'un était-il en train de les observer ?

Tout cela était grotesque. Gunner ne pouvait être impliqué dans un crime. Mercer ferait bien de se ressaisir très vite.

Mais leur patron s'assit et déclara avec calme :

— Gunner, vous comprenez, j'en suis sûr, que je doive explorer toutes les pistes de ce dossier. Vous faites partie de nos agents depuis de nombreuses années et je n'ai eu qu'à me féliciter du travail que vous avez effectué au sein de la Section d'Elite.

Sydney ne comprenait pas. Si leur supérieur ne pensait que du bien de Gunner, pourquoi se sentait-il obligé de lui faire subir un interrogatoire en règle ?

— A quoi rime cette comédie ? lança-t-elle.

Mercer la dévisagea. Si les deux hommes avaient pris place autour de la table, elle ne cessait d'arpenter la pièce. Cette situation la rendait folle.

Mercer lui répondit :

— Il me faut suivre les procédures si je ne veux pas que, plus tard, cette situation me revienne en pleine figure comme un boomerang.

Elle cessa de marcher.

— Alors finissons-en au plus vite.

Mercer reporta son attention sur Gunner.

— Connaissez-vous une certaine Sarah Bell ?

Sydney fronça les sourcils. Ce nom ne lui disait rien.

— Sarah, répéta Gunner en hochant la tête. Oui, je l'ai bien connue, il y a longtemps.

La porte s'ouvrit et Judith entra précipitamment dans la salle. Elle tendit un dossier à Mercer.

— Merci, dit-il avec un mouvement de tête.

Judith quitta aussitôt la pièce, en lançant un regard apitoyé à Sydney. Mais que se passait-il donc ?

— Il y a combien de temps ? reprit Mercer.

— J'avais dix-huit ans, elle seize, je crois. Sarah Bell… Elle a péri dans un incendie.

— Oui, en effet.

Mercer ouvrit le dossier et en sortit des photographies qu'il tendit à Gunner.

— J'ai sous les yeux le rapport qu'avait rédigé à l'époque l'expert des pompiers. Le mode opératoire qu'avait suivi l'incendiaire est le même que celui qui a été utilisé pour mettre le feu à la maison de Sydney. Exactement le même.

Sydney se laissa tomber sur une chaise. Lourdement. Elle jeta un coup d'œil aux clichés. A la vue des restes calcinés de la ferme familiale de cette Sarah, sa gorge se serra.

Puis elle lut les gros titres des journaux qui figuraient dans le dossier.

UNE FAMILLE ENTIÈRE PÉRIT DANS L'INCENDIE DE SA MAISON.

— Sarah Bell et ses parents sont morts dans les flammes, reprit Mercer. Malheureusement, l'incendiaire n'a jamais été identifié ni donc arrêté.

Gunner se pencha en avant.

— Vous pensez que j'ai quelque chose à voir avec cette tragédie ?

— Une semaine avant ce drame, votre grand-père avait succombé à une crise cardiaque. Ce vieil homme était la seule personne stable de votre vie. A sa mort, vous avez dû vous sentir perdu.

— Je n'étais pas perdu. J'avais mon frère, dont je devais m'occuper. Il avait besoin de moi.

— Il avait besoin de vous, mais vous aviez des sentiments pour Sarah Bell, vous étiez amoureux de cette jeune fille, n'est-ce pas ?

Mercer lui tendit une autre photo. Elle provenait manifestement de l'annuaire de l'école et représentait une petite blonde aux cheveux bouclés et aux grands yeux verts. Elle souriait sur le portrait et ses fossettes étaient adorables.

— Je ne suis jamais sorti avec Sarah Bell.

— En êtes-vous certain ? insista Mercer. Votre frère prétend que vous étiez fou d'elle.

Gunner s'apprêtait à répondre quand il s'interrompit brutalement.

Il avait été fou de Sarah, comprit Sydney.

— C'était une fille sympa, lâcha-t-il enfin. Elle ne semblait pas se formaliser de mes vêtements démodés, ni que je sois obligé de travailler après l'école. Sarah… était gentille avec tout le monde.

— J'ai entendu dire qu'elle ne l'était pas avec vous.

— C'est ce que vous a raconté Slade ? lança-t-il en serrant les mâchoires.

Mercer opina.

— Il m'a dit qu'elle avait repoussé vos avances et que vous l'aviez mal pris.

Gunner éclata de rire mais ce rire fit frissonner Sydney.

— C'est Slade qui sortait avec Sarah, c'était lui qui était amoureux d'elle. Pas moi.

— Et comment viviez-vous leur relation ? poursuivit Mercer. Eprouviez-vous du dépit, de la colère ? Cette fille préférait votre frère à vous…

Gunner secoua la tête.

Mais Mercer n'en avait pas terminé.

— Et puis tout a recommencé, non ? Vous êtes tombé amoureux d'une autre femme, ajouta-t-il en se tournant vers Sydney. Mais elle aussi a jeté son dévolu sur Slade.

Cela suffit.

Sydney bondit d'un coup, si brutalement que la chaise se renversa et tomba par terre avec fracas.

— Cessez de l'accuser, d'accord ? Gunner n'a pas mis le feu à ma maison !

— Mais son mot de passe personnel a servi à pirater le système informatique de la base, continua Mercer sans manifester aucune émotion. Hall m'a dit qu'il l'avait découvert aujourd'hui.

— Il a découvert que quelqu'un cherchait à faire porter le chapeau à Gunner, nuance ! C'était un coup monté. Vous n'imaginez pas que Gunner…

— Je dois explorer toutes les possibilités, répéta Mercer.

Sydney poussa un soupir exaspéré.

— Pourquoi Gunner aurait-il voulu ouvrir le dossier Guerrero ? Il n'avait aucune raison de le faire.

Mais Gunner posa une main apaisante sur la sienne.

— Calme-toi.

Il devait avoir senti qu'elle était sur le point d'exploser.

— Visionnez les enregistrements des caméras de surveillance, dit-il à Mercer. Vous verrez qu'au moment de l'attaque, je ne me trouvais pas à la base.

— C'est drôle que vous fassiez allusion à ces images parce que justement, les caméras sont tombées en panne cette nuit-là. Les bureaux de la Section d'Elite sont censés être l'un des endroits les plus sécurisés du monde, mais nos caméras de surveillance ne fonctionnaient plus. Voulez-vous savoir ce que j'en pense ? Je suis sûr qu'elles ont été trafiquées par un spécialiste de haut niveau qui sait comment entrer et sortir d'un bâtiment sans se faire repérer. Cette façon de procéder confirme que l'attaque vient de l'intérieur, qu'elle a été perpétrée par un membre de l'équipe. Par quelqu'un qui connaissait nos faiblesses, nos failles. Par quelqu'un qui les avait étudiées et qui les a exploitées à bon escient.

Sydney fronça les sourcils. Hall ne lui avait pas dit que les caméras de surveillance n'avaient pas fonctionné pendant l'attaque. C'était lui qui était chargé de s'assurer du bon fonctionnement de ces appareils et de la qualité des enregistrements. S'il y avait un problème, il aurait dû être immédiatement prévenu.

— Avez-vous interrogé Hall ? demanda-t-elle.

Mercer hocha la tête.

— C'est évidemment le premier que j'ai interrogé. Il tremblait si fort qu'il parvenait à peine à répondre à mes questions.

Et il avait montré une grande nervosité en voyant Gunner aussi, se souvint Sydney. Elle avait cru qu'il réagissait ainsi parce que Gunner impressionnait parfois ses interlocuteurs. Mais s'il y avait autre chose ?

Hall était également celui qui avait découvert que l'ancien mot de passe de Gunner avait été utilisé par le pirate informatique.

— Si quelqu'un sait comment forcer les systèmes de sécurité, c'est Hall, lança-t-elle.

Mercer secoua la tête.

— Son passe n'a pas été utilisé cette nuit-là. Il ne se trouvait pas à la base.

Sydney se mit à rire.

— Hall connaît mieux que quiconque le système de surveillance. S'il veut aller et venir sans laisser de trace de son passage, il le peut.

Etait-elle en train de jeter Hall aux fauves ? Elle n'en savait rien. Mais elle était certaine d'une chose : Gunner n'était coupable de rien.

— Avec votre permission, j'aimerais examiner l'ordinateur de Hall, monsieur, reprit-elle.

Ou plutôt, tous ceux qu'il possédait, en fait.

— Sydney, commença Mercer.

— Je voudrais vérifier son historique, les données enregistrées, l'interrompit-elle. Il m'a dit que le code d'accès utilisé avait été celui de Gunner. Ce mot de passe aurait dû être détruit depuis deux ans. Par Hall. J'aimerais étudier ses ordinateurs et comprendre quelles recherches il a menées pour obtenir cette info.

Son cœur battait à tout rompre, mais Gunner, lui, ne semblait pas vouloir se défendre. Elle ne comprenait pas pourquoi, mais elle avait bien l'intention de le faire à sa place.

Jamais, Gunner n'aurait tenté de lui faire du mal, encore moins de la tuer. Jamais. Elle en était certaine.

Mercer l'observait de son regard pénétrant. Sydney retint son souffle en attendant sa réponse.

Il inclina la tête.

— Je vous autorise à faire parler ces ordinateurs.

Elle le remercia et se leva d'un bond. Gunner était innocent. Et il le serait aux yeux de tous quand elle en aurait fini.

Elle ne perdrait jamais la confiance qu'elle nourrissait pour cet homme qui l'avait aidée à plusieurs reprises par le passé.

A présent, c'était à elle de le sauver.

Une fois Sydney sortie, le silence tomba dans la salle.

Gunner se savait trop tendu, mais être suspecté par son supérieur le rendait nerveux.

Finalement, Mercer relança la conversation.

— Elle a une foi totale en votre intégrité.

Oui. Sydney lui vouait une confiance absolue.

— Alors que vous, vous ne semblez pas lui faire confiance…, continua Mercer. Vous étiez certain qu'elle renouerait avec Slade, non ? Du coup, vous étiez prêt à vous écarter, à leur laisser le champ libre ?

— Vous vous intéressez aux ragots qui courent sur mon compte ?

— Je m'intéresse à tout. Dans mon travail, c'est une obligation. Même si cela me déplaît, ajouta-t-il avec un soupir.

— Pensez-vous que cela me plaise, à moi ?

— Je pense surtout que vous avez si peur de perdre Sydney que vous ne parvenez plus à réfléchir correctement. Ressaisissez-vous, Gunner. Ne laissez pas vos émotions vous mener par le bout du nez.

Il n'avait jamais laissé ses émotions prendre le contrôle. Jusqu'au moment où il avait fait la connaissance de Sydney.

— Si les preuves continuent à s'accumuler contre vous, je serai obligé d'agir, menaça Mercer.

Puis il parut s'apaiser.

— Mes instincts me soufflent que vous êtes innocent. Je vous connais et je ne pense pas me tromper à votre sujet.

— Vous ne vous trompez pas.

Sydney non plus, songea-t-il.

— Alors aidez-moi, lança Mercer. Apportez-moi des preuves irréfutables qui me permettront de clouer au pilori le vrai coupable.

Gunner serra les mâchoires.

— Pour commencer, j'aimerais que Cale Lane soit chargé de surveiller Slade.

Il avait une confiance absolue en Cale. Slade ne pourrait pas échapper à sa surveillance. En aucun cas.

— C'est déjà fait, dit Mercer en se levant. Quant à vous, vous avez la responsabilité de protéger Sydney.

Gunner était prêt à donner sa vie pour elle.

Mercer s'éclaircit la gorge.

— Sydney me rappelle une jeune femme que j'ai connue il y a bien longtemps. Et que j'ai perdue…

Mercer n'acheva pas sa phrase, ne donna pas d'explication. Une sombre tristesse passa dans ses yeux. Gunner ne savait rien de sa vie personnelle. Etait-il marié ? Avait-il des enfants ?

— J'en suis désolé.

— Il y a des malheurs dont on ne se remet jamais. Même un soldat ne s'en remet pas.

Sur ces mots sibyllins, il se leva et quitta la pièce.

Gunner réprima un frisson. S'il perdait Sydney et le bébé qu'elle attendait… Non, il ne s'en remettrait pas.

De toute façon, cette éventualité n'était pas une option.

Sydney glissa sa carte dans la serrure magnétique et, dès que le voyant vert s'alluma, elle poussa le battant pour entrer dans le bureau de Hall. Son sanctuaire, comme il l'appelait.

Hall n'était pas là. Tant mieux. Il était certainement rentré chez lui. Elle aurait donc la possibilité de travailler tranquillement.

Elle s'installa devant l'écran mais, dès qu'elle commença à taper sur le clavier, un message l'avertit qu'elle n'était pas autorisée à aller plus avant.

Hall avait installé des protections supplémentaires dans son ordinateur...

Il avait sans doute de bonnes raisons de s'entourer de protections... sauf qu'elle l'avait vu faire et qu'elle avait naturellement mémorisé son code d'accès.

Elle n'oubliait *jamais* un code.

Elle entra le mot de passe. Hall la croyait trop bête pour y parvenir. A tort.

Puis elle retraça les recherches qu'il avait effectuées dans l'unité centrale. En effet, le mot de passe utilisé par le pirate informatique était bien celui qui avait été attribué à Gunner deux ans plus tôt.

Mais elle poursuivit ses investigations. Elle s'intéressa en particulier aux enregistrements des caméras de surveillance. Elle parcourut les données qui s'affichaient sur l'écran et décrivaient en langage crypté ce qui s'était produit, la veille à 3 heures du matin. Il n'y avait aucun signalement d'erreurs parce que...

Ses doigts pianotaient de plus en plus vite.

Parce que Hall avait bloqué le système une demi-heure avant. L'ordre qu'il avait passé s'affichait sur l'écran. Il...

— J'étais sûr que tu viendrais ici, que tu aurais envie de fureter dans mon ordinateur.

La porte se referma avec un petit clic.

Sydney se tendit. Elle avait été si concentrée sur son travail... Hall était entré dans la pièce sans qu'elle ne l'entende.

Elle leva le nez. La silhouette de Cale se refléta sur l'écran devant elle. Il s'approchait, une arme à la main. Un revolver.

Il n'aurait pas pu passer les bornes de sécurité à l'entrée du bâtiment avec une arme sur lui. Il avait dû en prendre une dans la salle au second étage où était stocké l'arsenal de la Section d'Elite. Y pénétrer ne présentait pas la moindre difficulté pour lui. Après tout, il était chargé de contrôler les accès de toutes les pièces du bâtiment.

Elle prit une profonde inspiration pour se calmer. Certes, elle n'était pas armée … mais elle n'était pas pour autant sans défense. Elle avait été entraînée au combat. Pas Hall. Il s'estimait certainement plus fort qu'elle physiquement, mais il n'allait pas tarder à comprendre son erreur.

— Tu étais censée mourir, lâcha Hall. Voilà pourquoi cela n'avait pas d'importance que tu aies les codes. Le tueur à gages devait t'abattre.

— Pourquoi ? Pourquoi as-tu fait ça, Hall ?

Elle se tourna vers lui et le regarda en face. Un geste conscient et délibéré. Pour quelqu'un comme Hall, quelqu'un qui n'avait pas l'habitude d'affronter la mort, il serait difficile de regarder sa victime dans les yeux. Plus difficile encore de la tuer.

Ses mains tremblaient, remarqua-t-elle.

— Mais je n'ai pas eu le choix, poursuivit-il. Il menaçait de s'en prendre à ma famille.

Ses yeux se remplirent de larmes.

— Ma femme, mes enfants, ceux que j'aime. Et il savait tout à leur sujet. J'étais obligé de céder.

— Tu as donc débranché les caméras comme il te l'avait demandé.

Hall hocha la tête.

— Et tu lui as donné le mot de passe ?

— Oui.

Qu'il tienne cette arme d'une main aussi tremblante la rendait nerveuse. Elle était prête à passer à l'attaque, mais elle devait agir au bon moment. Il n'était pas question qu'une balle perdue l'atteigne ou fasse du mal au bébé.

Le bébé.

— Sais-tu que je suis enceinte ? murmura-t-elle. Je t'en supplie, Hall, ne fais pas de mal au bébé.

Il parut hésiter.

— Un bébé ?

Il commença à baisser son arme.

C'était l'occasion qu'elle attendait. Elle bondit de sa chaise.

D'une main, elle saisit le poignet de Hall et le tordit, l'obligeant à lâcher son revolver.

L'arme tomba sur le sol. Mais sous l'impact, le coup partit. La déflagration fut assourdissante. Des sirènes d'alarme se déclenchèrent aussitôt. Dans un endroit aussi sécurisé, aucun coup de feu ne pouvait passer inaperçu.

Comme Hall se mettait à gémir, Sydney lui envoya un coup de coude dans le nez. Un os craqua et du sang inonda aussitôt le visage de Hall. Il s'écroula en sanglotant.

Du pied, Sydney envoya le revolver valser à l'autre bout de la pièce. Mais Hall n'essayait pas de lutter, de se défendre. Les mains sur son nez, il répétait d'une voix pleurnicharde:

— Je suis désolé, je suis désolé, je suis désolé…

— Tu es désolé ? Tu m'as menacée d'une arme, tu as divulgué des renseignements hautement confidentiels, tu as bousillé sciemment des caméras pour permettre un crime… J'ai bien peur qu'être « désolé » ne soit pas suffisant.

Il tremblait si fort qu'il peina à se redresser.

— Je veux un nom, poursuivit-elle. Je veux savoir qui t'a payé pour…

— Je… je ne peux pas…

— Connais-tu le sort réservé aux gens qui se rendent coupables de trahison ? As-tu une idée du temps que tu passeras en prison ?

Sans parler des autres charges qui pèseraient sur lui.

Hall secoua la tête en pleurant.

— Je ne veux pas finir en prison !

Tu aurais dû y penser avant de vendre la Section d'Elite.

— Donne-moi un nom. Si tu coopères, alors…

— Je ne peux pas !

Il leva soudain le bras. Dans sa main, il tenait un cutter.

Comme elle se pétrifiait, un coup de feu claqua derrière elle.

Les yeux de Hall s'écarquillèrent de terreur. Puis, il s'écroula sur le sol.

Sydney se précipita vers lui. Non, non, il ne fallait pas qu'il meure. Pas avant de lui avoir donné l'identité de l'homme qui menaçait la Section d'Elite.

Elle se pencha vers lui.

— Hall ? Hall, je t'en prie, donne-moi un nom…

Il la dévisagea, les traits crispés de peur et de douleur.

— Désolé.

— Il n'est plus temps d'être désolé. Aide-moi, Hall. Rachète-toi, rétablis la situation.

— La *muerte*…

— Donne-moi un nom.

Mais Hall ne lui livrerait pas le nom de l'homme qui l'avait fait chanter, il ne dirait plus jamais rien. Ses yeux se fermaient.

Il était mort.

— Sydney ?

Elle se retourna. Slade avançait vers elle, une arme fumante à la main. Il avait ramassé le revolver de Hall, celui qu'elle avait envoyé valser d'un coup de pied.

— Je l'ai vu s'apprêter à se jeter sur toi. Je pensais qu'il tenait un couteau…

Sydney maugréa. Elle aurait été capable de lui arracher son cutter des mains. Elle connaissait toutes les techniques pour désarmer un homme.

— Je ne pouvais pas le laisser s'en prendre à toi, murmura Slade.

Il considéra le cadavre de Hall d'un air horrifié.

— Je n'ai pas réfléchi, j'ai suivi mon instinct et… j'ai tiré.

Des bruits de pas résonnèrent dans le couloir. Gunner surgit dans le bureau.

— Sydney !

En voyant Slade, l'arme au poing, il se jeta sur son frère.

— Gunner ! hurla Sydney.

Slade ne tenta pas de se défendre. Gunner le plaqua contre le mur, puis pointa le canon de l'arme sur son visage.

— Que faisais-tu ? cria-t-il.

— Il m'a sauvé la vie, lâcha Sydney.

Mercer était apparu à son tour dans le bureau. Il s'agenouilla près du cadavre de Hall.

Sydney redressa les épaules.

— Hall m'a agressée, Slade est entré. Et il a voulu me sauver la vie.

Les yeux écarquillés, Gunner la dévisagea sans rien dire. Il posa l'arme sur le bureau et s'approcha d'elle.

— As-tu été blessée ? Tu as du sang sur toi !

— C'est celui de Hall, ne t'inquiète pas.

Gunner avait posé la main sur son ventre.

— Ça va, tout va bien, répéta-t-elle.

Elle allait bien, le bébé aussi.

Gunner serra les mâchoires, hocha la tête et, lentement, retira sa main.

Sydney leva le menton et croisa alors le regard de Slade. Il avait vu la main de Gunner sur son ventre, vu la peur et l'inquiétude sur le visage de son frère.

Il sait.

Slade serra les poings.

Des larmes brûlèrent les paupières de Sydney. Les choses n'auraient jamais dû se passer ainsi.

— Pourquoi diable Hall s'en est-il pris à toi, Sydney ? demanda Gunner.

— Parce que j'avais découvert ce qu'il avait fait. J'ai étudié son ordinateur. C'est Hall qui avait volontairement débranché les caméras de surveillance une demi-heure avant l'attaque du pirate. Sans doute pour que nous ne découvrions pas que c'était lui qui avait infecté le système. Il s'était servi d'un ancien code d'accès de Gunner. Il voulait lui faire porter le chapeau.

Mercer palpait le cou de Hall. S'il cherchait son pouls, il n'avait aucune chance de le sentir, pensa Sydney.

Avec un juron, il se tourna vers elle.

— Vous a-t-il dit pourquoi il a fait ça ?

— Il m'a dit… Il m'a dit qu'il n'avait pas eu le choix, que sa famille était menacée.

Si elle examinait les comptes bancaires de Hall, trouverait-elle qui lui avait versé de l'argent ? Peut-être espérait-il bénéficier de moyens pour échapper à la justice, à la Section d'Elite et pour prendre un nouveau départ ailleurs.

Il y avait toujours un prix à payer pour la trahison.

— *Muerte*, murmura-t-elle. C'est la dernière chose que Hall m'ait dite. A mon avis, le tueur à gages a consommé cette drogue. La *muerte* est entrée aux Etats-Unis. C'est ça que voulait me dire Hall.

Mercer se leva. Son costume était taché de sang.

— Les cartels ont réussi à la faire passer et l'agence fédérale antidrogues ne s'en est même pas rendu compte. Bon, à présent, sortez de cette pièce et ne touchez plus à rien. Il s'agit d'une scène de crime. Je vais demander au FBI de nous envoyer leurs meilleures équipes.

Sydney s'avança vers Slade. Il la dévisagea, il était tout pâle.

— J'ai entendu le coup de feu, marmonna-t-il. J'étais

dans le couloir. Je… je ne savais même pas que tu te trouvais ici. La porte était entrebâillée et je me suis glissé à l'intérieur. Lorsque je l'ai vu brandir cette lame vers toi… j'ai tiré. Par réflexe. Je l'ai tué.

Gunner était derrière elle. Il se tenait silencieux.

Slade fixa à son tour le ventre de Sydney. Il déglutit avec peine.

— As-tu quelque chose à me dire ?

Non, elle ne pouvait lui annoncer sa grossesse. Pas ici, pas maintenant. Pas devant tout le monde. Mais Slade avait tué un homme pour la protéger. Elle devait lui dire quelque chose.

— Merci, murmura-t-elle en lui enlaçant le cou pour l'embrasser.

Il l'enlaça à son tour.

— Je ne pourrais jamais laisser quelqu'un te faire du mal, susurra-t-il.

Elle recula pour planter ses yeux dans les siens.

— *Jamais.*

Elle recula encore.

— Slade…, lâcha Gunner. Je te suis infiniment reconnaissant d'être intervenu.

Mais il y avait une curieuse intonation dans la voix de Gunner, et Sydney s'immobilisa. Peut-être parce que… Gunner ne semblait pas vraiment sincère en remerciant son frère.

Comme Mercer les faisait sortir de la pièce, il la sépara du reste du groupe et l'entraîna vers son bureau. A son tour, elle allait subir un interrogatoire, comprit-elle.

Deux morts en vingt-quatre heures.

Que se passerait-il ensuite ? Parce qu'une chose était sûre : ce n'était pas fini. Le cauchemar était loin, très loin d'être terminé.

***

Elle est enceinte.

Slade remonta le couloir en s'efforçant de marcher d'un pas tranquille. Mais une folle colère s'emparait de lui.

Sydney était enceinte. Il avait vu la façon dont Gunner avait touché son ventre, l'avait regardée avec angoisse.

Slade étouffa un juron.

Il venait de sauver Sydney, il s'était comporté en héros. Mais Cale était derrière lui et le surveillait comme il en avait reçu l'ordre.

Tous continuaient à le considérer comme une menace et Gunner avait paru s'étrangler de fureur quand il avait compris que son petit frère avait bien agi.

Dommage pour toi. Pour une fois, ce n'était pas toi le héros.

Cale le prit par les épaules.

— Mercer veut te parler, Slade.

Bien sûr. Mercer allait l'ennuyer avec ses questions idiotes alors qu'il méritait une médaille.

Mais seul Gunner collectionnait les récompenses et les félicitations de ses supérieurs.

Slade hocha la tête.

— Très bien, dit-il timidement.

Une petite voix faisait toujours meilleur effet. Cela lui donnait l'air d'avoir été secoué par les événements, bouleversé d'avoir abattu un homme.

Mais si Sydney ne l'avait pas fait, il aurait tué Hall d'une façon ou d'une autre. Ce type était un faible et il s'était promis de l'éliminer à la première occasion.

En revanche, il aurait préféré que les soupçons se portent sur Gunner, que son frère soit suspecté du meurtre.

Il se ressaisit. Au fond, cela n'avait aucune importance.

Sydney, elle, recommençait à le considérer comme quelqu'un de bien. C'était l'essentiel. Il s'en servirait.

Et après l'attaque suivante, Sydney serait convaincue que Gunner voulait la tuer. Son frère serait suspecté du meurtre.

10

Sydney sortit de la salle d'interrogatoire à minuit passé. Epuisée, elle appelait l'ascenseur quand Gunner la héla du bout du couloir.

— Sydney !

Il se précipita vers elle.

— Es-tu prête à partir ? demanda-t-il.

— Plus que prête, répondit-elle avec un sourire fatigué.

Ils entrèrent ensemble dans la cabine pour gagner le parking. Mais soudain, Gunner pressa le bouton d'arrêt d'urgence pour immobiliser l'ascenseur.

Sydney se tourna vers lui, perplexe.

— Gunner ?

Il l'attira à lui et se mit à l'embrasser comme un fou. Ce fut un baiser passionné, brûlant, désespéré. Il l'étreignait comme s'il s'agissait pour lui d'une question de vie ou de mort, comme s'il avait besoin d'elle pour survivre.

Puis il s'interrompit pour murmurer :

— Quand je suis entré dans le bureau de Hall, j'ai cru que tu avais été touchée, que Slade t'avait tiré dessus.

Mais non. Au contraire, Slade lui avait sauvé la vie.

— Tu étais pleine de sang. Il me faudra au moins dix ans pour me remettre de la peur que j'ai eue, susurra-t-il en la serrant plus fort contre lui.

Elle le regarda en souriant.

— Tu n'as jamais peur de rien, Gunner.

Gunner était un homme solide. Il pouvait regarder la mort en face sans ciller.

— Ça, c'était avant, répliqua-t-il. Avant de te connaître. Désormais, j'ai besoin de te savoir en sécurité pour être bien.

Elle partageait ce sentiment.

Comme l'ascenseur se remettait en marche, Gunner commença à lui masser les épaules et la nuque. Ses doigts puissants lui prodiguaient une douce chaleur, détendaient ses muscles ankylosés, et elle poussa un soupir de bien-être. C'était divin.

Elle aurait souhaité s'abandonner à ses mains chaudes et douces. Mais les portes de la cabine s'ouvrirent.

Le parking était bien éclairé, surveillé par de nombreuses caméras. Sydney repéra vite sa petite Volkswagen garée près du camion de Gunner.

— J'ai fait apporter ta voiture ici parce que tu me l'avais demandé, expliqua-t-il. Mais tu ferais mieux de monter avec moi. Il n'est pas utile de…

— Je préfère prendre la mienne, l'interrompit Sydney. Avec tout ce qui se passe, je tiens à être autonome, à pouvoir me déplacer facilement.

Gunner serra les lèvres, visiblement mécontent.

— Je serai derrière toi, je te suis jusqu'à chez nous. Sois prudente.

Il lui prit la main et y déposa un petit baiser.

Chez nous, se répéta-t-elle. Ils ne vivaient pas ensemble, pas encore. Mais peut-être pourraient-ils commencer sous peu à envisager de prendre un appartement qui deviendrait un foyer pour élever leur enfant, de fonder une vraie famille.

Elle essaya de lui sourire.

— Je suis agent secret, Gunner. Je suis capable de veiller sur moi, ne t'en fais pas.

Il ne lui rendit pas son sourire. L'inquiétude assombrissait ses traits.

Lorsqu'elle s'installa au volant de sa voiture, il referma la portière et la regarda à travers la vitre.

Il ne lui avait pas parlé mariage. D'ailleurs, il n'avait pas vraiment évoqué la possibilité de vivre avec elle. Il voulait être là pour l'enfant. Il n'avait rien dit de plus.

Elle mit le contact et démarra. Il la suivait encore du regard.

Sydney rêvait d'un avenir avec lui. Ils joueraient ensemble au base-ball, inviteraient leurs amis autour d'un barbecue, fêteraient Noël avec leur bébé. Elle avait envie de se réveiller tous les matins près de lui et de s'endormir sur son épaule tous les soirs.

Si seulement il pouvait vouloir la même chose !

Comme elle s'apprêtait à quitter la base, son téléphone portable retentit soudain, la faisant sursauter. Elle prit la conversation en mains libres.

— Où es-tu, Sydney ?

La voix de Slade semblait tendue à l'extrême.

Elle s'approcha du garde qui se tenait à l'entrée du parking et elle lui présenta son passe. Avec un hochement de tête, il la salua et leva la barrière.

— Je… je quitte le bureau, répondit-elle.

Slade n'était-il pas rentré chez lui ? A cette heure-ci, il aurait dû y être depuis longtemps.

— Sydney, sois très prudente.

Elle serra plus fort le volant.

— Que se passe-t-il ? dit-elle en sortant de la base pour s'engager dans la circulation.

— Ne lui fais pas confiance. Je sais que tu crois bien le connaître, mais… non.

Il parlait évidemment de Gunner.

Elle déglutit avec difficulté.

— Slade, pourquoi me dis-tu ça ?

— Parce que j'avais vu comment il était avec elle.

Elle ? Parlait-il de Sarah Bell ?

— Tu ne le connais pas, pas vraiment, Sydney, répéta-t-il. Pas comme moi.

— Je croyais que Gunner et toi vous entendiez bien...

Son rire la glaça.

— Tu connais le vieil adage : mieux vaut rester proche de ses ennemis.

Elle jeta un œil dans son rétroviseur. Comme il l'avait promis, Gunner la suivait. Les phares de son camion brillaient dans la nuit.

— Gunner n'est pas ton ennemi, Slade.

— Mais c'est le tien.

Parvenue à une intersection, elle s'arrêta. Le carrefour était dégagé. Aussi repartit-elle.

— Gunner n'est pas mon ennemi non plus.

— Tu te laisses aveugler, soupira-t-il avec tristesse. Ne peux-tu ouvrir les yeux, le voir tel qu'il est ? Je ne veux pas qu'il te fasse du mal.

— Il ne m'en fera pas.

— Il a peur que tu reviennes vers moi et est prêt à tout pour t'en empêcher. Il essaie de jouer les héros...

Elle n'entendit pas bien la suite. La liaison était mauvaise.

— Peut-être ne voulait-il pas que tu meures dans l'incendie. Peut-être avait-il envie de te sauver, ajouta-t-il d'un ton sarcastique. Pour que tu éprouves de la reconnaissance à son égard. Pose-toi les bonnes questions, Sydney. Il a abattu le tueur à gages *avant* que celui-ci n'ait la possibilité de parler. Comme par hasard. Et il avait pris soin de te mettre à l'abri *avant* que le gars ne commence à tirer. Curieux, non ? Comment Gunner avait-il deviné que tu serais prise pour cible ?

Elle se forçait à écouter, tendant l'oreille parce que la communication était mauvaise.

— Il *savait* que le type allait tirer, reprenait Slade. Ça lui a permis de jouer une nouvelle fois les héros.

Elle serra les mâchoires.

— Gunner ne joue à rien. Ecoute, Slade, je ne peux pas continuer à discuter. Je suis au volant, il est tard, je suis très fatiguée et…

Comme un virage s'annonçait, elle voulut ralentir mais ses freins ne marchaient plus !

Frénétiquement, elle pressa encore et encore la pédale.

Rien.

Les mains agrippées au volant, elle rétrograda avant de s'engager dans le tournant. Elle roulait beaucoup trop vite mais, par miracle, elle parvint à rester sur la route. Malheureusement, elle arriva bientôt à un nouveau carrefour. Un feu rouge se dressait devant elle. Elle piétina le frein à plusieurs reprises, espérant le débloquer. En vain.

— Je ne peux pas m'arrêter, cria-t-elle.

— Quoi ? Si, bien sûr, tu peux cesser de lui faire confiance, tu peux…

Elle essaya encore. La pédale s'enfonçait mais ne produisait aucun effet. Devant elle, le feu était toujours rouge. Des voitures traversaient le carrefour. Elle ne pourrait les éviter.

— Mes freins ne fonctionnent plus !

Le feu rouge passa au vert au moment où elle arrivait devant. Elle poussa un soupir de soulagement. Mais il lui fallait s'arrêter à tout prix.

D'autant qu'un autre feu tricolore approchait. Le feu rouge était allumé.

Passe au vert.

Passe au vert.

— Sydney ! hurla Slade dans l'appareil.

Le feu restait au rouge.

L'accident était inévitable, comprit Sydney, affolée. Dans l'espoir de limiter les dégâts, elle braqua le volant vers la droite. Sa voiture heurta avec violence un véhicule qui s'engageait sur le carrefour. Sous l'impact, elle fut projetée en avant. Et derrière elle, Gunner se dirigeait droit sur elle, les phares allumés.

Il allait l'emboutir !

Elle se tendit, ferma les yeux.

Se préparant au choc.

— Sydney ! hurla Slade.

Elle ne lui parlait plus. Un fracas de tôle résonna dans l'appareil.

Il se retourna. Cale courait vers lui. Ils étaient dans un des couloirs de la Section d'Elite.

— Que se passe-t-il ? demanda Cale.

— Je voulais lui parler avant qu'elle ne s'en aille, avant qu'elle ne quitte la base, répondit Slade. Je voulais la prévenir…

Cale lui prit le bras.

— Que s'est-il passé ?

— Sydney, balbutia-t-il, le téléphone à la main. Ses freins ne marchaient plus. J'ai entendu… Je l'ai entendue hurler.

Les yeux de Cale s'écarquillèrent. Il tourna les talons et s'élança, hurlant des ordres, demandant qu'on repère la position de Sydney.

Mais il était trop tard.

Slade regarda son téléphone. La communication avait été interrompue.

*
**

Gunner écrasa ses freins et sauta de son camion. Une odeur de caoutchouc brûlé chatouillait ses narines. Il avait du mal à croire à la réalité de l'accident dont il venait d'être témoin. Que s'était-il passé ?

Le cœur battant, il se précipita vers la voiture de Sydney. Un instant plus tôt, il avait vu son visage terrifié se refléter dans le rétroviseur, à la lumière des phares.

La Volkswagen était pliée en deux, écrasée à l'avant et à l'arrière. D'une main tremblante, il ouvrit la portière. L'airbag s'était déployé. Il l'écarta.

— Chérie ?

Elle poussa un gémissement, et il ne put retenir un soupir de soulagement. Avec mille précautions, il décrocha la ceinture de sécurité et dégagea Sydney de la voiture. L'autre conducteur était également sorti de la sienne. Il ne cessait de vociférer, répétant que les chauffards ne devraient pas avoir le droit de conduire.

Gunner prit Sydney dans ses bras. Elle semblait toute petite et fragile. Elle donnait si souvent l'image d'une femme forte… Mais elle était vulnérable, elle aussi.

Fusillant du regard le type qui leur hurlait dessus, il lui lança d'un ton sec :

— Appelez plutôt les secours.

Calmé, l'homme hocha la tête et sortit son téléphone portable.

Gunner porta Sydney à l'écart. De nombreuses voitures s'étaient arrêtées. Des curieux s'approchaient.

Il l'allongea sur l'herbe, sur le bas-côté. Tendrement, il repoussa ses cheveux en arrière. Il n'y avait pas assez de lumière pour lui permettre de distinguer son visage.

— Ça va ?

— Les freins ne marchaient plus, murmura-t-elle. Je ne pouvais plus m'arrêter.

La colère s'empara de lui. Quelqu'un avait une fois

encore tenté de la tuer. Et cette fois, il n'avait rien pu faire pour éviter le drame.

— Une ambulance arrive ! annonça quelqu'un.

Gunner palpa le corps de Sydney, cherchant des traces de blessures. Apparemment, elle ne s'était rien cassé. Mais elle cria quand il effleura son épaule.

Elle posa les mains sur son ventre.

— Je ne pouvais pas m'arrêter, répéta-t-elle.

Et il n'avait rien pu faire.

Il fallait en finir maintenant.

Il l'étreignit contre lui et la tint dans ses bras jusqu'à l'arrivée de l'ambulance.

Quand les urgentistes se précipitèrent vers eux, Gunner leur lança :

— Elle est est enceinte… Je vous en prie, sauvez-la.

Une fois qu'elle fut installée dans l'ambulance, il promena les yeux autour de lui. Cale et Slade se tenaient au milieu de la foule de badauds. Son petit frère le dévisageait d'un air ahuri. Il avait compris que Sydney était enceinte. Mais cela n'avait pas d'importance. Le temps des secrets était terminé.

— Retrouve-moi à l'hôpital, Cale ! cria Gunner.

Il n'allait pas laisser Sydney seule.

Il grimpa dans le véhicule médical et s'assit près d'elle.

— Gunner, murmura-t-elle. J'ai mal au ventre.

Des larmes brûlèrent les yeux de Gunner. Il prit ses deux mains entre les siennes et les couvrit de baisers.

— Tout ira bien.

Comme l'ambulance fonçait dans la nuit, il commença à prier.

Sydney était allongée sur une table d'examen. Sa grossesse n'était pas assez avancée pour que le médecin puisse entendre les battements cardiaques du bébé. Aussi avait-il demandé une échographie.

Gunner faisait les cent pas à côté d'elle, plus sombre que jamais.

Sydney avait moins mal, mais elle craignait pour la vie de son enfant.

Mon bébé. Mon Dieu, protégez mon bébé, je vous en prie.

— Gunner, j'ai peur.

Il cessa aussitôt d'arpenter la pièce et vint vers elle.

— N'aie pas peur. Le bébé va bien, lui assura-t-il en mêlant ses doigts aux siens.

Mais l'angoisse ternissait ses yeux noirs. En général, il savait mieux dissimuler ses émotions.

— Je t'aime, grommela-t-il soudain.

Avait-elle bien entendu ? Ou avait-elle imaginé les mots qu'il venait de prononcer ? Elle rêvait depuis si longtemps de les entendre.

— Je veux t'épouser, Syd.

Elle le regarda avec stupéfaction.

— Gunner ?

Il esquissa un sourire.

— Ce n'est pas l'endroit idéal pour te faire ma déclaration et te demander ta main, n'est-ce pas ? Ni le bon moment. Mais je n'ai jamais su faire les choses comme il faut, Syd. Je n'ai jamais appris les bonnes manières, les codes. Mais je t'aime. Je donnerai ma vie pour toi. Je ferai n'importe quoi pour toi.

Il voulait l'épouser, se répéta-t-elle. Etait-ce à cause du bébé ou…

— Je t'aime, Sydney. Comme un fou. Je suis tombé amoureux de toi au premier regard, à notre première rencontre. Mais à l'époque, tu étais hors de ma portée, ajouta-t-il en fixant leurs mains enlacées. Je ressens toujours cette impossibilité. Tu mérites mieux que moi, mais je te jure que si tu me donnes ma chance, je ferai tout pour te rendre heureuse.

Quelqu'un frappa à la porte, puis un médecin suivi d'une infirmière entra. Le radiologue installa l'appareil pour l'échographie, le brancha.

Gunner regarda Sydney. Il attendait sa réponse.

— Alors ?

Elle lui sourit. S'il envisageait l'avenir avec elle, elle était plus que d'accord pour le bâtir avec lui.

— Je t'aime aussi, Gunner, et je t'épouserai.

A ces mots, le visage de Gunner se métamorphosa. Il parut s'éclairer de l'intérieur. Il n'avait plus rien de dangereux, de menaçant. Il était seulement magnifique.

Le radiologue s'assit près d'elle et lui passa un gel froid sur le ventre. Elle s'obligea à se tourner vers l'écran. Elle avait peur de regarder mais il le fallait.

— Vous êtes enceinte de près de trois mois, commença-t-il. Nous cherchons donc à voir si…

Il s'interrompit, les yeux rivés sur l'écran. Il allait lui annoncer une catastrophe, elle le sentait. Au bord des larmes, Sydney serra la main de Gunner, si fort qu'elle craignit un instant de lui briser les os.

Mais le médecin sourit.

— Il est fréquent de ressentir des contractions en début de grossesse. Le bébé va bien. Mais d'après ce que je vois, il y en a… deux.

Il leur montra les deux fœtus sur l'écran.

Bouleversée, Sydney cessa d'écouter la suite.

Elle n'attendait pas un enfant. Mais des jumeaux.

Elle glissa un œil vers Gunner. Jamais il n'avait souri aussi largement.

— Maintenant, vous allez devoir redoubler de prudence,

poursuivait le médecin. Une grossesse gémellaire demandera deux fois plus d'efforts à votre corps.

Malheureusement, l'existence des agents secrets était rarement reposante.

— Elle fera attention, dit Gunner. J'y veillerai.

Et il pesait ses mots, elle le savait.

Le radiologue avait terminé l'examen et Sydney se rhabilla pendant que Gunner montait la garde devant la porte. Elle était toujours inquiète d'être la cible d'un tueur, mais un profond bonheur l'emportait sur ses peurs.

Des jumeaux.

Gunner.

Leur mariage.

Sans le tueur, elle aurait tout pour être pleinement heureuse.

Elle rouvrit la porte. Logan était dans le couloir.

— Je suis désolé, Gunner, mais je dois te demander de me suivre.

A ces mots, elle se pétrifia.

Logan posa la main sur le bras de Gunner pour l'entraîner, mais ce dernier se dégagea avec violence.

— Il n'en est pas question. Je refuse de laisser Sydney toute seule !

— Un témoin t'a vu trafiquer les freins de sa voiture.

Sydney se figea. La joie sans bornes qu'elle éprouvait un instant plus tôt s'éteignit brutalement.

Logan expliquait :

— La voisine de Sydney avait envoyé une femme de ménage chez eux nourrir le chat pendant qu'elle et son mari étaient en voyage de noces. Cette employée se trouvait dans leur maison la nuit de l'incendie et elle a dit avoir vu ton camion dans la rue, juste avant que le feu ne démarre.

Sydney secoua la tête. Ce n'était pas possible.

— Gunner ?

Il se tourna vers elle.

— Ce n'est pas vrai, lâcha-t-il. C'est un coup monté.

Le personnel de l'hôpital s'éloignait de la scène. Sydney reporta son attention sur Logan.

— Pourquoi faites-vous ça ?

— Parce que votre vie est en jeu, Sydney. Je ne sais pas à quoi joue Gunner, mais… c'est fini, ajouta-t-il en serrant les mâchoires.

Cale et Slade attendaient un peu plus loin, les observant d'un air tendu.

Sydney secoua la tête.

— Gunner n'est coupable de rien. Il m'a sauvé la vie.

Slade s'avança vers elle.

— C'est ce qu'il a voulu te faire croire. Mais en réalité, il n'a rien d'un héros, il ne l'a jamais été.

— Je ne crois pas un mot de ces accusations ! dit-elle. J'ai confiance en Gunner.

— Mercer veut qu'il vienne s'expliquer dans son bureau, reprit Logan. Immédiatement. Gunner est désormais considéré comme une menace et je dois l'emmener.

— Alors je viens aussi, annonça-t-elle.

— Pourquoi ne peux-tu ouvrir les yeux, Sydney ? cria Slade. Il joue avec toi, il te manipule. Tu te laisses aveugler par lui ! Allons, Syd, ressaisis-toi, tu es une fille intelligente.

Oui, elle l'était. Et que le reste de la Section d'Elite perde tout bon sens dans cette histoire la remplissait d'amertume.

Mais elle croisa le regard de Logan. Dans ses yeux, il y avait quelque chose que, bouleversée, elle n'avait pas remarqué plus tôt.

Elle hocha brièvement la tête.

— Je… je viens.

Volontairement, elle avait laissé un léger frémissement teinter ses mots.

Slade sourit. A plusieurs reprises, se rappela-t-elle, il avait lui aussi utilisé ce même ton tremblant.

Peut-être étaient-ils tous deux de bons acteurs, de bons menteurs…

En tout cas, elle ne laisserait pas tomber Gunner. Elle ne croyait pas un mot des accusations qui pesaient sur lui. Certainement pas.

— Je pense…, commença Slade en se frottant le menton. Je me souviens que mes ravisseurs parlaient d'un Américain. J'en ai parlé à Cale, il y a un instant.

Il venait de s'en souvenir ? s'étrangla Sydney. Comme c'était pratique !

— Gunner trafique sans doute avec eux depuis le début, se servant de ses liens avec la Section d'Elite pour faire entrer des drogues sur le sol américain, poursuivit Slade.

— Cela suffit, intervint Logan. Nous ne devons plus rien dire avant d'être dans le bureau de Mercer.

Sydney fixa Slade d'un regard noir. Il ne la connaissait pas du tout.

Et elle non plus ne le connaissait pas. Elle ne le découvrait que maintenant.

Une demi-heure plus tard, Gunner était dans le bureau de Mercer.

— Sydney ne peut pas rester dans la ligne de mire du tueur, dit-il en regardant Mercer en face. Elle a besoin d'être mise à l'abri, tout de suite. Il faut la protéger.

— Sydney est une femme forte et intelligente, répliqua Mercer.

— Elle ne doit pas courir le moindre risque, elle ne peut plus s'exposer. Quelqu'un se sert d'elle pour m'atteindre.

Et il savait très bien qui.

Slade se croyait-il vraiment si malin ? Pensait-il que personne ne verrait ses mensonges ?

— Enfermez-le, demanda Gunner. A double tour. Arrangez-vous pour qu'il ne puisse approcher Sydney.

Ni moi. Si vous ne voulez pas que je le réduise en charpie.

— La femme de ménage des voisins vous a vu devant chez Sydney…, lui rappela Mercer.

— Ah, vraiment ? Et où se trouvait cette femme quand l'incendie a démarré ? Je n'ai vu personne sortir en courant de la maison voisine, personne tenter d'intervenir…

— Elle a dit qu'elle avait peur, qu'elle s'était enfermée et cachée. Elle est très jeune. Mais revenons à vous. Que faisiez-vous devant la maison de Sydney ?

— Je cherchais le courage d'aller lui parler !

Mercer leva un sourcil dubitatif.

— Et le témoin qui vous a vu trafiquer les freins de sa voiture ?

— Je suis persuadé que ce soi-disant témoin est déjà mort. Parce qu'il mentait et que le véritable coupable, le tueur, n'allait certainement pas le laisser en vie et risquer qu'il revienne sur ses déclarations.

Avec un froncement de sourcils, Mercer s'empara de son téléphone et s'entretint un instant avec quelqu'un.

Puis, sans raccrocher, il reporta son attention sur Gunner.

— L'homme vient de succomber à une crise cardiaque. Tina pense qu'il a été victime d'une overdose.

— Demandez à Tina de pratiquer une analyse de sang, lança Gunner dont le cerveau fonctionnait à plein régime. Je suis prêt à parier ma vie qu'elle y trouvera de la *muerte*.

Mercer transmit sa demande au médecin et mit fin à la conversation téléphonique.

— C'était la raison pour laquelle il organisait des voyages en charter, murmura Gunner. Ils servaient de couverture pour transporter des drogues. Les touristes ne devaient pas se douter que leurs bagages étaient remplis de came, ajouta-t-il en se passant la main dans les cheveux. Il y a deux ans, après sa disparition, il n'avait pas un rond sur ses comptes bancaires. Nous aurions dû nous interroger davantage. En réalité, il ne comptait pas revenir aux Etats-Unis. Il avait prévu de quitter le pays, de quitter tout le monde…

Y compris Sydney.

— Puis il a eu des problèmes.

Les cartels de drogue avaient beaucoup d'ennemis, tout le monde le savait.

— Alors il a voulu que nous venions le chercher. Et Sydney et moi avons failli mourir pour le tirer de là.

D'une façon ou d'une autre, Slade avait survécu. Prospéré.

— Il n'était pas leur prisonnier ! s'écria Gunner. Mais leur chef.

A présent, il en était certain.

La porte s'ouvrit dans son dos. Logan entrait.

Logan, qui lui avait demandé à mi-voix à l'hôpital de « jouer le jeu ». Quand son ami était venu l'arrêter à l'hôpital, il s'agissait évidemment d'une mise en scène. Logan ne l'avait jamais laissé tomber. Les agents d'un même service se tenaient les coudes.

Toujours.

— Depuis le début, Slade avait tout manigancé, reprit Gunner. Il se faisait passer pour une victime afin de se ménager une entrée à la Section d'Elite.

Et d'avoir accès à leurs dossiers, de nouer des contacts pour diffuser la *muerte*. Ils avaient tous cru qu'il était toxicomane.

Alors qu'en réalité, il était un baron de la drogue.

— En es-tu certain ? demanda Logan en secouant la tête. Nous n'avons aucune preuve, vieux. Tout te désigne, toi, comme coupable. Si nous mettions le FBI sur le coup, ils t'arrêteraient aussitôt, pas lui.

— Oui, Slade est plus intelligent que je ne le pensais. Il nous a manipulés tout du long.

— Nous avons besoin de le prouver, déclara Mercer. Si Slade est celui qui répand la *muerte* sur le sol américain, nous devons le faire cesser et démonter son cartel.

— Servez-vous de moi, proposa Gunner. Laissez-le s'en prendre à moi. Il me déteste et rêve de m'abattre. Vous aurez alors toutes les preuves qu'il vous faut.

Mercer secoua la tête.

— Non, c'est impossible. Il ne se confiera pas à vous, justement parce qu'il vous déteste. Il ne se confiera qu'à quelqu'un qu'il aime.

Sydney.

— Il a tenté de la *tuer*, protesta Gunner en serrant les poings. Il n'est pas possible qu'elle serve d'appât et…

— Il s'agit de la vie de Sydney, trancha Mercer. Elle seule peut en décider. Personne d'autre.

— Elle porte mes enfants, rétorqua Gunner. A ce titre, j'ai droit à…

— *Tes* enfants ? murmura Logan. Elle n'en attend pas qu'un ?

Gunner hocha la tête en souriant.

— Voilà pourquoi je refuse d'exposer la femme que j'aime.

— Tu viens… tu viens de reconnaître que tu l'aimes, fit mine de s'étonner Logan. Mais qui êtes-vous ? Où est le véritable Gunner ?

Gunner ignora la plaisanterie.

— Je refuse de l'exposer, répéta-t-il. Servez-vous de moi, mais pas d'elle. Pas d'elle.

— C'est à moi seule d'en décider, affirma Sydney en entrant dans la pièce. Je partage l'avis de M. Mercer. Slade ne crachera jamais le morceau avec toi.

— Il a tenté de te tuer ! s'emporta Gunner. Tout en faisant semblant de s'inquiéter pour toi. Il joue avec nous depuis le départ.

Gunner en était certain depuis l'hôpital, quand il avait croisé le regard de son frère. Derrière le masque catastrophé, faussement inquiet, il avait reconnu l'expression que Slade arborait au moment de la mort de Sarah Bell. Et deux jours après les obsèques, Slade sortait avec une autre.

Son chagrin avait été de courte durée.

Gunner secoua la tête, essayant de repousser ses souvenirs.

Mais Sydney poursuivait.

— Slade a toujours eu envie d'intégrer la Section d'Elite. J'ai retrouvé son dossier d'origine…

— Et je me souviens d'avoir rejeté sa candidature, ajouta Mercer.

Sydney se rapprocha de Gunner.

— Slade avait passé les examens médicaux pratiqués sur les futurs agents. Il s'était soumis aux analyses sanguines mais, à l'époque, la *muerte* était inconnue de nos services et nos labos ne pouvaient l'identifier. Mais il en prenait déjà. Nous en avons la preuve, à présent.

— Comme il consommait cette drogue, renchérit Mercer, son comportement était instable et agressif. Voilà pourquoi nous avions rejeté sa candidature et cessé de travailler en free-lance avec lui.

Comment son frère était-il tombé dans la drogue ?

s'interrogeait Gunner, accablé. Comment était-il tombé si bas ?

— Amenez-le ici, demanda-t-il. Nous allons lui montrer les analyses, le faire parler, le sommer de s'expliquer.

Mercer fit non de la tête.

— J'ai déjà essayé à plusieurs reprises. Mais il ne lâche rien. Et il ne vous dira rien non plus, Gunner.

— Mais il se confiera à moi, reprit Sydney avec un petit sourire triste. S'il pense que je n'ai plus confiance en toi, Gunner, que j'ai mis une croix sur toi et notre histoire d'amour, alors il viendra me trouver.

— Il te tuera, oui !

— Pas avec toi, pas avec Cale et Logan. Vous veillerez sur moi.

Elle s'exprimait avec calme. Comment pouvait-elle prendre les choses avec un tel détachement ?

— Je sais qu'avec toi, je ne risque rien.

Elle en semblait totalement persuadée.

— Cela ne marchera pas, tonna Gunner. Il te tuera, Sydney, il ne te dira rien.

— Avant son dernier voyage en charter, reprit-elle, il m'avait proposé de partir avec lui au Pérou. C'était il y a deux ans. Avant que son avion ne s'écrase.

Le cœur de Gunner battait à tout rompre dans sa poitrine.

— A l'époque, j'avais refusé de le suivre parce que… les choses devenaient difficiles entre nous. Je lui avais donc expliqué que j'avais besoin de temps avant de m'engager. Il m'avait dit qu'il voulait m'offrir une nouvelle vie, repartir de zéro.

Une existence de chef de cartel ? s'étrangla Gunner.

— Sais-tu pourquoi on appelle cette drogue la *muerte* ? demanda Logan.

Gunner secoua la tête.

— J'ai fait des recherches avec l'agence fédérale antidrogues. Le type qui répand la *muerte* en Amérique du Sud l'a baptisée ainsi. D'après nos sources, cet homme est revenu d'entre les morts pour prendre le contrôle du plus grand cartel péruvien.

Slade. Revenu d'entre les morts.

— Si Slade voulait vraiment me tuer, ajouta Sydney, il aurait eu l'occasion de me mettre une balle dans le cœur.

Gunner serra les poings.

Mais Sydney poursuivit.

— Au lieu de quoi, il me manipule, pour me punir et te faire payer ton amour pour moi. Mercer et moi avons déjà tout mis au point. L'équipe va quitter Washington. Je vais faire croire à Slade que j'ai rompu nos relations et que j'ai posé ma démission, décroché de la Section d'Elite et décidé de retourner vivre dans ma maison à Baton Rouge. Le convaincre que je ne veux que…

— Que lui, finit Gunner pour elle.

— Et j'en suis certaine, il me suivra là-bas. Il pensera que je suis seule et je m'arrangerai pour lui tirer les vers du nez.

— Sauf s'il vient te rejoindre pour te tuer.

Elle leva la main pour lui caresser la joue.

— Alors tu passeras à l'action, Gunner. Tu me protégeras, tu l'empêcheras de me descendre. C'est ton job.

Il ne respirait plus.

— Il y a d'autres moyens.

— Non, c'est le seul possible. Je suis la seule à pouvoir le faire parler, à pouvoir mettre un terme à ses agissements. Tu ne me quitteras pas des yeux. Si tu sens que je suis en danger…

— Je l'abattrai.

Elle poussa un soupir soulagé.

— Alors, c'est d'accord ?

— Tu ne me laisses pas le choix.

Il se tourna vers Mercer et Logan :

— Si les choses se passent mal, vous le regretterez toute votre vie !

Sydney noua les bras à son cou.

— Je t'aime, Gunner, murmura-t-elle.

Jamais, il n'oublierait cet aveu.

11

Les joues de Sydney ruisselaient de larmes. Gunner, menotté comme un malfaiteur, montait dans le véhicule du FBI, encadré par des hommes en noir.

— Sydney ?

Elle se retourna. Slade s'avançait vers elle, Cale à ses côtés. Il semblait boiter plus fort qu'auparavant.

Sydney pleura de plus belle, surprise de la facilité avec laquelle elle simulait. Peut-être le bouleversement hormonal provoqué par sa grossesse exacerbait-il sa sensibilité ou peut-être était-elle meilleure comédienne qu'elle ne l'avait pensé.

— Le FBI embarque Gunner, dit-elle en se mouchant. J'ai lu leurs rapports. Ils ont réuni tant de preuves contre lui que sa culpabilité ne fait plus aucun doute. Je croyais le connaître, mais…

Slade l'enlaça tendrement. Elle l'écarta avec brusquerie.

— Ne me touche pas ! Je ne supporte plus les hommes. Je ne ferai plus jamais confiance à personne. J'ai été trop dupée, trop manipulée et je…

Le regard de Slade se teinta de chagrin.

— Je ne suis pas « les hommes », chérie, et tu sais que tu peux me faire confiance. Je n'ai jamais cessé de t'aimer.

Elle essuya ses larmes d'un revers de main.

— Comment peux-tu m'aimer ? Après tout ce que je t'ai fait …

— Je t'aime et t'aimerai toujours, lui dit-il en lui caressant la joue.

Alors qu'elle venait de lui demander de ne pas la toucher.

Elle serra les mâchoires.

— Je vais partir, annonça-t-elle. J'ai besoin de prendre du recul, de réfléchir. Je quitte la Section d'Elite, j'ai posé ma démission. Je suis au bout du rouleau.

— Où comptes-tu aller ?

— Chez moi, à Baton Rouge. C'est le seul endroit où je peux espérer me reconstruire.

Maintenant, il savait où elle se rendait.

La suivrait-il ?

Un léger sourire se dessina sur les lèvres de Slade. Oui, il la suivrait.

Viens, je t'attends.

En proie à un sentiment de triomphe, Slade regarda le 4x4 du FBI s'éloigner. Gunner avait été arrêté. Les fédéraux avaient suivi les petits cailloux qu'il avait semés pour les mener à son frère. Son plan avait parfaitement fonctionné.

Gunner était tout seul. Il finirait ses jours en prison.

Sydney prenait place dans un taxi. Elle était pâle. Elle semblait perdue.

— Est-elle en sécurité ? demanda-t-il à Cale d'une voix anxieuse. Désormais, elle ne peut plus compter sur la Section d'Elite pour la protéger…

Il s'efforçait de boiter avec application comme si sa blessure le gênait encore.

Cale haussa les épaules.

— Maintenant que Gunner est sous les verrous, elle ne risque plus rien.

Le taxi démarra.

Sa Sydney rentrait chez elle.

Il savait très bien où elle se rendait. Depuis que l'incendie avait ravagé sa maison dans la banlieue de Washington, il ne lui restait qu'un endroit où se réfugier. En Louisiane.

L'ancienne ferme familiale de Baton Rouge dont elle avait hérité à la mort de ses parents était très isolée. Sydney y serait seule. Elle ne se méfierait pas et aucun agent secret ne traînerait dans les parages.

Le moment et le lieu étaient parfaits pour la reconquérir.

Il n'y aura qu'elle.

Et moi.

Cale s'éclaircit la gorge.

— Bon, il ne nous reste plus qu'à nous dire au revoir.

Slade se tourna vers lui.

— Vous n'êtes plus chargé de ma surveillance ?

— Elle n'a plus lieu d'être. Vous aviez raison depuis le départ, nous nous sommes fourvoyés. Les responsables de la Section d'Elite vont vous présenter leurs excuses et vous indemniser, bien sûr.

Bien sûr.

Cale lui tendit la main.

— J'aurais aimé que les choses soient différentes, soupira-t-il.

— Elles le seront maintenant.

Tout allait changer, songea Slade.

Autrefois, il avait rêvé de s'enfuir avec Sydney pour commencer une nouvelle existence avec elle au Pérou. Evidemment, il n'avait pas pu lui révéler ce qu'il ferait en Amérique du Sud pour leur assurer un train de vie royal. Elle n'avait pas besoin de connaître la nature de ses activités.

Peut-être était-il temps pour eux de prendre ce nouveau départ. De tout recommencer.

Cale s'éloignant, Slade se mit à siffloter.

Si Sydney ne voulait pas de lui, si elle refusait l'offre qu'il s'apprêtait à lui faire, il la tuerait. Elle serait seule au milieu des marais.

Cette idiote avait eu tort de partir sans s'assurer que quelqu'un serait là pour la protéger. Elle s'était toujours crue plus intelligente et plus forte que tout le monde. Elle allait voir qui tirait les ficelles.

Sydney se tenait dans son salon à Baton Rouge, regardant autour d'elle.

Elle se réjouissait d'être revenue dans cette maison qu'elle adorait et dont elle s'était tenue trop longtemps éloignée. Elle y avait fait l'amour avec Gunner pour la première fois.

Elle se tourna vers les baies vitrées. Si Slade se montrait — ou plutôt, *quand* Slade se montrerait — elle devait s'arranger pour qu'il reste devant cette fenêtre. Ainsi Gunner pourrait le voir et éventuellement tirer sur lui.

Avec un soupir, elle contempla la campagne environnante. Les arbres étaient magnifiques et le soleil couchant se reflétait dans les marais. Elle ignorait où se trouvait exactement Gunner mais sa présence l'enveloppait.

Il la protégeait.

Cale n'était pas visible non plus. Mais lui aussi se tenait en embuscade et surveillait la maison.

Un matériel sophistiqué avait été dissimulé dans la pièce pour permettre à toute l'équipe de suivre ses échanges avec Slade. Logan était caché dans le garage, à bord d'un camion équipé qui lui permettait de visionner en temps réel toutes les images prises par les caméras.

Un indic leur avait appris que Slade avait réservé une place sur un vol pour la Louisiane. Il arrivait. Ce n'était plus qu'une question d'heures.

Sydney continuait à admirer la campagne.

Depuis son retour dans la maison familiale, Gunner lui semblait présent partout. Elle s'était souvenue de leur première nuit d'amour. Les draps avaient presque conservé son odeur.

Elle se remémora les regards affamés qu'il lui jetait. Mesurait-il à quel point elle l'aimait, à quel point ils étaient faits l'un pour l'autre ?

Des phares déchirèrent la nuit et son cœur s'accéléra dans sa poitrine.

Le dernier acte allait commencer.

Elle posa la main sur la fenêtre.

Tout ira bien, Gunner.

Gunner sourit brièvement : Sydney lui avait adressé un clin d'œil. A travers la lunette de son fusil, son visage lui apparaissait parfaitement.

— La cible entre en scène, annonça Logan dans leurs oreillettes.

Exactement comme ils l'avaient prévu. Jusqu'ici, tout s'accordait à merveille au plan de Mercer et de Sydney.

Ils avaient voulu attirer Slade loin de Washington pour lui faire croire qu'il serait en sécurité, que plus personne ne le surveillait.

Gunner secoua la tête. Des insectes bourdonnaient autour de lui. Les moustiques pullulaient dans ces marais.

La maison étant très isolée, Slade serait certainement persuadé que l'endroit était idéal pour approcher Sydney.

Il se trompait.

Mais Gunner ne pouvait réprimer une sourde angoisse : Sydney allait se retrouver seule avec Slade, vulnérable

Le comportement de son frère l'inquiétait. Slade était capable de tout, probablement à cause de la *muerte*.

— J'ai un visuel, annonça Cale. La cible sort de son véhicule et se dirige vers la maison.

Maintenant, Sydney allait tenter de tirer les vers du nez de Slade, ils allaient entendre les confidences qu'elle parviendrait à obtenir. Bientôt, ils sauraient jusqu'où son frère était tombé.

Sydney resserra les pans de sa robe de chambre.

Le vêtement dissimulait un gilet pare-balles.

Gunner avait été intransigeant sur ce point. Il voulait protéger leurs bébés. Elle était d'accord, bien sûr. Mais Slade ne devait rien voir.

La sonnette de l'entrée retentit. Elle consulta l'horloge. Il était près de minuit. D'une main tremblante, elle ébouriffa ses cheveux pour avoir l'air de sortir de son lit. Elle attendit un peu, ne voulant pas se précipiter pour lui ouvrir.

Puis elle regarda par l'œilleton : Slade était sous le porche.

En frissonnant, elle déverrouilla la serrure.

— Slade ? Que fais-tu ici ? demanda-t-elle, mimant la surprise.

Il lui sourit, de ce sourire qui lui avait longtemps fait croire qu'il était un garçon charmant. De ce sourire qui était aussi faux que lui, elle l'avait compris, maintenant.

— Je ne voulais pas te laisser seule, chérie. Je sais que tu es brisée.

Elle recula pour le laisser entrer et il poursuivit.

— Tu dois croire que tout le monde t'a laissée tomber. Mais pas moi. Je suis là. Je serai toujours là pour toi.

Elle referma la porte derrière lui. Comme il s'avançait vers le salon, elle devina une arme sous sa veste. Il prétendait être venu la réconforter, mais il s'était muni d'un revolver ?

En réalité, il a l'intention de me tuer.

Son sang se glaça. Elle avait pensé que dans un premier temps, Slade essaierait de la faire retomber sous son charme. Elle n'avait pas imaginé qu'il voudrait l'éliminer.

Il la suivit vers la fenêtre. Sans le savoir, il était positionné pour offrir à Gunner une cible parfaite.

— Il est plus de minuit, dit-elle. Tu n'aurais pas dû venir à cette heure-ci.

— J'avais besoin de te voir, de te parler. De Gunner. Tu ignorais qu'il était un monstre, tu as cherché longtemps à t'illusionner. Maintenant que le FBI t'a ouvert les yeux, tu dois être en plein désarroi. Pourtant, il vaut mieux que tu saches qui il est vraiment, Sydney. Crois-moi.

Elle serra les mâchoires.

— Je ne comprends pas comment j'ai pu m'aveugler à ce point.

Tout en parlant, elle faisait mine de ranger des affaires sur son bureau. Elle avait éteint l'ordinateur mais laissé traîner des papiers pour donner l'impression d'avoir travaillé dans la soirée.

— De mon côté, j'ai commencé à entreprendre des recherches, reprit-elle. Pour comprendre comment Gunner a pu me duper si longtemps. Il me jurait qu'il était innocent, qu'il ne me ferait jamais de mal, qu'il n'avait jamais rien commis d'illégal…

— C'est un menteur, chérie.

Il promena ses yeux sur ses jambes et, malgré son malaise croissant, Sydney s'interdit de s'écarter. Ils devaient rester tous deux devant la fenêtre. La lumière étant allumée, il était facile de les voir de l'extérieur. Des cibles parfaites.

— Ma pauvre Sydney, tu t'étais lourdement trompée à son sujet.

Elle secoua la tête.

— Je cherche à comprendre comment j'ai pu me tromper à ce point-là. Voilà pourquoi je me documente sur tout ce qui le concerne. Au cours de mes investigations, j'ai été amenée à m'intéresser à la tragédie de la famille de Sarah Bell, ajouta-t-elle brusquement en relevant le menton.

Il poussa un long soupir.

— Pourquoi te torturer ? Le FBI se charge de l'enquête. En fouillant son passé, tu te fais du mal, ajouta-t-il en lui caressant les joues. Laisse-moi plutôt t'aider à cicatriser.

Elle réprima un mouvement de dégoût.

— Pour rayer Gunner de ma vie et tourner la page, il me fallait mesurer l'étendue de ses crimes. Bref, j'ai consulté de vieux articles sur internet à propos de cette histoire. Et j'ai appris un détail curieux. Figure-toi que l'équipe de foot de Gunner disputait un championnat ce week-end-là, le week-end où un incendie a ravagé la maison des Bell.

Slade se ferma, ses traits se durcirent.

— Et alors ?

— Le match se déroulait à une centaine kilomètres de la réserve, Gunner y participait bien puisqu'il a marqué un but après la mi-temps. Les joueurs étaient venus en car et sont repartis de la même façon dans la nuit, après avoir fêté leur victoire. Bref, Gunner n'a pas pu mettre le feu à cette maison. Il n'était pas là.

Slade la lâcha.

Elle enfonça les mains dans les poches de son peignoir. Elle y avait glissé un revolver.

— Avoue qu'il y avait de quoi être troublée ! J'ai donc approfondi mes recherches.

Il se dirigea vers la fenêtre.

— Sur *Gunner*, cria-t-il. Toujours lui !

— Non, Slade. Sur toi.

Il se raidit.

Comme ils n'étaient que tous les deux, comprit-elle, il ne se fatiguait plus à maîtriser ses réactions, il n'avait pas besoin de faire semblant.

Il ne boitait plus, d'ailleurs.

— Sydney... je suis venu ici te réconforter, t'entourer, dit-il avec un soupir. Pour que nous puissions être ensemble et tout recommencer. Je sais que tu m'as toujours aimé.

— Je t'ai aimé, oui. Autrefois.

A présent, elle n'aimait que Gunner.

Posté à la fenêtre, Slade considérait la nuit.

— Et puis Gunner est entré en scène, grommela-t-il. Et tu t'es détournée de moi.

— Non. Je me suis détournée de toi quand tu as commencé à changer.

Gunner avait Slade dans son viseur. La gorge serrée, il observait sur son visage l'étendue de sa colère et de sa haine.

Mais Sydney ne le voyait pas, elle ne pouvait le voir. Slade regardait la nuit et lui tournait le dos.

Il est en train de réfléchir à la manière dont il va la tuer.

Gunner avertit le reste de l'équipe *via* le micro qu'il portait au cou.

— Il va passer à l'attaque. Soyez prêts.

Slade ne pourrait contenir longtemps sa rage.

Ils entendaient leurs échanges à la perfection. Sydney poussait Slade dans ses derniers retranchements. Et elle parvenait à le déstabiliser.

En réalité, Gunner n'avait pas participé à un championnat le week-end où Sarah avait péri dans l'incendie de sa maison. Le match s'était déroulé deux semaines avant la tragédie. Mais manifestement, Slade l'avait oublié.

Sydney reprit la parole, et la sueur se mit à perler sur le front de Gunner.

— Tu as organisé tellement de vols vers l'Amérique du Sud avant…

— Avant que Gunner ne me laisse comme mort au Pérou, dit-il en se tournant vers elle, le visage impassible. N'oublions pas cet aspect de la question. Gunner et toi, vous m'avez abandonné !

— Je m'interrogeais à propos de tes voyages en charter, poursuivit-elle, refusant de se laisser interrompre. Ton entreprise marchait bien, tu gagnais de l'argent et pourtant, à notre retour du Pérou, nous avions découvert que tes comptes bancaires étaient vides.

Il sourit. D'un sourire terrifiant.

— Tu te mettais souvent en colère à cette époque, reprit-elle. Avant le dernier voyage, je me souviens que nous nous étions disputés. Tu m'accusais…

— De me tromper ? lâcha-t-il en serrant les poings. Je croyais que tu avais couché avec Gunner. J'avais vu la manière dont il te dévorait des yeux et la façon dont tu le regardais.

— Je n'ai…

— Non, pas à ce moment-là. Mais depuis ? Veux-tu me faire croire que le bébé que tu portes n'est pas de lui ?

— Je suis enceinte de lui, oui. Et voilà d'ailleurs

pourquoi j'ai entrepris ces recherches. J'avais besoin de savoir qui était vraiment le père de mon enfant.

— Tu n'aurais pas dû, murmura-t-il.

— Quand j'ai voulu comprendre où était passé ton argent, j'ai découvert que tu possédais des comptes bancaires aux îles Caïmans.

Il éclata de rire.

— Tu es trop forte en informatique, dit-il en tirant son arme. Tu as eu tort d'enquêter sur moi.

Le doigt de Gunner pressait déjà la détente.

— Que personne ne tire ! cria Logan. Elle le fait toujours parler. Nous devons en apprendre le plus possible.

— Nous devons surtout nous assurer que ce fumier ne va pas lui loger une balle en pleine tête, gronda Gunner.

— Attends, Gunner, c'est un ordre.

Mais Gunner ne suivait plus les ordres. Il protégeait la femme qu'il aimait.

Slade n'avait pas encore pointé son revolver sur elle. Mais dès qu'il lèverait son arme…

Frère ou pas frère, Gunner ferait feu.

— J'ai peu à peu compris que tu n'avais jamais été l'homme que je croyais connaître, reprit Sydney. Même avant que ton avion ne s'écrase au Pérou, tu trafiquais déjà, tu t'efforçais de répandre la *muerte*, non ?

Slade continuait de rire, laissant totalement tomber le masque qu'il arborait depuis son arrivée. Il ne cherchait plus à dissimuler sa colère, sa haine.

— Oui, je dirige le cartel et, grâce à la *muerte*, j'ai gagné en deux ans plus d'argent que je n'en ai possédé dans toute ma vie précédente. Ces fumiers de la Section d'Elite avaient refusé ma candidature. Ils me prétendaient instable. N'importe quoi ! J'aurais été le meilleur agent de l'équipe, mais ils n'ont pas voulu de moi.

Sydney serrait le revolver dans sa poche.

— Alors tu as saisi la chance qui s'offrait à toi ?

— Oui, bien sûr, j'ai mis mon intelligence au service d'une autre cause. J'ai organisé des connexions, acheminé la drogue *via* ces voyages en charter. J'ai rapidement amassé une fortune. Tu ne sais pas ce que c'est que de vivre dans l'extrême pauvreté. Moi, oui. J'ai grandi dans la misère. Dans une réserve avec un vieillard sénile qui n'était même pas mon grand-père.

— Mais ce vieil homme t'a élevé. Il t'a aidé à…

— Mon père lui avait confié ma garde, mais je n'avais pas envie de vivre avec lui, comme lui. Sans un sou vaillant, avec Gunner qui ne cessait de me surveiller, de me sermonner. Je m'étais juré que je m'en sortirais, que je ne manquerais plus jamais de rien.

Il lui décrocha un sourire qui n'avait plus rien de charmant, mais tout du rictus froid d'un tueur.

— Te doutes-tu de l'argent que je possède ? De l'étendue de mon pouvoir ?

— Non.

Dis-moi.

— J'ai découvert la *muerte* presque par hasard, mais j'ai vite compris le profit que je pourrais en tirer. Quand Gunner et toi êtes venus au Pérou la première fois, j'avais déjà mis sur pied un important réseau, j'étais en train de consolider ma position de leader, j'avais pris la tête du cartel… J'ai apprécié que vous interveniez, que vous soyez venus avec des renforts.

Son sourire était glaçant.

— Bien sûr, j'aurais préféré que vous ne me laissiez pas pour mort, que vous ne m'abandonniez pas.

— Tu *étais* mort !

— En fait, oui, je l'étais.

Elle le considéra avec surprise.

— Mais grâce à la *muerte*, je suis revenu à la vie, poursuivit-il. J'ai ressuscité.

— Je ne comprends pas.

— Mes hommes ont appelé un chaman. Il m'a fait prendre de la *muerte*. Les propriétés de cette plante sont quasiment miraculeuses. Et sans doute ai-je eu aussi de la chance. Ou peut-être le diable n'a-t-il pas voulu de moi.

— Qu'est-il advenu de ce guérisseur ?

— Dès que j'ai été rétabli, je l'ai égorgé.

A présent, elle comprenait qui était Slade. Un tueur impitoyable.

Elle avait du mal à respirer tant elle était terrifiée.

— Pourquoi voulais-tu que la Section d'Elite vienne à ton secours, te sortir de la jungle ? Nous te croyions mort et tu menais une existence intéressante au Pérou. Pourquoi tout remettre en cause ?

— Parce que j'étais prêt à étendre mes activités. Je savais que vous aviez tué Guerrero, un important trafiquant d'armes mexicain, quelques mois plus tôt. J'avais besoin de ses contacts pour asseoir mon réseau, pour répandre la *muerte* au Mexique et aux Etats-Unis.

— Voilà pourquoi tu voulais accéder à son dossier à la Section d'Elite. Tu voulais apprendre …

— Je voulais apprendre quels hommes je pourrais utiliser… et lesquels je devais éliminer. Je savais qu'il serait assez facile d'obtenir ces renseignements dans vos bureaux.

— Tu nous as donc manipulés… Tu as menacé Hall…

Il rit.

— Je le payais. Je ne le menaçais pas. Bien sûr, je

savais depuis le départ que je le tuerais avant qu'il n'ait pu me réclamer son fric.

— Et le tueur à gages ? L'homme qui a tiré sur moi…

— J'ai fait sa connaissance dans l'établissement psychiatrique où Mercer m'avait envoyé. C'est étrange comme on rencontre souvent des gens très utiles dans des endroits improbables.

— Tu lui as donné de la *muerte*.

— Et en échange, il a accepté de te tirer dessus. Bien sûr, je lui avais demandé de te rater, je cherchais seulement à te mettre sous pression…

— Et l'incendie de ma maison ?

Son sourire disparut.

— J'avais prévu de te sauver, moi.

— Et Sarah, avais-tu espéré la sauver ?

— Non. Elle m'avait rejeté, je voulais qu'elle meure brûlée vive.

Sydney déglutit, terrorisée. Elle avait toujours ignoré la véritable personnalité de Slade.

— Et quand nous étions au Pérou et que quelqu'un m'a tiré dessus sur la plage ? C'était toi, non ?

— Exactement.

Comment avait-il trouvé une arme là-bas ? se demanda-t-elle. Avait-il tout manigancé avec l'un de ses hommes ?

— J'espérais que Logan soupçonnerait mon frère…

Il poussa un petit soupir triste et braqua son arme sur elle.

— Maintenant, tu dois mourir, Sydney, j'en ai bien peur.

— Non, Slade, non. Ne fais pas ça !

— Je n'ai pas le choix. Tu as tout compris, découvert des éléments qui ne laissent aucun doute sur ma culpabilité. Dans ces conditions, ta mort devient inéluctable, reconnais-le. Même si tu me jurais de garder le silence sur mes agissements, de ne jamais me trahir, je ne pourrais prendre un risque pareil. J'ai de grands projets. Je vais me servir des contacts de Guerrero pour développer mon trafic près de la frontière et sur le sol américain. J'aurai bientôt tant d'argent et de pouvoir que personne ne pourra plus m'atteindre. Mais pour cela, tu dois mourir.

Il allait la tuer.

Elle recula.

— Tu as encore une chance de t'en sortir, Slade. Ne…

— Tu es la seule à savoir la vérité à mon sujet.

— Non, tu te trompes.

Laissant alors tomber son propre masque, elle explosa de colère.

— La Section d'Elite est au courant. Logan, Cale et Gunner ont entendu chaque mot que tu as prononcé. Et tu sais quoi ? Tu es dans le viseur de Gunner, là.

Les yeux écarquillés de stupeur, il s'approcha de la fenêtre pour examiner les alentours. Sydney plongea sous le canapé.

— Non ! hurla Slade.

Gunner pressa la détente. La balle fit exploser la vitre et frappa Slade.

Touché à l'épaule, il s'écroula.

Puis Logan surgit dans le salon.

Tout était fini.

Parce qu'il venait de tirer sur son frère.

Sydney recula d'un pas.

— Cessez le feu ! cria Logan.

Slade était étendu sur le sol, gravement blessé. Il y avait du sang partout.

Logan s'agenouilla près de lui.

— Vous êtes en état d'arrestation, dit-il en lui confisquant son arme. Vos aveux ont été enregistrés. Vous ne vous en tirerez pas, cette fois.

Slade serra les mâchoires.

— Je n'irai pas en prison ! Je refuse de…

— Vous n'avez pas le choix, le coupa Logan.

Puis il poursuivit dans son micro.

— Nous avons besoin d'une ambulance, envoyez les secours, merci.

Il reporta son attention sur Slade.

— Vos blessures ne sont pas mortelles, vous comparaîtrez devant la justice pour vos crimes.

— Le cartel ne laissera pas faire… Ils me tueront, ils me feront abattre en taule !

La porte d'entrée s'ouvrit et Gunner apparut. Il se précipita vers Sydney pour l'étreindre avec force. Elle le serra à son tour contre elle. Il tremblait.

— Tu m'as fait la peur de ma vie, Syd. Je n'ai jamais été aussi terrifié.

« Mais cela n'arriverait plus », soupira-t-elle. Le cauchemar était fini. Gunner était innocenté, Slade serait arrêté. Tout était terminé.

La sirène d'une ambulance retentit dans la nuit.

— Ton Zorro est arrivé à temps, grommela Slade avec amertume. Comme toujours.

Gunner leva la tête mais ne desserra pas son emprise.

— Comment as-tu pu aussi mal tourner, Slade ? J'ai veillé sur toi depuis toujours, m'assurant que tu…

— Tu m'as toujours fait de l'ombre.

Sydney n'avait pas de mal à imaginer la douleur de Gunner. Son propre frère avait manigancé pour qu'il soit jeté en prison et y finisse ses jours.

Les urgentistes entrèrent en courant dans la maison. Logan s'écarta pour leur permettre d'examiner Slade. A peine déposé sur un brancard, il fut pris de convulsions.

Il se tordit, se raidit et, inquiets, les médecins s'activèrent sur lui.

Mais Slade en profita pour se relever et tirer un autre revolver dissimulé sous sa ceinture.

Il le brandit, et tout le monde se pétrifia.

Alors que le sang coulait sur sa chemise, il se mit debout et colla le canon de son arme sur la tête de l'urgentiste. Il tenait l'homme devant lui comme un bouclier.

— Laissez tomber vos flingues, ordonna-t-il. Ou je le bute.

Gunner refusa d'obtempérer mais se plaça devant Sydney pour la protéger.

— Laisse tomber ton fusil, Zorro, cracha Slade. Ou ce type va mourir sous tes yeux. A cause de toi.

— Je vous en prie, supplia le malheureux.

La tension dans la pièce était à couper au couteau. Slade reculait vers la porte en entraînant l'otage.

Cale était-il toujours positionné à l'extérieur, devant la porte ? s'interrogea Sydney, le cœur battant. Depuis l'irruption de Gunner, elle n'avait pas regardé où se trouvaient les autres membres de l'équipe. Slade se mit à hurler.

— Il est exclu que je finisse en prison et tout aussi exclu que toi, Gunner, tu vives avec Sydney.

Slade allait tirer sur son frère.

— Non ! cria-t-elle.

La déflagration fut assourdissante.

Mais Gunner ne s'écroula pas.

— Syd… Sydney, balbutia Slade.

Gunner se précipita. Slade avait de nouveau été touché. Mais cette fois, il ne s'en remettrait pas, comprit Sydney. Son visage était livide, son ventre en sang, il avait du mal à garder les yeux ouverts.

Cale baissa son arme.

Il avait tiré.

Pour protéger l'équipe.

— Slade ? Slade, parle-moi.

Agenouillé près de son frère, Gunner lui tenait la main. Il tentait de le retenir.

Slade le regarda.

Deux frères, songea Sydney, bouleversée.

— Si nous allions nous balader dans les bois, murmura Slade d'une voix éteinte. J'aimerais… marcher avec toi… Gun…

Gunner semblait au bord des larmes.

— D'accord.

— Grand-père nous accompagne ?

Slade ne ressemblait plus à un homme mais à un enfant perdu.

— Grand-père t'attend, grommela Gunner d'une voix tremblante. Va dans la forêt, reste avec lui. Je vous rejoindrai plus tard.

— Promis ?

Gunner lui étreignit la main avec force.

— Promis.

Cette fois, la tombe ne serait pas vide.

Gunner fut parcouru d'un frisson. On mettait son frère en terre. Peu de monde était venu assister aux obsèques. Logan et sa femme avaient tenu à y être, à l'entourer. Son ami n'avait jamais douté de son intégrité.

Un peu à l'écart, Cale aussi était là. Sombre, il suivait la cérémonie sans un mot. Il était manifestement la proie de remords.

Lorsqu'il avait tiré, Gunner s'était efforcé de préserver la vie de son frère. Mais Cale n'avait pas eu le choix. Pour sauver Gunner, il avait dû abattre Slade.

A présent, Cale culpabilisait d'avoir été contraint à cette extrémité. Il avait tort. Gunner se promit de lui parler, de lui faire prendre conscience que… qu'il comprenait.

La cérémonie funèbre fut brève.

Quand elle s'acheva, le petit groupe se dispersa. Gunner et Sydney restèrent un moment seuls devant la pierre tombale.

Gunner songeait à son frère.

— Je veux me souvenir de lui tel qu'il était autrefois, quand nous étions gosses.

Lorsqu'ils chassaient ensemble dans les bois avec leur grand-père : celui-ci leur apprenait à reconnaître les empreintes des animaux. A une époque, Slade avait aimé ces sorties en forêt autant que lui.

Sydney opina.

— Oui, souviens-toi de lui quand il était jeune et heureux. Ne garde que les bons souvenirs : l'amour qui vous unissait, les bons moments que vous avez vécus ensemble, la complicité que vous avez partagée autrefois… et oublie le reste.

Il se pencha pour poser son front contre le sien.

— Je t'aime.

Il le lui avait déjà dit, mais il voulait le lui répéter tous les jours de sa vie.

Relevant la tête, il jeta un dernier coup d'œil à la tombe.

Souviens-toi de l'amour qui vous unissait et oublie le reste.

— Profite bien de ta balade dans les bois, frérot. Un jour, nous nous retrouverons.

En attendant de rejoindre son frère, il vivrait avec Sydney, avec les enfants qu'ils auraient bientôt ensemble. Il leur parlerait de leur oncle, de l'amour fraternel qu'ils avaient partagé.

Il serait heureux avec Sydney. Et il serait un bon père, un père dont leur progéniture serait fière.

A pas lents, ils s'éloignèrent de la pierre tombale. Le soleil brillait dans le ciel : il chassait les ombres et leur montrait l'espérance.

Avec Sydney, leurs enfants, leurs amis, il vivrait heureux.

Il n'avait qu'à avancer, à accepter ce bonheur qui s'offrait à lui et à le vivre pleinement.

Il prit Sydney dans ses bras et l'embrassa.

Il avait trouvé son foyer.

Le 1er juin

Black Rose n°300

Le bébé du secret - Elle James

Cette silhouette athlétique, si imposante. Et ce beau visage, qu'elle n'a jamais pu oublier... En voyant Chuck s'avancer vers elle, PJ manque défaillir. Ainsi, son ex-fiancé est de retour en ville. Elle devrait être folle de joie, elle le sait. D'autant que Chuck vient de la sauver en faisant fuir l'homme qui tentait de l'agresser... Pourtant, elle n'éprouve rien d'autre qu'une oppressante angoisse. *Il va comprendre, pour Charlie...* Oui, c'est évident, d'ici peu, Chuck va immanquablement découvrir qu'elle a un bébé de trois mois dont il ignore tout. Et dont il est le père...

Une inconnue pour alibi - Kara Lennox

Son prénom. C'est la seule information que Hudson possède sur la femme à la beauté stupéfiante qui vient de bouleverser son existence... Qui est la sublime Liz ? Et pourquoi a-t-elle brusquement disparu après la nuit torride qu'ils ont partagée, sans même lui laisser le moyen de la revoir ? Mais peu importent ses raisons : Hudson doit désormais la retrouver à tout prix. Car alors qu'il est accusé d'un meurtre qu'il n'a pas commis, Liz est son seul alibi. La seule à pouvoir confirmer qu'ils étaient ensemble cette nuit-là, et qu'il est innocent...

Black Rose n°301

Au risque de l'aimer - HelenKay Dimon

- Dieu merci, tu es là !

Davis est stupéfait. Lara vient de se jeter dans ses bras, tremblant de la tête aux pieds. Cette même Lara qui lui a dit lors de leur rupture qu'elle ne voulait plus jamais le revoir... Elle est en danger, parvient-elle à murmurer entre deux sanglots : elle a été témoin d'un meurtre, et l'assassin la traque... Au même moment, un homme armé surgit au loin. Davis le comprend immédiatement : il doit fuir avec Lara, pour la mettre en sécurité. Car jamais – *jamais* – il ne permettra à quiconque de faire le moindre mal à la femme que, quelques mois plus tôt, il désirait épouser...

Etrange disparition - Karen Whiddon

Tu me manques, Zoe. J'ai vraiment besoin de toi.

Ces mots – les derniers qu'elle ait échangés au téléphone avec Shayna – tournent en boucle dans l'esprit de Zoé. Depuis, Shayna a disparu sans laisser la moindre trace. Pourquoi Zoe n'a-t-elle pas accordé plus de crédit à la détresse de sa meilleure amie ? Imaginé qu'elle courait peut-être un danger ? Envahie de remords, Zoe décide de se lancer sur sa piste et revient dans leur ville natale. Cette ville qu'elle a quittée cinq ans plus tôt pour fuir Brock McCauley, son fiancé d'alors. L'homme qu'elle n'a jamais cessé d'aimer et qui est aujourd'hui le seul à pouvoir l'aider...

BLACK ROSE

Black Rose n°302

Le venin de la peur - Rachel Lee

Jake Madison. La dernière personne au monde que Nora ait envie de voir. Pourtant, elle ne peut s'empêcher d'éprouver un sentiment de soulagement quand il vient la chercher à l'aéroport. Le garçon qui l'a rejetée dix ans plus tôt et qu'elle a fui, mortifiée, est resté aussi séduisant qu'autrefois mais il est maintenant un homme et, surtout, il est chef de la police locale. Enfin, elle est sauvée ! A l'abri de l'individu qui l'a agressée ! Mais alors qu'elle respire enfin, Jake lui fait une révélation qui bouleverse de nouveau son univers : son agresseur s'est évadé de prison, et il est désormais sur ses traces...

Collaboration sous tension - Delores Fossen

Qui a assassiné la jeune Marcie James ? Le sergent Olivia Hutton, dépêché à Comanche Creek pour mener l'enquête, s'est juré de le découvrir. Car bien qu'un suspect ait déjà été arrêté, son instinct lui souffle qu'il ne s'agit pas du véritable coupable... Voilà pourquoi elle a décidé de reprendre l'affaire de zéro, n'en déplaise à Reed Harding, le shérif de la ville. Un homme aussi austère que séduisant qui l'attire immédiatement, mais qui a vu son arrivée d'un très mauvais œil et s'échine depuis à la faire passer pour une citadine superficielle...

Black Rose n°303

Sous le nom d'une autre - M.J. Rodgers

Alors qu'il vient de sauver une jeune femme de la noyade, sous le Golden Gate Bridge, Noah est stupéfait en écoutant son histoire : elle a été adoptée, porte un nom qui n'est pas le sien, et veut à tout prix retrouver ses parents biologiques. Mais quelqu'un cherche à l'en empêcher, et l'a poussée du haut du pont quelques minutes plus tôt... Bouleversé, Noah ne peut se résoudre à la laisser repartir seule : il doit aider cette mystérieuse jeune femme à découvrir sa véritable identité, le seul moyen pour elle de savoir qui lui veut du mal...

Le vertige du doute - Rita Herron

Certaine que Bruno, son frère adoré, ne s'est pas suicidé comme l'ont conclu les rapports de police, Grace l'a décidé : elle mènera sa propre enquête. Bientôt victime d'agressions, elle comprend non seulement qu'elle a vu juste, mais aussi qu'en tant que simple infirmière, elle ne pourra s'en sortir seule. Aussi tente-t-elle le tout pour le tout en demandant son aide à Parker Kilpatrick, un inspecteur qu'elle a soigné il y a peu et qui a une dette envers elle. Un homme qu'elle s'était pourtant juré de ne plus approcher, tant son charme la désarme...

A paraître le 1er mai

Best-Sellers n°605 • suspense

La coupable parfaite - Laura Caldwell

A Chicago, une femme est accusée d'avoir empoisonné sa meilleure amie dans le but de lui ravir son mari. Aux yeux de la police, la culpabilité de la prévenue ne fait aucun doute. En revanche, pour l'intrépide et brillante avocate Izzy McNeil, qui se lance alors dans sa première affaire pénale, rien n'est moins sûr. Sa cliente a beau se montrer étrangement secrète, Izzy n'est pas du tout convaincue par la thèse du crime passionnel. A tel point qu'elle décide de mener sa propre enquête pour éclaircir les zones d'ombre et découvrir la vérité. Mais ce qui s'annonce comme l'affaire de sa carrière ne pouvait pas tomber plus mal car la vie personnelle d'Izzy est en plein chambardement : son ex-fiancé fait un retour retentissant alors même qu'elle tente de construire une nouvelle histoire d'amour.
Entre sombres secrets et passions inavouables, Izzy plonge peu à peu dans un monde où les relations aux allures inoffensives peuvent se révéler dangereuses…

Best-Sellers n°606 • suspense

Dangereux faux-semblants - Heather Graham

Pétrifiée, Madison Darvil ne peut détacher son regard de l'épaisse flaque de sang qui macule le sol. Qui rôdait cette nuit dans les sous-sols sinueux des studios de cinéma où elle travaille, et a sauvagement égorgé la belle Jenny Henderson, une jeune actrice dont la carrière était en train de décoller ? La police soupçonne le petit ami de Jenny, mais Madison, elle, refuse de croire à sa culpabilité : jamais celui qu'elle considère comme son petit frère n'aurait pu commettre un crime aussi odieux ! Parce qu'elle veut à tout prix qu'il soit innocenté, mais aussi parce qu'elle veut faire enfermer le criminel qui peut de nouveau – et à tout instant – frapper, Madison accepte d'apporter son aide à Sean Cameron, l'agent du FBI dépêché sur place. Un homme auréolé de mystère qu'elle peine à cerner… et dont la présence la trouble plus encore quand il lui révèle qu'il connaît son secret et que, comme elle, il a le pouvoir de communiquer avec les morts.

BestSellers

Best-Sellers n°607 • roman
L'héritage des Granger - Brenda Jackson
Des années plus tôt, Jace, Caden et Dalton Granger ont laissé derrière eux Charlottesville, la maison de leur enfance, et les terribles souvenirs qui y sont attachés. Mais, aujourd'hui, ils sont de retour pour exaucer le dernier souhait de leur défunt grand-père : sauver l'entreprise dans laquelle des générations de Granger ont mis toute leur énergie et leur passion.
Lorsqu'il découvre que *Granger Aeronotics*, qu'il a toujours connue florissante et à la pointe du progrès, est aujourd'hui au bord de la faillite, Jace n'a qu'une envie : claquer la porte et retourner à la vie qu'il s'est construite loin de Charlottesville. Hélas, comment le pourrait-il alors qu'il a solennellement juré à son grand-père, sur son lit de mort, de reprendre les rênes de l'entreprise familiale ? S'il veut sauver *Granger Aeronotics* et démasquer le traître qui a vendu certains de leurs secrets de fabrication à leur plus grand concurrent, Jace n'a qu'une solution : faire appel à Shana Bradford, la meilleure consultante de la ville.
Mais à peine pose-t-il les yeux sur la jeune femme qu'il pressent que cette collaboration sera bien plus difficile qu'il ne l'avait envisagé. Comment consacrer toute son énergie à sauver *Granger Aeronotics*, comme la situation l'exige, alors que les formes pulpeuses, la voix douce et le regard lumineux de Shana l'obsèdent jour et nuit ?

Best-Sellers n°608 • historique
La scandaleuse - Nicola Cornick
Londres, Régence
Susanna, en chair et en os ? Impossible ! Et pourtant... James Devlin, stupéfait, doit se rendre à l'évidence : c'est bien sa première épouse qui rit et danse avec insouciance au bal le plus prisé de la saison, et qui fait mine de ne pas le reconnaître ! Comment Susanna ose-t-elle réapparaître ainsi comme si de rien n'était, après avoir disparu sans laisser de traces, neuf ans plus tôt, au lendemain de leur nuit de noces ? Et comment peut-elle croire que se présenter sous un faux nom suffirait à le tromper, lui ?
Alors que la colère le submerge avec la même force qu'autrefois, James se jure que Susanna ne quittera pas ces lieux sans lui avoir donné l'explication qu'il attend depuis neuf ans. Ni sans lui avoir avoué ce qu'elle fait aujourd'hui au bras de l'un des célibataires les plus en vue de Londres. Car même s'il refuse de se l'avouer, il ne peut supporter l'idée que Susanna soit à un autre homme que lui...